Um presente para:

De:

Bênção Diária 1

Devocionais de Max Lucado

Título original
Grace for the Moment

Publisher	*Omar de Souza*
Editor responsável	*Samuel Coto*
Capa	*Douglas Lucas*
Tradução	*Marcelo Santos*
Preparação de texto	*Marcos Stefano*
Diagramação	*Carmen Beatriz*
Projeto Gráfico	*Bruno Cruz*

Este livro foi composto em Filosofia 10 e impresso pela
Edigráfica sobre papel Off Set 63g para a
Thomas Nelson Brasil em 2013.

CIP-BRASIL. CATALOGAÇÃO NA PUBLICAÇÃO
SINDICATO NACIONAL DOS EDITORES DE LIVROS, RJ

931b Lucado, Max
Bênção diária / Max Lucado; [Tradução de] Marcelo Santos. – Rio de Janeiro : Thomas Nelson Brasil, 2013.

(Benção diária, v. 1)
Título original: Grace for the moment
ISBN: 978-85-7860-447-9

1. Oração – Cristianismo. 2. Vida Cristã. I. Andrade, Marta Doreto. II. Título.

CDD 242
CDU 2-48

Thomas Nelson Brasil é uma marca licenciada à Vida Melhor Editora S.A.

Rua Nova Jerusalém, 345 – Bonsucesso
Rio de Janeiro – RJ – CEP 21402-325
Tel.: (21) 3882-8200 – Fax: (21) 3882-8212 / 3882-8313
www.thomasnelson.com.br

Para WENDELL HAWLEY

...por dar-me a oportunidade

siglas das versões bíblicas citadas nesta obra:

ARA: *Almeida revista e atualizada*, Sociedade Bíblica do Brasil

ARC: *Almeida revista e corrigida*, Sociedade Bíblica do Brasil

NTLH: *Nova tradução na linguagem de hoje*, Sociedade Bíblica do Brasil

NVI: *Nova versão internacional*, Bíblica Brasil

obras citadas pelo autor:

The Great House of God (Nashville: Word, 1997)

When Christ Comes (Nashville: Word, 1999)

In the Grip of Grace (Nashville: Word, 1996)

Just Like Jesus (Nashville: Word, 1998)

He Still Moves Stones (Nashville: Word, 1993)

The Applause of Heaven (Nashville: Word, 1990)

A Gentle Thunder (Nashville: Word, 1995)

In the Eye of the Storm (Nashville: Word, 1991)

When God Whispers Your Name (Nashville: Word, 1994)

The Gift for all People (Sisters: Multnomah Publishers, Inc., 1999)

God Came Near (Nashville: W Publishing Group, 2003)

The Inspirational Study Bible (Nashville: W Publishing Group, 1995)

Walking with the Savior (Wheaton: Tyndale House, 1993)

No Wonder They Call Him the Savior (Nashville: W Publishing Group, 2003)

Six Hours One Friday (Nashville: W Publishing Group, 2003)

And the Angels Were Silent (Nashville: W Publishing Group, 2003)

Traveling Light (Nashville: W Publishing Group, 2000)

He Chose the Nails (Nashville: W Publishing Group, 2000)

A Love Worth Giving (Nashville: W Publishing Group, 2002)

Next Door Savior (Nashville: W Publishing Group, 2003)

Come Thirsty (Nashville: W Publishing Group, 2004)

Cure for the Common Life (Nashville: W Publishing Group, 2005)

Prefácio

Quando viajo com meus filhos, guardo todos os bilhetes em uma mochila. Quando chega a hora de embarcar no avião ou no trem, fico entre o atendente e a criança. À medida que cada criança passa, coloco um bilhete na mão dela. Ela, por sua vez, entrega o bilhete ao atendente.

Deus faz o mesmo. Ele está entre nós e nossa necessidade, esperando para ajudar-nos. É por essa razão que a Bíblia diz: "Cheguemos, pois, com confiança ao trono da graça, para que possamos alcançar misericórdia e achar graça, a fim de sermos ajudados em tempo oportuno" (Hebreus 4:16, ACF).

Você reparou nas quatro últimas palavras? "Ajudados em tempo oportuno". Não muito cedo, nem muito tarde, mas no momento exato.

Assim como é de minha responsabilidade cuidar para que meus filhos tenham aquilo de que precisam, Deus cuidará para que você tenha aquilo de que precisa. Pela mão dele você será "ajudado em tempo oportuno".

E, quem sabe, ele poderá usar estas páginas para isso.

Agradecimentos especiais para Terri Gibbs por supervisionar este projeto.

Também agradeço à minha amiga e assistente Karen Hill por examinar atentamente estas páginas.

Meus agradecimentos a Jack Countryman por seu apoio entusiástico e ótimas dicas de golfe.

E a você, leitor. Que gentileza de sua parte convidar-me para entrar em seu mundo.

Que Deus possa usar estes encontros diários para dar-lhe mais dele, para dar-lhe graça para o momento.

Max Lucado

Todo dia...

Está um silêncio. É cedo. Meu café está quente. O céu ainda está escuro. O mundo ainda está dormindo. O dia está chegando.

Em alguns instantes chegará o dia. Ele virá rugindo pelo caminho com o nascer do sol. O silêncio da madrugada será substituído pelo ruído do dia. A calma da solidão será substituída pelos passos fortes da raça humana. O refúgio da madrugada será invadido por decisões que precisam ser tomadas e prazos que precisam ser cumpridos.

Nas próximas doze horas estarei exposto às exigências do dia. A hora em que tenho de fazer uma escolha é agora. Por causa do Calvário, sou livre para escolher. E assim escolho.

Escolho o amor...

Nenhuma ocasião justifica o ódio; nenhuma injustiça autoriza a amargura. Escolho o amor. Hoje amarei Deus e o que ele ama.

Escolho a alegria...

Convidarei meu Deus para ser o Deus da circunstância. Recusarei a tentação de ser cético... a ferramenta do pensador preguiçoso. Recusarei a ideia de considerar as pessoas menos que seres humanos, criados por Deus. Recusarei ver em qualquer problema algo menos que uma oportunidade de ver Deus.

Escolho a paz...

Viverei perdoado. Perdoarei para poder viver.

Escolho a paciência...

Esquecerei as coisas inconvenientes do mundo. Em vez de amaldiçoar aquele que toma meu lugar, irei convidá-lo a fazer isso. Em vez de queixar-me porque a espera é muito longa, agradecerei a Deus por um momento para orar. Em vez de fechar o punho diante de novas tarefas, irei encará-las com alegria e coragem.

ESCOLHO A GENTILEZA...

Serei gentil com os pobres, pois eles estão sozinhos. Gentil com os ricos, pois eles estão com medo. E gentil com os maus, pois foi assim que Deus me tratou.

ESCOLHO A BONDADE...

Prefiro ficar sem um centavo a aceitar um de forma desonesta. Prefiro ser ignorado a vangloriar-me. Prefiro confessar a acusar. Escolho a bondade.

ESCOLHO A FIDELIDADE...

Hoje cumprirei minhas promessas. Meus credores não se arrependerão da confiança que depositaram em mim. Meus sócios não questionarão minha palavra. Minha esposa não duvidará de meu amor. E meus filhos nunca terão medo de que seu pai não volte para casa.

ESCOLHO A MANSIDÃO...

Nada se ganha pela força. Escolho ser manso. Se eu levantar minha voz, que seja somente em louvor. Se eu fechar meu punho, que seja somente em oração. Se eu fizer uma exigência, que seja somente para mim mesmo.

ESCOLHO O DOMÍNIO PRÓPRIO...

Sou um ser espiritual... Depois que este corpo estiver morto, meu espírito subirá. Recuso-me a permitir que aquilo que apodrecerá domine o eterno. Escolho o domínio próprio. Só me embriagarei de alegria. Só me deixarei apaixonar por minha fé. Só serei influenciado por Deus. Só serei ensinado por Cristo. Escolho o domínio próprio.

Amor, alegria, paz, paciência, gentileza, bondade, fidelidade, mansidão e domínio próprio. A estes dedico meu dia. Se tiver êxito, darei graças. Se falhar, buscarei a graça de Deus. E, então, quando este dia chegar ao fim, colocarei minha cabeça no travesseiro e descansarei.

MAX LUCADO

Quando Deus sussurra o seu nome

Janeiro

Em alta voz clamo ao SENHOR; elevo a minha
voz ao SENHOR, suplicando misericórdia.

– Salmos 142:1

Deus pode te ouvir

Em alta voz clamo ao Senhor,
Elevo minha voz ao Senhor, suplicando misericórdia.
Salmos 142:1 (NVI)

Você pode conversar com Deus porque ele ouve sua oração. A sua voz é importante no céu. E Deus leva você muito a sério. Quando você entra na presença do Senhor, ele se volta porque tem interesse em ouvir sua voz. Portanto, não tenha medo de ser ignorado pelo Altíssimo. Mesmo que você gagueje ou tropece nas palavras, e mesmo que, a seus próprios olhos, o que você tem a dizer não impressione ninguém, impressionará Deus, e ele ouvirá. O Pai ouve o lamento sofrido do idoso no asilo. Ele escuta com clareza a confissão do condenado à morte. Quando o viciado implora por misericórdia; quando o marido ou a esposa busca orientação; quando o executivo ocupado se desvia do caminho para entrar numa igreja, Deus ouve.

Atentamente. Cuidadosamente.

Deus quer ouvir o que você tem a dizer. Como você se sente sabendo disso?

Para os amigos no Brasil

Sabendo que Deus ouve você e se importa com o que acontece em sua vida, por que você não conversa com ele agora mesmo? É muito fácil. Interrompa a leitura deste livro por um instante, feche seus olhos e comece a abrir o coração.

É PRECISO REDECORAR

...E a incomparável grandeza do seu poder para conosco, os que cremos...

Efésios 1:19 (NVI)

Deus é um decorador. É a sua divina vocação. Basta que ele viva por um certo tempo num coração para que esse coração sofra uma grande transformação. Ele substitui fotografias de dor por imagens de graça. Derruba paredes de ódio e conserta fissuras. Da mesma maneira que uma mãe não consegue ficar imóvel diante do choro de seu filho, Deus não entra numa vida sem alterá-la.

É claro que isto é desconfortável. Uma reforma, ainda mais na alma, não é algo simples e prazeroso. Não devemos interromper a obra desse Carpinteiro. Ao mesmo tempo em que ele irá acrescentar novas prateleiras, terá que retirar e demolir algumas outras áreas. Porém, fique em paz. Ele tem planos maiores. Ele quer mudá-lo e redecorá-lo por completo. Deus não vai interromper seu trabalho até que tenha terminado. Seu alvo é deixá-lo exatamente como Jesus, seu filho.

Como Deus tem mudado seu coração? Em que essas mudanças tornaram sua vida diferente hoje?

Para os amigos no Brasil

Não importa se você torce pelo Palmeiras, pelo Vasco da Gama, pelo Grêmio ou pelo Cruzeiro. Coisas como o time de sua preferência não precisam mudar. Deus está interessado é na mudança de seu coração. Essa, sim, faz uma enorme diferença.

Não perca a resposta de Deus

Existe alguma coisa impossível para o Senhor?
Gênesis 18:14 (NVI)

Deus gosta de surpresas. Ele faz dessa maneira por causa de seus filhos. Foi apenas quando Sara estava velha demais para gerar filhos que ela engravidou. Quando a falta cometida por Davi parecia ser intolerável, ele foi perdoado...

O que a gente aprende com isso? Jamais desista.

Se o caminho for longo, siga adiante.E mesmo na escuridão, não pare.

Nesse exato momento, Deus está velando por você. O cheque está seguindo para sua caixa postal. Aquela retratação que você tanto espera pode estar ocorrendo agora. É possível que seu currículo esteja sobre a mesa do seu futuro empregador. Não é a hora de desistir. Se voltar atrás agora, suas orações podem não ser respondidas.

Deus é fiel. Deus chega sempre na hora certa. Descreva outras características de Deus que incentivam você a não desistir.

Para os amigos no Brasil

Durante o tempo em que vivi no Brasil, uma das características que mais me atraíram no povo foi sua capacidade de persistir, mesmo nos momentos difíceis. Com a ajuda de Deus, você pode ir mais longe do que as circunstâncias indicam.

Na casa de Deus

Se alguém me ama, obedecerá à minha palavra. Meu Pai o amará, nós viremos a ele e faremos morada nele.

João 14:23 (NVI)

Deus quer morar com você. Ele não deseja ser apenas o destino para o descanso nos finais de semana, um lazer aos domingos ou uma casa onde se possa passar o verão. Não pense em usar o Senhor como uma espécie de refúgio de férias, ou um eventual retiro. Ele quer ser sua habitação hoje e eternamente. Ele quer ser sua referência, seu endereço; Deus deseja ser seu lar...

Isto pode soar como novidade para muitas pessoas. A gente entende que Deus deve ser analisado; não o vemos como a nossa morada. Olhamos para Deus como um ser sobrenatural capaz de fazer milagres e maravilhas, mas não o vemos como nosso lar. Ele é o criador de tudo e alguém a quem buscamos ajuda, não a casa onde vivemos. Porém, a vontade de nosso Pai celestial é ir além disso. "Pois nele vivemos, nos movemos e existimos". At. 17:28 (NVI)

O que você ganha quando faz de Deus sua morada?

Para os amigos no Brasil

Pense no privilégio maravilhoso de ter Deus como seu lar, seu refúgio, sua habitação. Consegue pensar em algum lugar mais seguro para se viver?

O fundamento da coragem

Porque eu lhes perdoarei a maldade e não me lembrarei mais dos seus pecados.
Hebreus 8:12 (NVI)

Portanto, agora já não há condenação para os que estão em Cristo Jesus.
Romanos 8:1 (NVI)

A sua infidelidade anulará a fidelidade de Deus?
Romanos 3:2 (NVI)

Para os que confiam em Jesus, essas promessas bíblicas não trazem apenas alegria à alma. Elas são fundamentos de coragem. É certo que seus pecados serão esquecidos, escondidos pelo ato de amor de Jesus Cristo na cruz. Quando Deus coloca os olhos em você, ele vê Cristo, que te envolve. Seus erros e pecados não devem mais roubar-lhe a paz. É certo que você vai vencer. É possível não ter coragem sabendo disso?

Por que Deus quer que confessemos nossos pecados e admitamos nossa necessidade de perdão?

Para os amigos no Brasil

Há um poder extraordinário esperando por aqueles que confiam em Deus. Com essa certeza no coração, você reunirá a coragem necessária para desafiar as adversidades.

A água saradora do servo

Depois disso, derramou água numa bacia e começou a lavar os pés dos seus discípulos, enxugando-os com a toalha que estava em sua cintura.

João 13:5 (NVI)

Permita que Jesus lave seus pés é deixe-o colocar suas mãos nas áreas mais sujas de sua história.

Antigamente, no Oriente, as pessoas tinham seus pés cobertos de poeira e lama endurecidas. Era a função dos empregados de uma festa limpar os pés dos convidados. Jesus assume uma função de servo. Ele quer lavar o pedaço mais sujo em você. Para isso, você precisa permitir. O servo só irá derramar a água em seus pés se você confessar que está sujo. É preciso admitir que estamos cobertos de lama e sujeira da vida, que seguimos por caminhos proibidos e por trilhas de engano.

Se não admitirmos nossa sujeira, não seremos limpos. Não ficaremos puros até admitirmos nossa imundice. Da mesma forma, seremos incapazes de lavar os pés daqueles que nos machucaram, nos ofenderam, até submeter nossos próprios pés a Jesus, que foi ferido por nós.

Como essas promessas ajudam você a viver com coragem e alegria?

Para os amigos no Brasil

Há alguma área em sua vida que você considera suja e indigna? Medite sobre isso agora e apresente ao Mestre. Ele tem interesse em usar água viva para purificar seu coração.

O sumo sacerdote

Pois não temos um sumo sacerdote que não possa compadecer-se das nossas fraquezas, mas sim alguém que, como nós, passou por todo tipo de tentação, porém, sem pecado.

Hebreus 4:15 (NVI)

Veja como J. B. Phillips traduz Hebreus 4:15.

Porque não temos um sumo sacerdote super-humano, para quem as nossas fraquezas são ininteligíveis — ele próprio já dividiu totalmente toda a nossa experiência de tentação, só que nunca pecou.

Parece que o autor de Hebreus já sabia que um dia oraríamos assim: "Deus, é fácil daí de cima. O Senhor não sabe como tem sido difícil viver o cotidiano por aqui". Por isso ele proclama, de forma corajosa, a habilidade de Jesus. Veja o que o texto diz. Foi "Ele próprio" e não um anjo, um embaixador ou emissário. Ele "dividiu totalmente" e não de forma parcial ou aproximada. De "toda a nossa experiência". Das dores e sofrimentos. Do grande estresse e exaustão. Nada diferente disso. E por qual motivo? Para que pudesse entender a plenitude de todas as nossas fraquezas.

Jesus viveu as lutas e dificuldades da vida humana. De que maneira isso afeta sua vida?

Para os amigos no Brasil

Uma das coisas que distingue a fé cristã de muitas outras é que o próprio Deus se identificou com nossas dificuldades e mazelas. Por causa disso, ele compreende tudo o que nos aflige e nos conforta na medida certa.

DESTINADOS AO CÉU

O meu Reino não é deste mundo.

João 18:36 (NVI)

O desconforto na Terra gera um desejo pelo lar celestial. Deus nos permite um profundo descontentamento aqui e nos reivindica a atenção. A grande tragédia é estar satisfeito antes do tempo. Sentir-se confortável na Terra. Nessa pátria estranha...

Nossa infelicidade aqui é porque esse não é o nosso lar. Não estamos contentes porque não é para estarmos contentes aqui. Somos "como estrangeiros e peregrinos no mundo" (1 Pe 2:11). O motivo de você jamais ser completamente feliz na Terra é porque você não foi destinado para isso. Sim, você terá bons momentos de alegria. Serão instantes de luz. Alguns momentos, ou até mesmo dias de paz. Porém, tudo isso não pode se comparar com a plena felicidade que o espera adiante.

Saber que seu lugar não é neste mundo não incomoda você?

PARA OS AMIGOS NO BRASIL

Deus criou você para o céu. Isto é fato. Por mais que você se sinta bem entre pessoas queridas, fazendo o que gosta ou se divertindo, nada é tão fascinante quanto a perspectiva da eternidade com Deus.

Sempre ao seu lado

Pois o Filho do homem veio buscar e salvar o que estava perdido.
Lucas 19:10 (NVI)

Deus, o nosso Deus, está sempre por perto. Você já o sentiu andando ao seu lado? Ele está em busca do perdido e seu desejo é salvá-lo. Você já notou Deus tentando te encontrar? Você já percebeu a presença de Deus por meio de um ato de bondade vindo de uma pessoa que não conhecia? Deus já se manifestou a você através de um esplendoroso pôr do sol ou mesmo nas linhas misteriosas de um romance? Nas perguntas simples das crianças e até mesmo no esforço empreendido por sua esposa ou marido? Já o sentiu nas palavras que chegam nos momentos mais precisos ou numa palavra dita a seu tempo, num toque de afeto?

Deus se entrega. Até nos momentos em que trocamos seus palácios por um barraco qualquer, ou nos agarramos a mesquinharias em vez de desfrutar de sua graça. O Senhor, ainda assim, anda conosco. Ele não nos força. Apenas usa de seu poder para se apresentar a nós e mostrar que podemos confiar nele para conduzir-nos ao nosso destino celestial.

Descreva uma experiência vívida em que você sentiu a presença de Deus.

Para os amigos no Brasil

Você pode fazer um passeio pelas matas da Amazônia, pelas montanhas de Minas Gerais ou pelas praias da Bahia. Aonde quer que você for, os olhos de Deus estarão atentos sobre sua vida.

Quem é o servo?

Marta agitava-se de um lado para outro, ocupada em muitos serviços... Maria, pois, escolheu a boa parte, e esta não lhe será tirada.

Lucas 10: 40-42 (ARA)

A preocupação de Marta era boa. Jesus fora convidado para um jantar em sua casa. Realmente, ela trabalhava para Deus. Sua intenção não era outra senão atender a Jesus. Entretanto, ela cometeu um equívoco. A partir do momento em que trabalhava para Jesus, seu ofício se tornou mais importante do que o próprio Senhor. O que seria um meio de agradar a Cristo transformou-se, vagarosa e silenciosamente, numa forma de atender a si própria... Marta havia se esquecido que aquele jantar seria uma homenagem a Jesus e não a si própria. É comum não se lembrar de quem serve e quem merece ser servido.

O motivo errado pode estragar a melhor das intenções. O que você pode fazer para evitar esse erro?

Para os amigos no Brasil

Servir a Deus é muito mais do que oferecer nossa força de trabalho ou nossos recursos. Honrá-lo deve ser nossa prioridade absoluta.

Você está nos pensamentos de Deus

Não se preocupem com nada, mas em todas as orações peçam a Deus o que vocês precisam e orem sempre com o coração agradecido.
Filipenses 4:6 (NTLH)

Nas regiões celestiais não existe diferença entre um domingo pela manhã ou uma quarta-feira à tarde. Deus quer se comunicar com você do mesmo modo, seja no seu local de trabalho ou quando estiver orando na igreja. Seu profundo desejo é ser honrado igualmente à mesa do jantar e durante a Santa Ceia.É possível que você até passe dias sem pensar em Deus; Ele, no entanto, não passa um único momento sem se lembrar de você. Ao percebemos isso, é possível entender o árduo objetivo do apóstolo Paulo: "Dominamos todo pensamento humano e fazemos com que ele obedeça a Cristo" (2 Co. 10:5 - NTLH). Fica evidente a razão de sua insistência: "Orem sempre" (1 Ts 5:17), "Orem sempre" (Rm 12:12), e "Continuem firmes na oração" (Cl 4:2 – NTLH).

Se pensássemos mais em Deus, pensaríamos nele com mais frequência?

Para os amigos no Brasil

Pensar em Deus e em todas as coisas relacionadas com ele é uma questão de disciplina. Se você levar seus pensamentos "à obediência de Cristo", sua mente será cheia de contentamento e alegria que o Espírito Santo concede.

Da forma como você é

Tende em vós o mesmo sentimento que houve também em Cristo Jesus.

Filipenses 2:5 (ARA)

É arriscado definir grandes verdades em uma frase, mas eu tentarei. Se eu fosse escolher uma afirmação capaz de revelar o plano de Deus conosco, diria o seguinte:

Deus te ama da forma como você é, mas não aceita deixá-lo do jeito como está. Ele quer que você seja simplesmente como Jesus.

Deus te ama do seu jeito, exatamente assim. Você está enganado se pensa que o amor divino varia de acordo com a força de sua fé. Não compare o amor de Deus com o amor expressado pelas pessoas que conhece. Em geral, o amor das pessoas muda conforme os resultados. Ele pode ser grande se a performance for boa e pequeno à medida que os erros aumentam. O amor de Deus não funciona assim. Ele o ama da forma como você é.

O amor de Deus não aumenta com as coisas boas nem diminui com os erros que você comete. Como você reage a um amor desse tipo?

Para os amigos no Brasil

Você gosta de feijoada ou de churrasco? Prefere caminhar ou jogar bola? Nada disso interfere no amor que Deus tem por você. Ele nos ama do jeito que somos.

Os bons presentes de Deus

Toda boa dádiva e todo dom perfeito vêm
do alto, descendo do Pai das luzes.
Tiago 1:17 (RC)

É possível que você já tenha se sentido como se nada tivesse de valor. Apenas observe os bons presentes que você tem recebido de Deus:

É ele que envia os seus anjos para protegê-lo, que coloca em você seu Santo Espírito e usa sua igreja para encorajá-lo. Que dá a sua Palavra, a bíblia sagrada, para direcioná-lo. Toda as vezes em que você ora, ele te escuta. Quando você pede algo é ele quem te responde. Jamais o Senhor o deixará ser tentado de forma tão grande ou permitirá que tropece com gravidade. Basta que uma lágrima escorra de seu olho para que ele prontamente a enxugue. Permita que um poema de amor a Deus surja de sua boca. Ele o ouvirá. Quanto mais for a sua vontade de vê-lo, maior ainda é o desejo do Senhor de ter você por perto. Cristo te escolheu. Ele lutou para que você fosse o filho gerado em seu coração.

Todas as coisas boas que recebemos são dadas por Deus. Lembre-se de algumas delas e não as negligencie.

Para os amigos no Brasil

Tudo o que temos foi dado por Deus. E se engana quem acha que tem pouco. Basta parar um pouco e você certamente conseguirá fazer uma lista imensa de bênçãos recebidas.

No tempo certo

Não fará Deus justiça aos seus escolhidos, que a ele clamam dia e noite, embora pareça demorado em defendê-los?

Lucas 18:7 (ARA)

Qual a razão para que Deus aguarde até o dinheiro terminar? E o motivo para que ele espere a nossa enfermidade piorar? Por que o Senhor prefere esperar até que fiquemos sobrecarregados para nos responder por uma oração em que pedimos a cura?

Desconheço as respostas para essas dúvidas. Somente sei que seu tempo é sempre o certo. Posso afirmar apenas que ele tem a melhor resposta, e assim o fará.

Por mais que você não o escute, ele não está calado. Ainda que você não o perceba, ele está se movendo ao seu favor. Não há coincidências com Deus. Cada situação é arquitetada para nos conduzir até o seu amor.

Deus faz o que é melhor no momento mais apropriado. Como você deve agir enquanto espera? Por quê?

Para os amigos no Brasil

Se você acha que Deus está demorando a responder à sua oração, imagine o que pensaram os heróis bíblicos da fé que chegaram a levar décadas para ter suas orações respondidas. Mas quando isso aconteceu, eles entenderam que valia a pena esperar.

Vestido para a salvação

Pois este corpo mortal precisa se vestir com o que é imortal; este corpo que vai morrer precisa se vestir com o que não pode morrer.

1 Coríntios 15:53 (NTHL)

Cristo está preocupado com as roupas que vestimos? Parece que sim. A Bíblia, aliás, indica de forma exata quais são as vestes aprovadas por Deus.

"Mas revesti-vos do Senhor Jesus Cristo e não tenhais cuidado da carne em suas concupiscências" Rm 13:14 (RC).

"Porque todos sois filhos de Deus pela fé em Cristo Jesus; porque todos quantos fostes batizados em Cristo já vos revestistes de Cristo" Gl 3:26-27 (RC).

Não se trata de peças de roupas como camisetas, vestidos, jeans ou ternos. Deus se importa é como vestimos a nossa alma. Apenas Jesus oferece o manto que só pode ser visto pelo Céu. É isso o que diz Isaías: "Nós nos alegraremos e cantaremos um hino de louvor por causa daquilo que o SENHOR, nosso Deus, fez. Ele nos vestiu com a roupa da salvação e com a capa da vitória. Somos como um noivo que põe um turbante de festa na cabeça, como uma noiva enfeitada com joias" Is. 61:10 (NTHL).

Quando você está usando as vestes da salvação de Cristo, não sente necessidade de satisfazer os desejos pecaminosos. O que você faz nessa hora?

Para os amigos no Brasil

Deus não se preocupa com as roupas que cobrem seu corpo, ou se você usa jeans, vestido, camisa social ou terno. Por mais elegante que uma pessoa seja por fora, o que importa para Deus é o que ela usa para revestir o coração.

SEMEANDO AFETOS

Preparem os campos para a lavoura, semeiem a justiça e colham as bênçãos que o amor produzirá.

Oséias 10:12 (NTLH)

Você deseja presenciar um milagre? Basta semear palavras de afeto no coração de outra pessoa. Cultive com sorrisos e faça uma oração. Veja o que vai acontecer.

Um trabalhador recebe um elogio. A esposa ganha flores. Um bolo é preparado e levado ao vizinho. A viúva é consolada. O frentista é respeitado em seu trabalho, no posto de gasolina. Um pastor é aplaudido após o seu sermão.

Semear gestos de paz é como plantar sementes de feijão no algodão. A gente não sabe ao certo como isso funciona, mas sempre funciona. Quando se lança as sementes de afetos, as camadas do solo ferido são removidas. Esse é um fundamento que deve ser aprendido. Jamais deixe de dar valor ao poder de uma semente.

Pense em algum momento em que uma pessoa plantou uma semente de amor em seu coração. Como você se sentiu naquele momento?

PARA OS AMIGOS NO BRASIL

Todos sabem que o solo brasileiro é muito fértil. Quase todo tipo de semente germina. Da mesma maneira, pense no coração das pessoas como o chão deste país e plante hoje mesmo uma boa semente.

Uma morada segura

E eis que estou convosco todos os dias
até à consumação do século.
Mateus 28:20 (ARA)

O rei e salmista Davi, considerado pela Bíblia Sagrada como o homem segundo o coração de Deus, disse: "Uma coisa peço ao Senhor, e a buscarei: que eu possa morar na Casa do Senhor todos os dias da minha vida" Sl 27:4 (ARA).

E qual era a "Casa do Senhor" que ele desejava profundamente? O salmista estaria se referindo a uma construção? Ele procurava por uma inexistente edificação com paredes, janelas e portas pelas quais pudesse entrar? Não. O nosso Deus "não habita em santuários feitos por mãos humanas". At. 17:24 (ARA). No momento em que o salmista escreveu: "Habitarei na Casa do Senhor para todo sempre" Sl. 23:6 (ARA), ele não se referia a um refúgio, um local onde pudesse se afastar das outras pessoas. Davi afirmava que seu maior anelo era viver constantemente na presença de Deus, seja em qual lugar fosse.

Você acha que Deus está conosco em qualquer momento, independente do fato de estarmos pensando nele ou não? Por que isso é bom para nós?

para os amigos no brasil

O lugar mais seguro de um bairro, uma cidade ou mesmo um país não é a casa do presidente, um quartel ou o cofre do banco. Não há maior segurança do que estar na presença de Deus.

Imagine o mundo sem pecado

E morará o lobo com o cordeiro,
e o leopardo com o cabrito se deitará,
e o bezerro, e o filho de leão,
e a nédia ovelha viverão juntos.
Isaías 11:6 (ARA)

Já pensou num mundo onde não houvesse pecados? Você mesmo, recentemente, teve que lidar com seu pecado?

Na melhor das hipóteses você deve ter se queixado. Ou mesmo se preocupou. Pode ter acumulado, quando o correto era ter dividido. Ou se distanciou, quando o certo era ter socorrido...

O pecado fez você ofender alguém que ama e ser áspero com pessoas queridas. Por tudo isso você deve ter sentido vergonha, culpa ou mesmo amargura.

Milhares de pessoas não cumprem o que dizem e infartam por causa do pecado. Seus desejos podem ser motivados pelo pecado. Seus receios podem ser seguidos de volta ao pecado. Intolerância, os crimes, a conduta sexual inadequada. Todas essas coisas acontecem devido ao pecado. No céu, porém, isso tudo não existirá.

Imagine um mundo onde não existe o pecado. Se pode, você está imaginando o céu.

Pense em algumas coisas que causam distração em sua vida. O que você faz para dedicar atenção a Deus?

Para os amigos no Brasil

Quando se fala em um mundo totalmente justo, as pessoas usam o termo "utopia" para defini-lo. Mas essa possibilidade é real. Basta imaginarmos o que nos espera no céu.

Um coração semelhante ao de Jesus

Tu és o nosso Pai. Nós somos o barro; tu és o oleiro. Todos nós somos obra das tuas mãos.

Isaías 64:8 (NVI)

O desejo divino é que sejamos simplesmente como Jesus.

Não é uma grande novidade? Você não está amarrado às suas próprias características. Não existe uma condenação para que viva entristecido. É possível ajustar sua personalidade. Por mais que tenha sido uma pessoa ansiosa durante a vida toda, você não precisa passar os próximos dias do mesmo jeito. E, mesmo que tenha nascido uma pessoa intolerante, não precisaria morrer assim.

Quem foi que afirmou que não podemos mudar? De onde surgiram equívocos como: "Eu sou uma pessoa ansiosa. Faz parte da minha personalidade" ou ainda "Serei sempre um pessimista. É meu destino"? Quem falou? Faríamos discursos parecidos acerca de nossos corpos? "É da minha natureza ter uma perna fraturada. Não adianta tentar mudar". Certamente não funciona deste jeito. Quando temos algum problema físico, procuramos um médico. Isso também não deveria se aplicar aos problemas que temos na alma? O correto não é procurar corrigir nossas atitudes erradas e tratar nosso comportamento egoísta? Deus tem o poder de transformar nossos corações. Sua vontade é que possamos ter o mesmo sentimento de Cristo Jesus.

Às vezes ficamos presos a maus hábitos. Qual é o primeiro passo para abandoná-los?

Para os amigos no Brasil

"Tal pai, tal filho"; ou: "Filho de peixe peixinho é." Esses dois ditados brasileiros servem para ilustrar a importância de vivermos de forma a expressar as mesmas características de nosso Pai celestial.

Jesus ao alcance das mãos

Àquele que se lembrou de nós
quando fomos humilhados
O seu amor dura para sempre!
Salmos 136.23 (NVI)

Deus decidiu tornar-se conhecido por meio do corpo de um ser humano.

Era humana a língua que ordenou ao defunto deixar sua sepultura. A mão que tocou o homem leproso tinha sujeira embaixo das unhas. Eram calejados e empoeirados os pés sobre os quais a mulher pranteou. E seu choro... sim, não esconda suas lágrimas... brotaram de um coração tão ferido como o seu ou meu já foram.

Dessa forma as pessoas o procuravam. E como elas iam a ele. Era ao anoitecer; procuravam encostar nele durante suas peregrinações, acompanhavam-o pela praia; pediam que fosse até suas casas, colocavam as crianças sobre seus joelhos. E qual a razão de tudo isso? Jesus não aceitava ser como uma estátua emoldurada numa catedral ou ser tratado como um religioso numa plataforma. Pelo contrário, Cristo quis estar mais próximo, ser acessível e tocável.

Jesus se aproximou de nós quando precisávamos. Você acha que ele espera que façamos o mesmo pelas pessoas? Cite algumas maneiras práticas de fazer isso.

Para os amigos no Brasil

Jesus nunca se afasta daqueles que o amam. Quando se retirou da presença dos discípulos, deixou seu Espírito Santo para habitar em nós. Ele está sempre ao nosso alcance.

Bênçãos à mesa

Preparas um banquete para mim
à vista dos meus inimigos.
Salmos 23:5 (NVI)

Por um pequeno instante, tente imaginar o cenário na sala de jantar do Céu...

Não foi por meio de nossos atributos físicos, mas sim por sua palavra. Foi através dela que ele nos convida a ocupar permanentemente um lugar à divina mesa... Ladeados por outro pecador-santificado, podemos compartilhar a glória de Deus.

Você me permite dividir alguns itens que o aguardam nesse cenário celestial?

Não há mais nenhuma condenação (Rm 8:1).

Você faz parte do Reino de Deus (Cl 1:13).

Por meio da adoção, você também agora é filho (Rm 8:15),

Deus está acessível a você em todo tempo (Ef 2:18).

Você jamais será esquecido (Hb 13:5).

Sua herança é incorruptível e dura para sempre (1 Pe 1:4).

"Você se sente à mesa de Deus, que transborda de bênçãos." Cite algumas dessas bênçãos que ele tem lhe concedido.

Para os amigos no Brasil

Diga em voz alta: "Meu Deus me convida para sentar ao seu lado TODOS OS DIAS!" Ele fez essa promessa. Nada e ninguém pode tirar isso de você.

O Cristo piedoso

Quando Jesus saiu do barco e viu uma grande multidão, teve compaixão deles, porque eram como ovelhas sem pastor. Então começou a ensinar-lhes muitas coisas
Marcos 6:34 (NVI)

Após navegar pelo mar da Galileia, Jesus desembarcou na praia de Betsaida, onde encontrou um oceano de homens e mulheres. Lembre-se: ele cortou o mar justamente para escapar da grande quantidade de pessoas que o procuravam. Desejava repousar, junto com seus discípulos. De todas as suas necessidades, nenhuma era outra multidão composta de milhares de pessoas precisando de ensino e cura.

Mais uma vez o amor que tinha pelas pessoas foi maior do que sua necessidade de repouso...

Grande parte dos que foram curados jamais o agradeceriam. Mesmo assim, ele se compadecia de todos. Boa parte se preocupou mais com a cura do corpo; queriam ser sarados mas não santificados. E ele os sarou. Da multidão que queria ser atendida naquele momento, dos que queriam se alimentar e pediam pão, boa parte clamaria por sua crucificação tempos depois. Porém, ele não deixou de curar nenhum deles. Jesus se apiedava de todas aquelas pessoas.

O que significa para você ser uma pessoa "cheia de compaixão"?

Para os amigos no Brasil

A compaixão não espera por recompensa. Seja qual for a necessidade do próximo, você estará sempre pronto e disposto a oferecer seu amor, mesmo que nunca ouça uma palavra de agradecimento.

Filhos por adoção

O mesmo Espírito testifica com o nosso espírito que somos filhos de Deus.
Romanos 8:10 (ARA)

No momento em que nos entregamos a Jesus Cristo, não temos apenas seu perdão, somos feitos filhos por meio da adoção. Foram muitos e dramáticos os fatos que nos tornaram orfãos. Éramos condenados e desesperançados até que fomos adotados e perdemos todo o medo.

Olhe como isso se dá: você está no julgamento de Deus. Seu coração é contaminado pelas revoltas e erros. Deus não pode desconsiderar seu pecado, mas seu grande amor faz com que ele não perca você de vista. Numa atitude que deixa os céus fora de ordem, ele assume a pena pelos seus e meus pecados. E a cumpre, na cruz. Numa ação, Deus cumpre sua justiça e seu amor. E você, que foi criado por Deus, recebe o perdão. Essa história vai além. Seria esplendoroso se Deus apenas tornasse seu nome limpo. Porém, sua bondade não tem fim. Ele lhe torna filho. Você agora tem o sobrenome e a herança divina.

Cite alguns de nossos privilégios como membros da família de Cristo. Agora cite algumas de nossas obrigações.

Para os amigos no Brasil

Silva, Souza, Almeida, Pereira, Santos, Alves... esses são alguns sobrenomes bem comuns no Brasil. Mas quando Deus habita em sua vida, você passa a fazer parte da família dele. Já parou para pensar no grande privilégio que isso representa?

Cuidado com sua ação

Que o próprio Senhor Jesus Cristo e Deus nosso Pai... dê ânimo ao coração de vocês e os fortaleçam para fazerem sempre o bem, tanto em atos como em palavras.

2 Tessalonicenses 2:16-17 (NVI)

"Senhor, não te importas que minha irmã tenha me deixado sozinha com o serviço?" (Lc 10:40).

Marta tinha uma rotina agitada. Ela precisava repousar um pouco.

"Marta! Marta! Você está preocupada e inquieta com muitas coisas; todavia apenas uma é necessária. Maria escolheu a boa parte." (Lc. 10:41-42).

Qual foi a escolha de Maria? Ela decidiu colocar-se aos pés de Jesus. Para Deus há mais alegria na contemplação de um servo sincero do que no barulho dos afazeres de um outro servo com amargura no coração...

Não importa o serviço que se presta e sim o coração por trás dele. Uma ação cheia de amargura inutiliza nosso sacrifício diante do altar de Deus.

De que maneira uma atitude ruim pode estragar as coisa boas que Deus concede?

Para os amigos no Brasil

É importante ficarmos atentos às nossas atitudes. Elas dizem muito a respeito da maneira como encaramos nosso relacionamento com Deus.

Você é tão especial

Nem a altura, nem a profundidade,
nem alguma outra criatura
nos poderá separar do amor de Deus.
Romanos 8:39 (ARA)

Queremos entender até onde o amor de Deus suporta. Além dos festivos domingos de Páscoa, enquanto temos os sapatos lustrados e os cabelos bem-escovados... Precisamos saber não somente quando sinto-me cheio de confiança e alegria, disposto a dar conta de problemas como a fome mundial. Não. Nessas horas eu sei como ele me vê. Até eu mesmo gosto de mim quando estou assim.

Minha necessidade é saber o que Deus pensa sobre mim quando atiro contra qualquer coisa que se mova, quando minhas ideias cheiram a esgoto, no momento em que minhas argumentações estão tão afiadas que seriam capazes de dividir uma rocha ao meio. Como Cristo se sente a meu respeito nesses momentos?

Será que algo pode separar-nos do amor que Jesus nutre por nós? Deus já havia nos respondido antes mesmo que essa pergunta fosse formulada. Ele clareou os céus pontilhando-o com uma estrela para que pudéssemos ver sua resposta. Deus fez ecoar um coral na escura noite com suas palavras. Tudo para que fôssemos capazes de ouvir. Ele fez mais. Fez o que nenhuma pessoa jamais sonhou. Ele tornou-se carne e habitou entre nós. Cristo envolveu seus braços sobre os ombros do mundo só para deixar evidente à toda humanidade o quanto ela é especial para Deus.

Deus acha que você é especial. Isso faz alguma diferença no modo como você pensa a respeito de si? Por quê?

Para os amigos no Brasil

Se você acha que existe alguma coisa capaz de separá-lo do amor de Deus, apresente a ele em oração agora. Jesus entregou sua vida para tornar você uma pessoa especial, inseparável do Pai.

Uma intuição e esperança

Filha, a sua fé a curou!'
Vá em paz e fique livre do seu sofrimento.
Marcos 5:34 (NVI)

Pode ser que tudo que tenha lhe sobrado seja uma intuição maluca e uma esperança enorme. Nada mais lhe restou. Aliás, a única coisa que você tem para dividir é sua aflição. Talvez isso tenha lhe impedido de ir a Deus. Puxa, foram um ou dois passos na direção do Senhor, e você percebeu outras pessoas ao seu redor. Elas pareciam tão alinhadas, limpas, arrumadas e em sintonia com a fé delas... Quando você notou essas pessoas, sua visão de Deus foi interrompida. Você recuou.

Se essa imagem o descreve, note com atenção a pessoa elogiada por Jesus por causa de sua fé. Não se tratava de um bom dizimista. Nem mesmo um membro fiel de uma igreja qualquer. Essa pessoa não era um mestre aplaudido. Se tratava de uma mulher envergonhada e pobre — uma mulher que sofria de hemorragia havia doze anos — que percebeu antes de todos que Jesus poderia curá-la. Ela se prendeu à esperança de que Cristo a atenderia.

Essa não é uma definição errada sobre a fé. A firme ideia de que ele é capaz de fazer e a esperança de ele atenderá seu clamor.

Descreva um momento no qual você creu que Deus poderia ajudar e ele o fez.

Para os amigos no Brasil

A convicção daquela mulher foi fundamental, e ela se baseava na fé. Você deve fazer o mesmo. Coloque sua fé em prática e verá que seu coração se tornará mais confiante na resposta de Deus às suas orações.

Um coração tranquilo

A sabedoria que vem do alto é, primeiramente,
pura, depois, pacífica, moderada, tratável,
cheia de misericórdia e de bons frutos.

Tiago 3:17 (ARA)

Jesus mantinha seu coração puro. Mesmo sendo adorado por milhares de pessoas, o Salvador se contentava com uma vida sem ostentação. Cristo era cercado e servido por muitas mulheres (Lc. 8:1-3), porém jamais foi acusado de ter pensamentos promíscuos; foi humilhado, mas não negava perdão aos que lhe pediam misericórdia. Pedro viu nele um "cordeiro puro e imaculado" (1 Pe. 1:19). Outro discípulo, João, que também viveu três anos e meio ao lado de Jesus, definiu assim: "E nele não há pecado" (1 Jo. 3:5).

O coração de Jesus era cheio de paz. Enquanto os seus seguidores inquietavam-se diante de uma multidão faminta, Jesus estava tranquilo. Agradecido a Deus por aquela situação. Os discípulos estavam assombrados, temerosos durante uma tempestade em alto mar, mas Jesus não. Ele repousava em paz em meio às ondas. Pedro chegou a puxar sua espada para enfrentar os soldados, Cristo não. Suas mãos estavam estendidas para curar. Seu coração estava sossegado.

Que tipo de situação aborrece você, mas com a qual Jesus lidaria com tranquilidade? Cite algumas.

Para os amigos no Brasil

Viver sempre em ansiedade faz mal não apenas à mente e ao coração, mas também à sua comunhão com Deus. Quem tem a paz de Cristo no coração também enfrenta problemas, mas vive muito melhor.

Deus sara nossas dores

Quando Jesus saiu do barco e viu tão grande multidão, teve compaixão deles e curou os seus doentes.

Mateus 14:14 (NVI)

A tradução da palavra compaixão para o grego é splanchnizomai. Isso não deve ter grande importância para você, a não ser que sua área profissional seja saúde e, na escola, tenha aprendido sobre esplancnologia. Se é seu caso, deve se lembrar que esplancnologia é o estudo do... intestino.

Ao dizer que Jesus teve compaixão da multidão, Mateus não se referia a uma piedade repentina. A tradução é mais complexa. Mateus deixava claro que Jesus sentiu a dor das pessoas em seu próprio intestino:

Ele sentiu a dor do manquejar do deficiente físico.
A dor do enfermo doeu nele também.
Ele foi tocado pelo isolamento imposto ao leproso.
Ele percebeu a vergonha de quem cometeu um pecado.

E por sentir as dores de todos, não podia somente assistir. Tinha que curá-las.

Você consegue distinguir a diferença entre sentir pena e compaixão? Tente defini-las.

Para os amigos no Brasil

É muito comum ouvir alguém dizer diante de uma pessoa pobre, deprimida ou doente: "Dá uma pena, não é?" Mas o coração cheio de compaixão vai além: ele sente a dor, a tristeza e a angústia do próximo. Era assim que Jesus se sentia diante daqueles a quem curou e transformou.

Deus é a paz

E a paz de Deus, que excede todo o entendimento, guardará os vossos corações e os vossos sentimentos em Cristo Jesus.

Filipenses 4.7 (ARA)

O Senhor apareceu a Gideão e disse que ele deveria conduzir seu povo à vitória sobre os midianitas. Seria como se um profeta do Senhor procurasse uma dona de casa, vítima de violência doméstica, e pedisse que lutasse contra seu marido violento; ou ainda que um estudante adolescente enfrentasse um narcotraficante, ou mesmo que um pastor ministrasse a Palavra sem rodeios e de forma verdadeira a uma comunidade formada por fariseus "Me-me-meu Deus! E-e-escolha o-outro", diríamos, gaguejando. Nessa hora Deus nos recorda que ele tem conhecimento de que não somos capazes, mas ele sim. Como prova, o Senhor nos dá um grande presente. Ele nos coloca um espírito de paz. Uma paz que vence a tempestade. Que vai além da razão... Foi essa paz que ele colocou no coração de Davi quando ele encarou Golias; essa tranquilidade assaltou o coração de Saulo, após conhecer o evangelho; ele presenteou a Jesus, quando a cruz surgiu diante dos seus olhos. E a deu a Gideão. Dessa maneira Gideão, em retribuição, ofereceu a Deus um nome. Ele edificou um altar e o batizou de Jeová-Shalom, que significa o Senhor é paz (Jz 6:24).

Cite algumas maneiras como Deus proporciona paz ao seu coração a cada dia.

Para os amigos no Brasil

Desesperar diante de um problema não resolve nada. Na verdade, é um problema a mais para resolver. A paz que Deus concede permite que você enxergue com clareza a solução e viva de maneira mais confiante.

Fevereiro

O Senhor está perto de todos os que o invocam,
de todos os que o invocam com sinceridade.

— Salmos 145:18 (NVI)

A ESTUFA DA ALMA

Não se deixem enganar: de Deus não se zomba. Pois o que o homem semear, isso também colherá.

Gálatas 6:7 (NVI)

Olhe para sua alma como se fosse uma estufa, onde se cultiva plantas... Da mesma forma, ele deve ser cuidado.

Por um momento, imagine seus pensamentos como grãos de sementes. Parte deles deverão florir. Outros irão se transformar em ervas daninhas. Semeie esperança e colha confiança. Semeie confusão e terá inquietude...

Essa verdade é evidente. Você já reparou como algumas pessoas parecem ser feitas de "teflon", imunes aos grudentos pensamentos negativos e mantendo-se confiantes e perdoadoras? A razão disso não seria porque escolheram plantar sementes de generosidade e agora desfrutam do fruto colhido?

Por outro lado, já percebeu como algumas pessoas são tão amargas e com atitudes nefastas? Certamente este também seria seu caso se sua alma fosse uma estufa cheia de abrolhos e ervas daninhas.

Liste algumas sementes positivas que você gostaria de plantar na estufa do seu coração. Ao lado de cada uma, escreva como isso pode contribuir com o desenvolvimento de sua atitude.

Para os amigos no Brasil

O povo brasileiro é conhecido por seu otimismo. Tem até um ditado: "Sou brasileiro e não desisto nunca." Melhor ainda é quando essa confiança se baseia na certeza de que é Deus quem garante a vitória.

Deus entre nós

Exulta e alegra-te, ó filha de Sião,
porque eis que venho e habitarei
no meio de ti, diz o Senhor.
Zacarias 2:10 (ARA)

Deus virou um bebê recém nascido. Ele ingressou num mundo de... dificuldades e doenças do coração.

"E o Verbo se fez carne e habitou entre nós, e vimos a sua glória, como a glória do Unigênito do Pai, cheio de graça e de verdade" (Jo. 1:14).

Repare a palavra operante do verso: entre. Ele viveu entre nós. Revestiu-se do mais pesado e nobre manto: a pele humana. Transformou o local onde os animais comiam em seu trono sagrado; os animais do estábulo se tornaram sua corte real. Santificou um nome comum – Jesus. Fez o mesmo com pessoas simples que o seguiam. Ele tinha a opção de viver distante e acima da gente. Não foi o que ele fez. Ele viveu entre nós. Virou amigo do que cometia pecado e do pobre, irmão.

Cristo vem como amigo. Descreva o que essa amizade divina significa para você.

Para os amigos no Brasil

O fato de se identificar com a humanidade, por si, já torna a vida de Cristo na terra um acontecimento extraordinário. Mas ainda tem mais: quando fez isso, o Salvador estava pensando em você também. Isso não é impressionante?

Seu dia breve virá

Venho em breve! Retenha o que você tem,
para que ninguém tome a sua coroa.
Apocalipse 3:11 (NVI)

Nem todos são premiados. Pode ser que você já tenha chefiado um grupo de escoteiros ou sido o responsável por distribuir refrigerantes na festa de Natal, e só. Nada muito relevante. Pela tevê viu alguns dos campeões mundiais receberem troféus e medalhas. Porém, para você, tudo ficou no "por pouco" ou então "e se".

Caso você se identifique com essa descrição, gostará de saber da seguinte promessa bíblica: "Quando se manifestar o Supremo Pastor, vocês receberão a imperecível coroa da glória" (1 Pe 5:4).

Em breve você terá seu momento. Embora o mundo não o tenha valorizado, o Pai percebeu, e antes do que você pensa, receberá das mãos dele a sua bênção.

Atos reservados de amor altruísta serão exaltados com honra celestial. Em que isso afeta a maneira da qual você pretende viver sua vida?

Para os amigos no Brasil

O prêmio que está reservado para aqueles que creem não pode ser comparado com nenhuma recompensa deste mundo. Você pode ter uma sala cheia de troféus em sua casa, mas nunca esqueça de que o único prêmio eterno é aquele que Jesus nos garantiu.

A ajuda do Senhor está próxima

O Senhor está perto de todos os que o invocam, de todos os que o invocam com sinceridade.

Salmos 145:18 (NVI)

É a partir do momento em que passamos a fazer algo que nossa cura começa. Somos curados assim que estendemos nossas mãos, mas é preciso dar um passo adiante para vermos essa cura.

A ajuda do Senhor está próxima, e é sempre eficaz; porém, Deus somente dá a quem está a sua procura. A apatia não dá resultados...

Para Deus uma fé desafiadora e disposta a correr riscos é digna de admiração.

As arcas são construídas e vidas resgatadas. A partir do momento em que os guerreiros marcham, Jericós são derrubadas. Quando cajados são erguidos, mares se dividem. Basta um pouco de pão partilhado para que milhares fiquem saciados. E quando o tecido que cobre seu corpo é tocado — seja pelas frágeis mãos de uma mulher doente na Galileia, ou pelo clamor um morador de rua em Bangladesh — Jesus interrompe seu curso para dar uma resposta.

Deus procura pessoas que assumem riscos. O que ganhamos quando nos colocamos inteiramente em suas mãos?

Para os amigos no Brasil

Assumir riscos é próprio da fé. Afinal, ela é a convicção das coisas que ainda não vislumbramos com os olhos materiais. Foi pela fé que Sara deu à luz, contra todas as expectativas. E se você tem grandes objetivos, deve fazer a mesma coisa.

Deus de aliança

Como o Filho do homem, que não veio para ser servido, mas para servir e dar a sua vida em resgate por muitos.

Mateus 20:28 (NVI)

Cristo não aceitava ser conduzido por nada além de sua missão. Seu coração estava comprometido com sua vocação.

Muitas pessoas passam a vida sem propósitos e nada alcançam. Jesus se dedicava a um único objetivo — resgatar o homem dos seus pecados. Ele poderia abreviar seus planos a apenas uma frase: "Pois o Filho do homem veio buscar e salvar o que estava perdido". (Lc. 19:10). Nenhum outro compromisso lhe roubava a atenção. Tanto foi assim que soube o momento certo de dizer "Está consumado" (Jo. 19:30). Porém, mesmo absorvido por esse propósito, a missão não lhe era repulsiva.

Ao contrário. Como eram cativantes suas reflexões. Até mesmo as crianças pequenas gostavam de ouvi-lo. Jesus encontrava beleza nos lírios, felicidade no louvor e esperança em meio às crises. Passava dias acompanhado por centenas de doentes e, mesmo assim, tinha seu coração sensível ao drama de cada um deles. Cristo caminhou, por mais de trinta anos, entre a feiura e lamaçal dos nossos pecados; e após esse tempo todo ainda encontrou em nós beleza capaz de fazê-lo entregar sua própria vida para pagar por nossas iniquidades.

Como você faz para manter um foco equilibrado em seus objetivos?

Para os amigos no Brasil

Quando uma pessoa baseia a vida em propósitos, ela alcança seus objetivos muito mais rapidamente. Aplique isso e veja seus sonhos se tornarem realidade.

Deus nos dá sua graça

Para o homem é impossível, mas para Deus não;
todas as coisas são possíveis para Deus.
Marcos 10:27 (NVI)

Nossas dúvidas revelam a nossa falta de lucidez:

Costumamos perguntar: como Deus pode estar em todos os lugares ao mesmo tempo? (De onde surgiu a ideia de que o Senhor possui um corpo tal como o nosso?)

Como Deus consegue ouvir a multidão de clamores e súplicas direcionadas a ele? (É possível que os ouvidos do Altíssimo não sejam semelhantes aos nossos.)

Como pode um mesmo Deus ser Pai, Filho e Espírito Santo? (Talvez exista no céu uma dimensão diferente da que há na Terra.)

Se as pessoas que vivem comigo não são capazes de me perdoar, qual é o tamanho de minha culpa diante de um Deus puro? (O que ocorre é o inverso. Deus nos presenteia com sua graça, mesmo quando os homens não são capazes de perdoar. Foi Deus que a criou.)

Você tem a tendência de limitar Deus ao seu entendimento humano? Por quê?

Para os amigos no Brasil

Crer em um Deus cujo poder excede tudo aquilo que vemos e experimentamos no mundo material não é simples. No entanto, o amor e a graça de Deus sempre vão além de nossa compreensão.

Uma morada para o seu coração

Eu amo, Senhor, o lugar da tua habitação,
onde a tua glória habita.
Salmo 26:8 (NVI)

Não há melhor lugar para repousar nosso espírito do que a Grande Morada de Deus. "Uma coisa pedi ao Senhor;é o que procuro:que eu possa viver na casa do Senhor todos os dias da minha vida, para contemplar a bondade do Senhor e buscar sua orientação no seu templo" (Sl 27:4-5).

Se lhe fosse dada a chance de pedir apenas uma coisa a Deus, o que você gostaria? Davi nos conta sua escolha. Seu maior desejo é viver na casa do Senhor. Eu destaquei a palavra viver porque é preciso prestar atenção no que ela significa. Davi não quer apenas conversar. Não se trata de tomar uma xícara de café na mesa da cozinha. Nem mesmo um jantar, um almoço ou ainda passar algumas noites no lar de Deus. Seu profundo desejo é mudar-se para lá com o Senhor... eternamente. Ele quer seu próprio quarto... para sempre. Davi não quer passar férias na casa de Deus. Seu plano é envelhecer ali. Ele não deseja viver um tempo, mas fazer da morada de Deus sua habitação para o resto de seus dias.

Se você pudesse pedir uma só coisa a Deus, o que seria?

Para os amigos no Brasil

Pense no almoço em família das tardes de domingo, ou naquele encontro agradável na casa dos amigos queridos. Por maior que seja o prazer que esses momentos proporcionam, nada se compara à alegria de ter em Deus sua morada.

Jesus entende

Certamente ele tomou sobre si as nossas enfermidades.

Isaías 53:4 (NVI)

Jesus conhece bem o que passa em seu coração. Você está sob um intenso tiroteio no seu local de trabalho? Jesus te entende. Suas tarefas são sobre-humanas, incapazes de serem realizadas? Ele conhece. Você dá mais do que recebe em troca? Jesus vê tudo isso. Seus filhos jovens não prestam atenção no que você diz? Seus alunos não se dedicam? Jesus compreende bem tudo o que se passa com você.

Você é valioso para ele. Tão valioso, que Jesus tornou-se como você para que você se aproximasse dele.

Quando você se esforça, ele vê. Quando você deseja algo profundamente, Cristo te responde. Quando você faz alguma pergunta, ele escuta com atenção. Ele já passou por tudo isso que você está vivendo.

Deus sabe como você se sente. Em qual área de sua vida esse fato é mais importante?

Para os amigos no Brasil

Se há uma certeza em nossa vida é a de que Jesus compreende o que se passa em nosso coração. Qualquer que seja o seu estado de espírito, o Salvador entende a experiência humana porque as viveu também.

Uma carta de felicidade

Regozijai-nos, sempre, no Senhor;
outra vez digo: regozijai-vos.
Filipenses 4:4 (ARA)

Venha comigo a dois mil anos atrás, num passeio pela história. Estamos em Roma, numa minúscula e cinzenta sala, cercada por paredes altas. Lá dentro podemos observar um homem sentado no chão. É um velho conhecido, careca e de ombros encolhidos. Seus pés e mãos estão presos por correntes...

É o apóstolo Paulo... um líder cristão, que guiava seus caminhos apenas de acordo com a vontade de Deus, e que agora está acorrentado — preso numa cela escura e vigiada por um soldado do Império Romano.

Ele está fazendo algumas anotações. Certamente deve ser uma carta com queixas a Deus. Não lhe faltam motivos para reclamar. Ele está certo, há razões suficientes para que esteja com seu coração amargurado. Porém, não é isso o que está fazendo. Pelo contrário, ele redige uma carta que, mesmo após dois mil anos de sua concepção, ainda é lembrada como uma carta de regozijo — Filipenses...

Por que você não dedica alguns minutos para estudá-la?

Faça uma lista de versículos de Filipenses que falam de alegria.

Para os amigos no Brasil

Vivi no Brasil há quase trinta anos, mas nunca me esqueci da alegria do povo brasileiro. Deus abençoou esse país com uma gente que reconhece as coisas maravilhosas que ele realiza a cada dia.

Arando o coração

E como o Oriente está longe do Ocidente,
assim ele afasta para longe de nós
as nossas transgressões.
Salmos 103:12 (NVI)

Confessar nossas transgressões faz tão bem ao nosso espírito como preparar a terra torna um campo mais frutífero. Antes de semear, o agricultor ara a terra, retira pedras e remove pequenos tocos. Ele sabe que a sua plantação irá se desenvolver melhor se o solo tiver sido preparado antes. A confissão é um convite a Deus para que trilhe pelos caminhos amargos da nossa alma. "Há uma pedra de ambição desmedida aqui, Senhor, e eu não consigo retirá-la. E aqueles três tocos de culpas perto do arame farpado? As raízes são tão profundas e grossas! Há ainda a parte do solo que está seco, endurecido demais para jogar as sementes." Os frutos de Deus crescem com mais qualidade quando a terra de nosso coração estiver arada.

Dessa forma, o Pai e o Filho caminham juntos pelo campo; cavam e limpam, preparando o espírito para frutificar. Quando reconhecemos nossas iniquidades, convidamos Deus a trabalhar o solo do nosso coração.

Nem sempre nos sentimos à vontade ao saber que Deus caminha pelo terreno de nosso coração para limpá-lo, porém isso é necessário. Você concorda? Por quê?

Para os amigos no Brasil

Há momentos em que nos sentimos tão envergonhados de nossos pecados que mal conseguimos confessá-los. Nessas horas, tenha em mente que você tem um Deus compreensivo e compassivo, pronto para ouvir.

Um mínimo de amor

Se alguém tiver recursos materiais e, vendo seu irmão em necessidade, não se compadecer dele, como pode permanecer nele o amor de Deus?

1 João 3:17 (NVI)

O grande escritor russo Leon Tolstói escreveu que, certa vez, caminhava por uma rua quando encontrou um pedinte. O escritor enfiou as mãos no bolso à procura de alguns trocados, mas não havia nenhum dinheiro. Seus bolsos estavam vazios. Tolstói pediu desculpas ao homem que o aguardava esperando receber algumas moedas: "Lamento, meu irmão, não tenho dinheiro algum para lhe dar".

Neste momento o pedinte ficou com seu rosto iluminado. Ele respondeu: "Mas você já me presenteou com algo muito maior – você me chamou de 'irmão'".

Para as pessoas que já desfrutam de carinho todos os dias, um pedacinho de amor não muda muita coisa. Porém, para o que está com fome de afeição, um gesto de afeto é motivo para celebração.

Você conhece pessoas que precisam muito de um mínimo de amor? Tente se lembrar de algumas?

Para os amigos no Brasil

Temos muito mais a oferecer aos outros do que podemos imaginar. Gestos de amor e compaixão não dependem de sua condição financeira ou social, apenas da disposição de seu coração.

Contemple as obras de Deus!

Os céus proclamam a glória de Deus.
Salmos 19: 1 (ARA)

É fundamental que oremos abastecidos do conhecimento de que Deus nos ouve e está no céu. Ore de forma insegura e suas orações serão incertas, tímidas, levianas e vazias. Gaste alguns momentos percorrendo a oficina celestial, mire a Criação de Deus e suas preces serão fortalecidas...

Contemple o sol! Cada metro quadrado do astro rei emite, a todo momento, aproximadamente 130 mil cavalos-força de energia, o que é igual a potência de 450 motores de oito cilindradas. Por mais que tenha todo esse poderio, o nosso sol é um dos menores astros entre os 100 bilhões de corpos celestes que formam a nossa Via Láctea. Segure uma moeda com a ponta dos dedos e estenda seu braço em direção ao céu, deixando que a moeda encubra a visão de outras milhares de estrelas. Quando Jesus nos mostra o céu, ele nos apresenta a oficina de Deus. É como se Cristo encostasse suavemente suas mãos em nosso ombro e dissesse: "Seu Pai pode cuidar disso".

Cite alguns pensamentos sobre Deus que ajudam você a potencializar sua oração.

Para os amigos no Brasil

Com suas florestas incríveis, suas praias maravilhosas, suas lindas montanhas e seu clima fantástico, não é de admirar que os brasileiros tenham tantos motivos para dizer que a Criação declara a glória de Deus!

O convite para a aventura

Quem tentar conservar a sua vida a perderá,
e quem perder a sua vida a preservará.
Lucas 17:33 (NVI)

Há experiências que devem ser desfrutadas durante a vida. Vá atrás delas. Tente encontrá-las. Invista para alcançá-las. Recuse-se a ouvir as reclamações dos que já se acostumaram a viver de maneira medíocre e desejam que você viva da mesma forma, assim não se sentiram tão infelizes. Tenha como meta não uma vida longa, mas uma vida plena.

Jesus explica que há apenas duas opções. A primeira é ouvir a voz da segurança e permanecer em casa quentinho, seco e sem perigo...

Ou você pode ouvir o convite da aventura — a aventura de Deus. Em vez de se aquecer em casa, esquente o seu coração. Guie-se pelas inclinações divinas. Adote um filho. Vá morar em outro país. Seja professor naquela escola. Mude de profissão. Preste um concurso público. Experimente. É claro que você não estará seguro, mas, enfim, o que é segurança?

Que tipo de aventura você se sente inclinado a seguir?

Para os amigos no Brasil

A acomodação é um dos maiores riscos que corremos. Deus nos chama para uma aventura maravilhosa, e cabe a você decidir se a aceita ou não para sua vida.

Sua recompensa pessoal

Cada um receberá de Deus a sua aprovação.
1 Coríntios 4:5 (NVI)

Que veredicto inacreditável. Cada um receberá de Deus a sua aprovação. Não se trata de apenas "os melhores" ou "alguns poucos escolhidos", também não se refere aos "mais arrojados", mas "cada um receberá de Deus a sua aprovação".

Isto significa que você não será esquecido. Deus não permitirá que isso ocorra. Sinceramente, Deus lhe dará sua aprovação. No momento da avaliação, Deus não irá terceirizar a responsabilidade. Não será Miguel o responsável pelas coroações. Gabriel não será o porta-voz do reino celestial. É o próprio Deus quem horará cada um. Deus dará a honra aos seus filhos.

Ainda mais: a honra será prestada, pessoalmente, a cada um! Os prêmios não serão distribuídos por países, denominações eclesiásticas ou faixa etária. As coroas serão entregues uma por uma. É Deus, ele mesmo, quem o encarará e lhe abençoará dizendo: "Muito bem, servo bom e fiel!" (Mt. 25:23, NVI)

Que coisa extraordinária é imaginar que Deus nos recompensará pessoalmente. Como esse pensamento pode ajudar você nos dias mais difíceis?

Para os amigos no Brasil

Pense nesse privilégio — o Criador de todo o Universo faz questão de cuidar pessoalmente das bênçãos sobre sua vida. Há bilhões de pessoas no mundo, mas é como se cada uma fosse a única, inclusive você.

O coração de Cristo

Porque o que o Pai faz o Filho também faz.

João 5:19 (NVI)

A principal qualidade de Jesus era esta: seu coração era dotado de sensibilidade espiritual. Seus ideias espelhavam sua profunda intimidade com Deus, como está escrito: "Que estou no Pai e que o Pai está em mim" (Jo. 14:11, NVI).

Cristo foi instruído pessoalmente por Deus. Costumeiramente Jesus se isolava para orar (Lc. 4:16). Lia e relia a Palavra de Deus (Lc. 4:4). Lucas escreveu que ele "retirava-se para lugares solitários, e orava" (Lc. 5:16). Ele tomava decisões após momentos em que buscava a Deus. Foi após orar que decidiu seguir com seus discípulos para outra cidade (Mc. 1:38). Foi seu clamor que o impeliu na seleção dos seus principais seguidores (Lc. 6:12-13). Jesus era conduzido por um guia sobrenatural... o coração de Jesus era sensível ao mundo espiritual.

Quais são as atitudes e práticas de um coração espiritual?

Para os amigos no Brasil

Você consegue pensar em algo mais importante para a nossa vida do que a comunhão com Deus? Ser espiritual tem menos a ver com o hábito de ir à igreja todo domingo e mais a ver com o que a Palavra de Deus significa em suas atitudes no dia a dia.

Prazer sagrado

Bem-aventurados os pobres em espírito,
pois deles é Reino dos céus.
Mateus 5:3 (NVI)

Deus promete um prazer sagrado. Este é seu compromisso diante de um grupo tão diferente de pessoas:

- "Aos pobres em espírito". Eles são pedintes enfileirados à espera do sopão divino.
- "Aos que choram". Pecadores anônimos, aproximados por admitirem de forma honesta sua condição: "Olá, este sou eu. Uma pessoa que comete pecados".
- "Aos misericordiosos". Herdeiros de uma grande fortuna, são capazes de dividir seus ganhos com os inimigos.
- "Aos puros de coração". Médicos que cuidam de pessoas leprosas, que os amam profundamente e não são contagiados pela doença.
- "Aos pacificadores". Arquitetos, construtores de pontes. Eles usam como matéria prima a madeira utilizada numa cruz romana.
- "Aos perseguidos". Aqueles que, mesmo em meio aos mais terríveis problemas na terra, não perdem de vista a esperança do céu.

Cada um desses peregrinos recebe uma promessa de Deus, um presente especial. Eles têm reservado uma alegria dos céus. Um prazer sagrado.

Quais as características comuns a todos esses peregrinos?

Para os amigos no Brasil

Assim como Jesus reuniu um grupo de homens e mulheres bastante diferentes entre si, o Sermão na Montanha que ele pregou àquela multidão alcança as pessoas, seja qual for a situação, a história de vida, a condição ou circunstância.

A MATEMÁTICA DO CRISTIANISMO

Eu lhes dei o exemplo, para que vocês façam como lhes fiz.
João 13:15 (NVI)

Anote isto. Nós somos aquilo que podemos ver. Se enxergarmos somente a nós mesmos, nossos túmulos terão uma placa com a mesma frase usada por Paulo para descrever aos opositores de Jesus Cristo: "O destino deles é a perdição, o seu deus é o estômago e eles têm orgulho do que é vergonhoso; só pensam nas coisas terrenas" (Fp. 3:19, NVI).

O homem e a mulher não foram criados para viverem entediados nas planícies esfumaçadas, distantes de poderem contemplar seu Criador.

Olhar para Jesus é de fundamental importância ao cristianismo. Os ministérios cristãos, em sua forma mais simples, não são nada além do que imitar a Cristo, a quem enxergamos. Contemplar sua suprema grandeza e segui-lo: essa é a matemática do cristianismo.

Descreva algumas atitudes de Jesus que gostaria de imitar e ore para que Deus ajude você nesse propósito.

Para os amigos no Brasil

Não importa o idioma que você fala, a cidade onde vive, a escola que frequentou, a família em que cresceu — o alvo de sua vida deve ser o de refletir o amor de Jesus aonde quer que vá. Ser um cristão é, antes de um título, ser um imitador de Cristo.

Deus se importa

Observem as aves do céu: não semeiam nem colhem nem armazenam em celeiros; contudo, o Pai celestial as alimenta. Não têm vocês muito mais valor do que elas?

Mateus 6:26 (NVI)

Olhe para o nosso planeta! O peso do nosso globo é aproximadamente seis sextilhões de toneladas (um seis com 21 zeros). E ele tem uma inclinação exata de 23 graus. Qualquer variação nessa inclinação e as nossos períodos climáticos evaporariam e inundações seriam provocadas pelo derretimento dos polos glaciais. Embora o nosso globo rodopie numa velocidade de 1,6 mil quilômetros por hora, ou quarenta mil quilômetros por dia, ou quinze milhões de quilômetros por ano, não nos desequilibramos... No momento em que você observa a grande loja de ferramentas dos céus, permita-me deixar algumas perguntas. Se Deus tem poder para fixar os corpos celestes em suas órbitas, e estender o céu como se fosse uma cortina, você acha quase improvável que ele tome conta da sua vida? Se o Senhor tem poder capaz de iluminar o sol, não poderia usar de sua capacidade divina para clarear seus passos? Se ele está preocupado com o planeta Saturno, a ponto de revesti-lo de anéis, ou com Vênus, para fazê-lo brilhar, poderia haver uma pequena condição dele cuidar de você de tal forma que atenda as suas principais necessidades?

Deus se importa com Saturno e Vênus, com os girassóis e com as violetas. De que maneira isso ajuda você a perceber o cuidado do Pai em sua vida?

Para os amigos no Brasil

Quando a gente enfrenta um problema grave (por exemplo, uma família em crise ou uma pessoa amiga que enfrenta uma enfermidade grave), corremos o risco de esquecer um fato incontestável — o de que Deus jamais deixa de se importar conosco. Nunca.

Hábitos agradáveis

Portanto, deixemos os ensinos elementares a respeito de Cristo e avancemos para a maturidade.
Hebreus 6:1 (NVI)

Tenho um carinho especial pela história do garotinho que despencou da cama. Ao ser questionado por sua mãe o motivo da queda, ele argumentou: "Sei lá. Talvez eu estivesse muito perto de onde acabei chegando".

É fácil reproduzir isso com nossa fé. A gente fica tentado a permanecer no mesmo local aonde chegamos, sem jamais se mover.

Reflita um pouco. Compare o hoje com um ou dois anos atrás. Então, pergunte a si mesmo. Sua vida de oração hoje é diferente dessa época? Você é mais generoso em suas doações? Refiro-me a quantidade da doação e a alegria em doar, elas aumentaram?

Você agora é mais comprometido com sua igreja local? É possível afirmar que você cresceu na fé? Estuda mais a bíblia? Tem aprendido coisas novas?

Não faça como o pequeno garoto. Não fique perto demais do lugar onde você chegou. É perigoso repousar na beirada.

Como você compara sua vida de oração hoje em dia com a que tinha há um ou dois anos?

para os amigos no brasil

Não confunda sua vida espiritual com seus hábitos religiosos. Há quem não perca uma reunião na igreja, faça muitas doações, até leia a Bíblia, mas sinta um deserto dentro de si. Não deixe desaparecer o calor que toma conta do coração de quem sente prazer na comunhão com Deus.

Orar muda as coisas

Sabemos que Deus não ouve pecadores, mas ouve o homem que o teme e pratica a sua vontade.
João 9:31 (NVI)

Boa parte de nossas orações poderiam passar por severas mudanças.

Algumas delas precisam de mais coerência. Às vezes elas são um deserto, por outras, um oásis. São uma multidão de palavras compridas, secas, áridas, com pequenos instantes de imersões nas águas da comunhão com Deus.

A outras faltam franqueza. Nossos clamores são um pouco vazios, mensagens repetidas e sem flexibilidade. Sobra liturgia e falta vida. E mesmo sendo executadas diariamente, são entediantes.

Outras padecem de... sinceramente, de honestidade. Verdadeiramente nos questionamos se orar vai mudar alguma coisa. Por qual razão Deus vai querer falar comigo? Se Deus já conhece tudo sobre mim, por que preciso dizer-lhe o que se passa? Se Deus tem todo controle, qual a minha necessidade de fazer algo?

As nossas orações até podem ser atrapalhadas. Nossos esforços podem ser insuficientes. Porém, o poder da oração está no Senhor, que a ouve, e não em nós, que balbuciamos palavras. Por isso nossas preces fazem diferença.

Você já parou para pensar se suas orações fazem diferença? A que conclusão chegou?

para os amigos no Brasil

Tente lembrar de alguma época em que, por um motivo qualquer, você passou a orar menos ou mesmo parou de falar com Deus. Lembra da falta que isso fez em sua vida e de como você se sentiu melhor quando voltou a conversar com o Pai?

Além da imaginação

Na casa de meu Pai há muitas moradas...
vou preparar-vos lugar.
João 14:2 (ARA)

O repouso nesta terra é um repouso enganoso. Fique atento com os que afirmam que a verdadeira alegria está aqui; você não a encontrará. Distancie-se dos médicos mentirosos, dos que juram que a felicidade está em uma dieta. Dos que garantem que a alegria está num casamento, num trabalho ou promoção...

Faça um teste. Pense num mundo sem defeitos. Seja lá o que isso signifique para você. Pensou? Representa paz? Então visualize o sossego total. Um mundo perfeito resulta em alegria? Pois imagine sua maior alegria. Um mundo sem defeito é um mundo cheio de amor? Tenha em mente um lugar onde não há limites ao amor. Imagine o céu, do jeito que ele signifique para você. Não importa. Permaneça com os olhos fixos nele...

Abra um sorriso enquanto o Pai lembra: ninguém jamais imaginou o que Deus tem preparado para aqueles que o amam.

Quando se trata de descrever os cenários do céu, nenhum de nós conseguimos dar conta.

Descreva as maravilhas que você imagina estarem aguardando por nós no céu.

Para os amigos no Brasil

Nem o canto mais apaixonado da torcida no Maracanã ou o dia de sol mais incrível numa praia de Recife pode se comparar aos cantos de adoração e aos cenários extraordinários que veremos quando chegarmos ao céu. Mal posso esperar. E você?

Feito à sua semelhança

Quem conheceu a mente do Senhor para que possa instruí-lo? Nós, porém, temos a mente de Cristo.

1 Coríntios 2:16 (NVI)

A distância entre nosso coração e o de Jesus não parece ter fim. Como queremos ter o mesmo sentimento de Cristo?

Preparado para se surpreender? Seu coração já é o mesmo... Se você está em Cristo, você já possui o coração de Jesus. Uma das mais altas promessas jamais pensadas de Deus é esta: se você entregou sua vida a Jesus, ele presenteou a si mesmo a você. Ele fez do seu coração a morada dele. Não haveria melhor definição que a de Paulo: "Cristo vive em mim" (Gl. 2:20).

Ele foi morar em seu coração, desembrulhou suas malas e está preparado para transformá-lo "com glória cada vez maior, a qual vem do Senhor, que é o Espírito" 2 Co. 3:18 (NVI).

Pare para pensar em sua vida. Como Cristo a está transformando para que fique igual a dele?

Para os amigos no Brasil

Para que a argila se torne um bonito jarro, é preciso transformá-la. O mesmo acontece com o aço antes de virar um carro e com o tecido que ganhará a forma de uma bela roupa. Não é diferente com aquele que deseja se parecer com Cristo. Deixe Deus transformar sua vida.

O auxílio do Senhor está perto

Ora, a fé é a certeza daquilo que esperamos e a prova das coisas que não vemos.

Hebreus 11:1 (NVI)

A Fé é a certeza de que Deus existe e é bondoso... É uma opção crer que o Senhor que tudo fez não abandona sua criação, e ainda ilumina nossas trevas e dá respostas aos que creem.

Fé é a certeza de que o Senhor fará o que é correto.

Deus ensina que se a situação parece sem saída, mais certa é a redenção. Quanto mais elevados seus cuidados, mais sinceras as suas orações. Um quarto onde falta claridade é o local em que há maior necessidade de iluminação.

O socorro do Senhor está perto, e sempre acessível, mas só o encontram os que o buscam verdadeiramente.

Às vezes precisamos olhar além dos nossos problemas para enxergar um cenário mais amplo — o da provisão divina. O que impede você de enxergar o socorro de Deus nesses momentos?

Para os amigos no Brasil

Quando se trata de nossa confiança plena no socorro de Deus, a questão é puramente de fé, pois temos uma promessa dada por Deus — a de que nunca nos desempara. Sabendo disso, enfrente suas lutas com outra perspectiva.

Um corte acima

Parem de lutar e fiquem sabendo que eu sou Deus.
Eu sou o Rei das nações, o Rei do mundo inteiro.
Salmos 46:10 (NTLH)

O termo santo é sinônimo de "separado". A origem da palavra pode ser uma antiga expressão usada para o verbo "cortar". Ser santo, dessa forma, é ser um corte em um nível acima do usual, é ser singular, raro... O Santo vive num outro nível, além de pessoas como nós. O que nos deixa temerosos não põe medo a ele. O que nos aflige não aflige a ele.

É verdade que minha experiência como marinheiro foi maior em águas paradas do que em alto mar, mas já estive numa embarcação o tempo necessário para saber o valor de estar em terra firme numa tempestade... Você não vê outro barco. Você certamente não mira para as ondulações. Você procura um objeto não alterado pelo vento — como um farol no continente — e vai em direção a ele.

No momento em que você fixa seu olhar em Deus, você mira "um corte acima" de qualquer tormenta oferecida pela vida... lá há paz e segurança.

Qual é o propósito de colocar sua visão apenas em Deus?

Para os amigos no Brasil

Você se lembra daquela canção "O barquinho", uma das mais famosas da bossa nova? É linda, descreve um cenário maravilhoso, mas até mesmo o barquinho que inspirou a música precisou em algum momento voltar à terra firme. Da mesma maneira, nosso porto seguro é Cristo.

Venha ver

E será que pode sair alguma coisa
boa de Nazaré? — Venha ver!

João 1:46 (NTLH)

A pergunta de Natanael incomoda ainda, mesmo depois de dois mil... Pode sair coisa boa de Nazaré? Venha ver.

Venha ver transformações de vidas: o bêbado não bebe mais, o ressentido é uma pessoa feliz, o culpado está liberto pelo perdão...

Matrimônios foram recuperados, os órfãos receberam afeto, o preso está cheio de inspiração...

Venha ver as mãos feridas de Deus chegar até ao mais simples dos corações, recolher as lágrimas do rosto envelhecido e libertar o mais transgressor dos homens.

Venha ver. Ele não recusa os que desconfiam e querem saber mais. Ele não despreza uma investigação. Ele não tem medo de ser avaliado. Venha ver.

Pense em algumas pessoas que você conhece e que foram transformadas pelo toque de Deus.

Para os amigos no Brasil

Não precisa ir muito longe — pense agora no que aconteceu a você, as transformações que ocorreram em sua vida depois que Deus passou a habitar seu coração. Em seguida, demonstre sua gratidão a ele.

BONDADE DIVINA

O rico e o pobre se encontraram; a todos os fez o Senhor.

Provérbios 22:2 (ARC)

Percebe que Deus não pede uma prova de que usará seu salário de forma correta? Notou que o Senhor não interrompe o fluxo de oxigênio quando você menospreza seus dons? Você não fica feliz ao saber que Deus não lhe fornece apenas o que você pede em suas orações?

A bondade divina é parte de sua essência, não uma resposta às nossas competências.

Certa vez um amigo meu ouviu a seguinte pergunta: "Qual a referência, na bíblia, de que devemos ajudar uma pessoa pobre que não quer se converter a Cristo?"

Ele foi direto: "Apenas uma, Deus".

Deus faz isto todos os dias, por milhares de pessoas em todo o mundo.

Como Deus demonstrou seu amor e sua bondade a você?

PARA OS AMIGOS NO BRASIL

A bondade de Deus está presente em cada situação que vivemos, mesmo quando não notamos. E ela se expressa de várias maneiras, inclusive o modo como tratamos os outros. Você sente que está demonstrando a bondade de Deus em sua vida?

O feito de Deus

Pela graça sois salvos.
Efésios 2:5 (ARA)

Leia com muita atenção como o apóstolo Paulo explica o que o Senhor fez por nós: "E, quando vós estáveis mortos nos pecados e na incircuncisão da vossa carne, vos vivificou juntamente com ele, perdoando-vos todas as ofensas, havendo riscado a cédula que era contra nós nas suas ordenanças, a qual de alguma maneira nos era contrária, e a tirou do meio de nós, cravando-a na cruz. E, despojando os principados e potestades, os expôs publicamente e deles triunfou em si mesmo" Cl. 2:13-15 (ARA).

Durante esse tempo, em que reflete na sentença escrita no parágrafo anterior, seja sincero e faça algumas perguntas a si mesmo: quem está conduzindo seu trabalho? Você ou Deus? Quem está a frente? Você ou Deus? Quem está livrando? Você ou Deus?

Deus nos deu uma nova vida em Cristo. Por que isso é uma boa notícia?

Para os amigos no Brasil

Seria terrível imaginar um Deus insensível, capaz de largar sua Criação à própria sorte e às consequências do pecado. Mas ele não é assim. Como é bom saber que Deus se importa conosco e toma a iniciativa.

Vida tola

Eles sabem quem Deus é, mas não lhe dão a glória que ele merece e não lhe são agradecidos. Pelo contrário, os seus pensamentos se tornaram tolos, e a sua mente vazia está coberta de escuridão. Eles dizem que são sábios, mas são tolos.

Romanos 1:21-22 (NTLH)

Como o hedonista jamais viu as mãos que criaram o universo, entende que não exista vida após a morte. Ele crê que nada existe além do que vê. Que não há razão alguma além da busca pelo prazer aqui e agora. Não há mundo espiritual. Não existe interesse pela eternidade...

O hedonista questiona: "Há alguém que se importe? E daí se eu for mau? A minha vida é assunto apenas meu". Ele está mais interessado em satisfazer apenas suas paixões que em conhecer o Pai. A sua vida é tão inclinada ao prazer carnal, que ele não investe tempo algum em Deus.

Ele está certo? É uma escolha sensata viver afastado de Deus, sendo guiado por nossos prazeres?

Paulo é enfático: "Absolutamente não!"

Segundo Romanos 1, perdemos mais que vidraças quando recusamos o amor do Senhor. Somos privados de um modelo de vida, um padrão, de um propósito, de nossa própria comunhão com Deus.

Como seriam nossos padrões, nossos propósitos e nossa adoração se rejeitássemos Deus?

Para os amigos no Brasil

Imagine como deve ser triste e sem sentido a jornada da pessoa que não tem a certeza de um Deus que cuida de cada um de seus passos. Mais triste ainda é pensar que, para ela, a eternidade é uma fábula.

Março

Entrega teu caminho ao S*ENHOR*;
confia nele, e ele tudo fará.
— Salmos 37:5 (ARC)

Naquele dia, o que importará?

...O que ninguém nunca viu nem ouviu, e o que jamais alguém pensou que podia acontecer, foi isso o que Deus preparou para aqueles que o amam.

1 Coríntios 2:9 (NTLH)

Pense como será o dia em que Cristo voltar e como você estará no grande encontro dos salvos...

Mesmo que acredite ser apenas um na multidão, é como se você e Jesus estivessem totalmente sozinhos.

Estou só imaginando, mas pergunto-me se Jesus poderia dizer-me estas palavras: "Estou muito orgulhoso por você me haver permitido usá-lo. Por sua causa, outros estão aqui hoje. Gostaria de conhecê-los?"

Nesse momento, ele poderia virar-se para a multidão e começaria a convidá-los... Um a um, eles viriam em minha direção.

O primeiro é um vizinho meu, velho grosseiro, que mora ao lado. Para ser sincero, eu não esperava vê-lo. "Você nunca soube que eu estava olhando", explica ele. "Mas eu estava. E por sua causa, eu estou aqui"...

Não demoraria muito, estaríamos eu e o meu Salvador cercados pela enorme multidão de almas que foram tocadas por minha fé. Algumas eu conheço, outras, não. Mas por todas elas eu poderia sentir o mesmo... sentir o que Paulo sentiu... "Estou muito orgulhoso de sua fé" (veja 1 Ts. 2:19).

Você crê que pessoas estarão no céu como resultado de sua fé? Tente imaginar quantas e quais.

Para os amigos no Brasil

Mesmo estando longe do Brasil, ouço com frequência sobre o que Deus está fazendo em seu país. As Boas Novas de Cristo estão sendo divulgadas por aqueles que creem. Oro para que você seja um deles.

Viver uma vida santa

Assim brilhe a luz diante de vocês diante dos homens,para que vejam as vossas boas obras e glorifiquem o vosso Pai, que esta nos céus.

Mateus 5:16 (NVI)

Você quer mostrar a diferença em seu mundo?

Viva uma vida santa:

Seja fiel ao seu cônjuge.

Seja em todos os lugares aquele que se recusa a mentir e a enganar.

Seja o vizinho hospitaleiro e sempre pronto a ajudar.

Seja o empregado que faz o trabalho sem reclamar.

Não gaste mais do que ganha e pague as contas corretamente.

Faça a sua parte e desfrute a vida.

Não fale uma coisa e faça outra.

As pessoas estão olhando mais o nosso comportamento do que ouvindo o que dizemos.

Adicione a essa lista outras maneiras de viver uma vida santa.

Para os amigos no Brasil

Tem gente que acha que ser santo é viver sem pecado. Só que não é isso que a Palavra de Deus diz. A santidade se manifesta de várias maneiras, dentro e fora do ambiente da igreja. Deus deseja ver essa santidade presente na vida de cada filho, incluindo você.

Confiança para falar com Deus

Assim, aproximemo-nos do trono na graça com toda a confiança, a fim de recebermos misericórdia e encontrarmos graça que nos ajude no momento da necessidade.

Hebreus 4:16 (NVI)

Jesus nos ensinou: "Quando vocês forem falar com Deus, digam assim: Pai nosso que estás no céu, que todos reconheçam que teu nome é santo. Venha o teu reino. Que a tua vontade seja feita assim na terra como no céu."

Quando você diz "Venha o teu reino" está convidando o próprio Cristo para dentro do seu mundo. "Venha, majestade! Coloque seu trono em minha terra. Esteja presente em meu coração. Esteja presente em meu trabalho. Reine em meu casamento. Seja o Senhor da minha família, de meus medos e de minhas dificuldades". Este não é qualquer pedido: é um apelo para que Deus ocupe cada centímetro de seu viver.

E você pode pensar: quem sou eu para fazer um pedido desses? Quem sou eu para pedir a Deus que tome o controle de tudo ao meu redor e dentro de mim? Quem sou eu para que Deus se importe e queira reinar em mim? Preste atenção no que você pensa e diz! Você é filho de Deus. Então seja corajoso, peça com firmeza, como quem pede a um pai, e assim você terá o que pede no momento certo.

Você já convidou Jesus para ser o Rei de seu coração, de seu emprego e de seu lar?

Para os amigos no Brasil

O Brasil já viveu sob a autoridade de reis e imperadores, mas todos se foram. O Reino de Deus é diferente, pois está além dos poderes deste mundo, e não acaba nunca porque o seu Rei é eterno.

Afastando as dúvidas

Quem é mais importante: o que está sentado à mesa para comer ou o que está servindo? Claro que é o que está sentado à mesa. Mas entre vocês, sou como aquele que serve.

Lucas 22:27 (NTLH)

Quando Jesus vivia entre nós, o trabalho de lavar os pés era reservada não aos servos, mas ao pior dos servos. Como todo lugar tem a sua ordem social, entre os empregados domésticos também é assim. O servo menos capaz era o que deveria estar de joelhos, com a toalha e a bacia para lavar os pés sujos das pessoas que chegavam.

Jesus se colocou nessa posição. Com a toalha e a bacia, o rei do universo, tornou-se o mais baixo dos empregados. Suas mãos, que fizeram estrelas, agora lavam pés. Seus dedos, que deram forma às lindas montanhas, agora massageiam dedões e unhas sujas de terra. Esse Jesus — diante de quem as nações um dia se curvarão — fica ajoelhado diante dos seus discípulos e, horas antes de sua morte, se preocupa apenas em deixar um maravilhoso exemplo. Ele quis que os seus discípulos soubessem o quanto ele os amou. Mais do que limpar poeira e sujeira dos pés, ele estava afastando dúvidas que pudessem existir quanto ao seu amor.

Pense em Jesus se ajoelhando para lavar a sujeira de sua vida. Qual é sua reação diante de tamanho amor?

Para os amigos no Brasil

Jamais confunda as coisas — Jesus nunca deixou de ser Rei, mesmo quando lavou os pés dos apóstolos. No entanto, ele quebrou todos os paradigmas e conceitos sobre a realeza, mostrando que a honra e a autoridade estão diretamente ligadas ao serviço.

Ele é único

Vinde a mim, todos os que estais cansados
e oprimidos, e eu vos aliviarei.

Mateus 11:28 (ARA)

Cristo não pode ser apenas uma entre as várias opções disponíveis em sua vida.

Enquanto você acreditar que pode levar suas cargas sozinho, você não poderá contar com ajuda alguma. Se você vive o seu dia a dia de modo a não reconhecer as pressões que te afligem e como precisa de ajuda, você não poderá receber o conforto necessário.

Enquanto você achar que tem a opção de aceitar ou recusar a ajuda de Jesus, você pode deixá-lo. Por quê? Porque ele não pode ser aceito de modo indiferente, como se fosse apenas mais um acessório em seu viver.

À medida que você lamenta ao sentir pesar por seus pecados, quando admite que não conseguirá continuar a caminhada e precisará entregar a alguém tudo o que te incomoda, e quando verdadeiramente não existir outra pessoa com quem você queira e precise conversar... aí, sim, poderá abrir mão de todos os seus problemas e aflições e depositá-los todos aos cuidados de Jesus.

Pode ter certeza que no meio das tempestades, ele estará esperando para te acolher e ajudar.

O que significa para você esta declaração: "Se Jesus é uma entre várias opções, então ele não é uma opção"? Você concorda com ela?

PARA OS AMIGOS NO BRASIL

Toda vez que você ouvir alguém dizer: "Eu passo muito bem sem Deus", não se deixe impressionar. As pessoas que afirmam não depender das consolações e dos cuidados do Pai vivem sobre uma estrutura frágil, que geralmente desmorona aos primeiros sinais de tempestade.

QUANTO CUSTOU SEU AMOR?

...Cristo sofreu pelos pecados uma vez por todas, o justo pelos injustos, para conduzir-nos a Deus. Ele foi morto no corpo.
I Pedro 3:18 (NVI)

Cristo veio à Terra para oferecer a vida dele em troca da sua, da minha e da vida de todos nós. O sacrifício que fez foi para nos dar uma segunda chance de viver uma vida plena. Para que isso acontecesse, ele foi ao lugar onde o total desespero do homem bate de frente com a incomparável graça divina.

Na cruz, a dádiva do Criador foi entregue a todos. Ali, o mundo pôde ter acesso à graça de Deus e Cristo mostrou, em sua carne, o preço que custou esse amor.

Ele que é perfeito, levou na cruz a nossa imperfeição.

Como resultado desse sacrifício, todo jugo foi quebrado, a santidade de Deus é honrada, e seus filhos perdoados.

Que grande privilégio ter nossa imperfeição substituída pela perfeição de Cristo. De que maneira isso deve afetar nossa vida cotidiana?

PARA OS AMIGOS NO BRASIL

Você seria capaz de "queimar seu filme", como se diz em seu país, para "limpar a barra" de outra pessoa? Até onde você se considera capaz de chegar? Pois saiba que Jesus não se importou com isso. Quando entregou sua vida por nós, ele estava disposto a tudo para alcançar este objetivo.

Socorro em momento oportuno

O teu Deus, a quem tu continuamente serves, ele te livrará.

Daniel 6:16 (ARC)

Já imaginou como esteve Jonas dentro de um grande animal aquático? Pronto para ser digerido no ventre do peixe, ele começa a orar. Antes que tivesse terminado sua prece, começa a ouvir sons mais estranhos do que já tinha ouvido até o momento, pois a enorme barriga do peixe começou a se contrair e... ele foi regurgitado na praia.

Como foi a situação de Daniel quando foi jogado na cova dos leões, com perspectivas não muito melhores que as de Jonas? O primeiro foi engolido, já o segundo estava prestes a ser não só engolido, como mastigado também...

Reflita agora sobre José do Egito, que foi empurrado por seus irmãos para um poço, no meio do deserto. Mal caiu no fundo, logo percebeu que a tampa do poço foi fechada. E muita areia lançada em sua direção... a respiração ficaria impossível...

Algo em comum entre esses três homens? Todos ficaram presos em uma armadilha. Sem opção. Sem saída. Sem esperança. Experiências de quase morte.

A Bíblia está cheia de histórias assim. Pessoas que enxergaram a morte de perto. Momentos cruciais, em que parecia não haver mais solução... o único jeito era balbuciar uma oração, apenas um murmúrio, ou mesmo um pensamento em Deus... e o socorro divino oportunamente se faz presente.

Por que essas ilustrações da Bíblia são tão importantes para sua fé?

Para os amigos no Brasil

Aos 45 minutos do segundo tempo, quando a derrota parece inevitável, o artilheiro vai lá e faz dois gols e salva o time! Nosso artilheiro é Cristo. Mesmo quando achamos que o jogo está perdido, ele está pronto para reverter o placar e garantir nossa vitória, ainda que isso contrarie as expectativas.

Dirigidos pelo espírito de Deus

Porque todos os que são guiados pelo Espírito de Deus, esses são filhos de Deus.
Romanos 8:14 (NVI)

Em nossas conversas sobre a trindade, é possível pensar que não acreditamos neste versículo. Até mesmo chegamos a duvidar se cremos na Trindade. Falamos muito sobre o Pai e fazemos diversos estudos sobre o Filho. Porém, quando o assunto é Espírito Santo ficamos confusos ou até com medo. A confusão se dá pois nunca fomos ensinados corretamente sobre essa pessoa divina. E também com medo, porque somos induzidos a reagir assim quando falamos do Espírito de Deus.

Porém, podemos perder o medo e simplificarmos para melhor entendimento: o Espírito Santo é a presença de Deus que continua a obra de Jesus em nossas vidas. Ele nos auxilia em três sentidos: dentro de nós, garantindo que vivíamos o seu fruto – Gl. 5:22-24; acima de nós, quando não sabemos orar e ele intercede ao Deus Pai por nossas fraquezas — Rm 8:26; e no mundo externo, quando faz fluir o amor de Deus de nossos corações em direção às outras pessoas — Rm 5:5.

Cite alguns exemplos de como o Espírito Santo tem ajudado você a viver, a se relacionar com Deus e com as outras pessoas?

Para os amigos no Brasil

Espere um pouco... você não acha maravilhosa a ideia de que a pessoa que vive sob a orientação do Espírito Santo tem o próprio Deus habitando sua vida para guiar seus passos e suas atitudes? Que notícia extraordinária!

Descobrindo a vontade de Deus... e que ela seja feita!

Venha o teu Reino. Que a tua vontade seja feita aqui na terra como é feita no céu!

Mateus 6:10 (NTLH)

O significado da palavra vontade é "forte desejo". Quando oramos, pedindo que "Seja feita a tua vontade", queremos dizer que buscamos o desejo de Deus, o seu coração, a sua paixão. Jesus quando nos ensinou a orar dessa forma, queria que nós conhecêssemos o que deseja o coração de Deus.

Deus deveria esconder de nós o que deseja fazer e o que faz? A resposta é não. Podemos ter certeza disso, pois ele tem feito muitas coisas para nos mostrar sua vontade. A maior prova disso foi ter enviado seu filho para nos ensinar. Outro sinal é o de que ele nos deixou sua Palavra para nos servir de guia. A história da humanidade é cheia de eventos que comprovam como deseja que o conheçamos melhor e que nos relacionemos com ele. Dentro de nós, podemos ter como evidência a presença do Espírito Santo que nos consola e nos mantém em seu caminho.

Como ele não é o Deus de confusão, onde ele vê seguidores sinceros com corações confusos, pode ter certeza de que fará o que for preciso para ajudá-los a enxergar a sua vontade.

O que você tem feito para descobrir a vontade de Deus, para conhecer o que ele deseja?

Para os amigos no Brasil

Não é só uma questão de saber "o que o chefe mandou fazer". Conhecer a vontade de Deus é um gesto de amor ao Pai e de reconhecimento de que aquilo que está no coração dele é o melhor para sua vida.

Deus é doidinho por você

E até mesmo os cabelos da vossa cabeça estão todos contados.

Mateus 10:30 (NVI)

Você já pensou nas razões pelas quais o Santo Deus te salvou? Foram muitas razões, mas a mais doce é: Deus te salvou porque ele gosta muito de você. Aprecia ter você por perto. Considera a sua companhia como a melhor do mundo.

Se ele tivesse uma geladeira, teria sua foto na porta dela. Se ele levasse uma carteira consigo, com certeza dentre os cartões e dinheiro, a sua fotografia estaria dentro dela. Ele faz que as flores apareçam em todas as primaveras, e coloca uma aurora a cada manhã. Sempre que você parece querer conversar, ele se coloca atento para ouvir. Quando você desiste de falar com ele, ele espera ansioso pela próxima oportunidade. Dentre todas as partes do universo, ele preferiu viver em teu coração...

Em outras palavras: Ele é doidinho por você.

Como você se sente ao saber que Deus é "doido por você"? Como você reage a um amor tão grande?

Para os amigos no Brasil

Essa é uma expressão que os brasileiros conhecem bem: "Sou doidinho por você." Significa que alguém é capaz de tudo por amor. E é exatamente esse o sentimento que Deus tem em relação a nós. E você — também pode dizer que é "doidinho" (ou "doidinha") por Deus?

Veja que misericórdia!

... sejam bons e atenciosos uns para com os outros. E perdoem uns aos outros, assim como Deus, por meio de Cristo, perdoou vocês.

Efésios 4:32 (NTLH)

Esta cena pode ser revista em mente quantas vezes quisermos. A de Jesus com um cinto de servo enrolado na cintura, com uma bacia. Podemos percebê-lo ajoelhado diante de um dos discípulos. Ao desamarrar a sandália, gentilmente levanta-lhe o pé e o coloca na bacia; cobre com água, e passa a lavar. Os pés estão tão sujos e encardidos, e ele vai lavando um após o outro... até terminar a fila...

Ao esfregar esses pés, Jesus conhecia o futuro de cada um deles. Vinte e quatro pés que não passariam o próximo dia seguindo o seu Mestre, nem defendendo a sua causa. Pés que correriam para se esconder e se proteger da espada romana, e que o abandonariam no jardim do Getsêmani...

Conseguiu entender que presente Jesus deixou aos seus seguidores? Mesmo sabendo o que os donos desses pés estavam para fazer... quando eles o abandonassem, ou mesmo o traíssem, ele queria que se lembrassem de como os seus joelhos se dobraram diante deles, e de como lavou os seus pés. Queria muito mais do que isto: que eles compreendessem que os seus pés já estavam limpos. Seus corações também, pois ele perdoara os seus pecados, antes mesmo que os cometessem. Antecipou-se a oferecer-lhes misericórdia antes mesmo que eles a buscassem.

Como você pode demonstrar misericórdia em relação aos outros?

Para os amigos no Brasil

Falar da misericórdia de Deus é falar de sua grande graça. Não há como dissociá-las. Qual outra explicação para uma atitude como a de Jesus, oferecendo sua misericórdia aos discípulos mesmo sabendo o que eles fariam horas depois?

Servos da bondade

Mas, agora que vocês foram libertados do pecado e se tornaram escravos de Deus, o fruto que colhem leva à santidade, e o seu fim é a vida eterna.

Romanos 6:22 (NVI)

Como pode um prisioneiro desejar voltar a estar preso?

Antes de conhecermos Cristo, éramos prisioneiros e nossas vidas estavam enlameadas no pecado, sem controle algum e cheia de permissividade. Não nos enxergávamos tão sujos assim, até que o encontramos.

Foi quando Jesus passou a viver dentro de nós que as coisas passaram a ser diferentes. Começamos a guardar as coisas, que antes deixávamos espalhadas. Agora limpamos o que sujamos. Foi colocada ordem no caos da nossa vida. Muitas coisas ainda precisam ser ajeitadas, mas em geral nossa casa foi posta em ordem.

O desejo de fazer o que é certo surgiu. Pensar em voltar à desordem antiga? Nem pensar. De jeito nenhum. "Mas, graças a Deus, porque, embora vocês tenham sido escravos do pecado, passaram a obedecer de coração à forma de ensino que lhes foi transmitida. Vocês foram libertados do pecado e tornaram-se escravos da justiça" Rm 6:17-18 (NVI).

Liste algumas das diferenças que Deus fez em sua vida.

Para os amigos no Brasil

Quando Paulo fala em escravidão na carta aos Romanos, ele não está falando naquela que tanto brasileiros quanto norte-americanos conhecem dos livros de história. Ser escravo de Deus é ter liberdade — a liberdade de viver em seu amor e sua graça.

Quem pode rejeitar esta explosão de amor?

Buscai, pois, o Reino de Deus, e essas coisas lhes serão acrescentadas.

Lucas 12:31 (NVI)

Deus é tão bom e conhece nossas necessidades, mas às vezes ele se comove tão grandemente com as situações que acaba nos dando muito mais do que pedimos.

Isso é motivo para nos alegramos. Pensando bem: quem conseguiria pensar em pedir a Deus as coisas que ele nos dá? Nossos pensamentos não chegariam a tanto. E quem atreveria-se a dizer a Deus: "O Senhor por favor poderia pendurar-se numa cruz, como pagamento por cada pecado que já cometi?" Quem teria ainda a audácia de acrescentar: "Poderia ainda depois de perdoar-me, preparar-me um bom lugar em sua morada, onde eu possa passar toda a eternidade?"

E se isso ainda não bastasse, poderia adicionar o seguinte pedido: "Poderia o Senhor habitar dentro de mim, e me defender, e me ensinar, e me encher de bençãos com tudo aquilo que eu nunca mereci?"

Quem conseguiria pedir dessa forma tudo isso?

Cristo sentiu em sua pele o quanto custou a graça demonstrada na cruz. Também sabe muito bem quanto lhe custou o perdão. Ainda assim ele os oferta a nós gratuitamente. Impelido por um amor que explode do seu coração, ultrapassa as barreiras do pecado e nos preenche completamente.

Por que tanta gente se recusa a aceitar a oferta de amor de Cristo?

Para os amigos no Brasil

Pode dormir com tranquilidade. Mesmo que você se esqueça de tudo o que precisa para viver bem, Deus não se esquece. O amor do Pai por você não permite que ele deixe escapar nada!

Você tem os céus ao seu favor

Será que alguém poderá condená-los? Ninguém!
Pois foi Cristo Jesus quem morreu, ou melhor,
quem foi ressuscitado e está à direita
de Deus. E ele pede a Deus em favor de nós.
Romanos 8:34 (NTLH)

Jesus ora por você... Jesus fala e Satanás ouve e usa o que ouve para tentar te derrubar. Até consegue uma vez ou outra. Mas não sempre, porque Jesus está no campo de batalha para defender você... Ele "pode também salvar perfeitamente os que por ele se chegam a Deus, vivendo sempre para interceder por eles" Hb. 7:25 (ARC).

Enquanto está lendo este texto, você está sendo protegido. Antes de chegar até você, o diabo tem que passar por Jesus . E Deus "cumpre a sua promessa e não deixará que vocês sofram tentações que vocês não têm forças para suportar. Quando uma tentação vier, Deus dará forças a vocês para suportá-la, e assim vocês poderão sair dela" 1 Co. 10:13 (NTLH).

"Jesus está orando por nós." Descreva o que isso significa para você.

Para os amigos no Brasil

Quando uma pessoa deixa a liderança de empresa ou outra organização, ela passa a não ter mais nada a ver com a equipe que comandava. Mas ao encerrar seu ministério, Jesus não abandonou seus filhos. Ele continua intercedendo por eles diante do Pai.

Corações em chama

E. começando por Moisés e todos os profetas, explicou-lhes o que dele constava a respeito dele em todas as Escrituras.

Lucas 24:27 (NVI)

Assim que perceberam com quem conversavam, Jesus desapareceu. "E disseram um para o outro: Porventura, não ardia em nós o nosso coração quando, pelo caminho, nos falava e quando nos abria as Escrituras?" Lc 24:32 (ARC).

Esse versículo não te aquece o coração? Os discípulos sabiam que era Jesus pois por causa da sensação de fogo que invadiu seus corações. Assim, Deus também nos revela o que deseja, acendendo uma faísca em nossa alma. Com Jeremias foi assim e ele ofereceu-lhe uma tocha pelos corações endurecidos. Também deu a Neemias outro chumaço de fogo pela cidade esquecida. Abraão teve seu coração inflamado por uma terra que ele nem sabia se existia mesmo. Isaías citou as chamas quando teve uma visão do trono. Noé construiu seu barco o tempo todo ouvindo opiniões contrárias por quarenta anos e nem por isso a sua chama se apagou.

Preste muita atenção: Jesus quer te colocar em chamas. Movimenta-se com uma tocha nas mãos aquecendo os corações, derretendo o gelo das situações, e cutucando as cinzas para reacender as fogueiras... seu desejo é exterminar infecções e iluminar seu caminho.

Você pode dizer que Deus incendeia sua vida? Por quê?

Para os amigos no Brasil

Os discípulos que reconheceram Jesus depois da ressurreição experimentaram uma sensação tão extraordinária que não encontraram palavras para descrever. E vamos combinar: foram muito felizes na escolha!

Ouça a voz de Jesus

Não te deixarei, nem te desamparei.

Hebreus 13:5 (ARA)

Jesus fala conosco o tempo todo. E está presente em todos os lugares. Não há salas escuras suficientes onde possamos nos esconder. Não existem bares tão sujos, nem escritórios tão sofisticados que possam ser barreiras para que ele fale conosco. Ele está sempre batendo gentilmente à porta dos corações — esperando ser convidado a entrar.

Poucas pessoas conseguem ouvir sua voz. Muitos nem chegam a abrir-lhe a porta. Porém, em meio às promessas de prazeres transitórios, está sempre a promessa eterna de sua presença.

"Eis que eu estou convosco todos os dias, até à consumação dos séculos" (Mt. 28:20).

Não existe barulho tão alto que possa abafar a voz de Cristo. Mesmo no meio da multidão, podemos ouvir sua voz sussurrando palavras de vida eterna em nossos ouvidos. A nós basta apenas estarmos dispostos a ouví-la.

O que pode abafar a voz de Deus em sua vida? Como fazer para vencer esses inimigos de sua fé?

Para os amigos no Brasil

Jesus fala o tempo todo, mas... será que estamos prontos para ouvi-lo? São muitos ruídos — e não me refiro apenas ao barulho que nossos ouvidos podem captar. Nada é tão importante e digno de nossa atenção quanto a voz de Deus.

Ele quis te dar um presente

Para conhecê-lo, e a virtude da sua ressurreição, e a comunicação de suas aflições, sendo feito conforme a sua morte.

Filipenses 3:10 (ARC)

Refaça o caminho que Cristo trilhou. O Deus que trocou seu trono pela miséria humana. O Deus que reclinou sua cabeça numa pedra, e usou o chão como cama. O Eterno precisou da ajuda de humanos para se sustentar. Em muitos momentos, de tanta fome que sentiu, comeu grãos crus, ou colheu frutos das árvores.

Se alguém sabia o que significava não ter um lar, esse alguém era ele. Foi muito espezinhado. Pessoas conhecidas tentaram surrá-lo em diversas ocasiões. Em outras situações, foi chamado de louco. Poucos acreditaram no que ele dizia. Mesmo a sua própria família não acreditou nele e tentou prendê-lo em casa para tentar parar sua obra. Foi traído por seus amigos, acusado por crimes que não cometeu. Outras pessoas aceitaram dinheiro para testemunhar contra ele. Facilmente o júri foi fraudado. O juiz que devia julgar corretamente, lavou suas mãos e, debaixo de questões puramente políticas, assinou sua pena de morte. Crucificado ao lado dos piores bandidos... Foi ferido e morto.

Tudo isto por quê? Porque queria te dar um presente. Presente este que apenas ele poderia ofertar... sua salvação.

Pense no alto preço que Jesus pagou ao morrer para nos conceder a salvação. Escreva algo que demonstre seu reconhecimento por essa dádiva.

Para os amigos no Brasil

Jesus contrariou tudo o que se poderia considerar "bom senso". Não faltou quem tentasse convencê-lo de que estava cometendo uma loucura e de que seu sacrifício seria em vão. Mas nada seria capaz de detê-lo. Além da convicção de sua missão, ele tinha a motivação de seu grande amor.

Fazendo de forma correta

O que é nascido de Deus vence o mundo; e esta é a vitória que vence o mundo: a nossa fé.

1 João 5:4 (NVI)

Você fica sem paciência com a própria situação, lutando para superar uma situação recorrente ou controlar um pecado, e, na sua desilusão, questiona a força do Senhor. Tenha calma. Deus está preparando você para o amanhã com as provas aplicadas hoje. Ele está instrumentalizando você. O Deus que acrescenta mais e mais o auxiliará a frutificar.

Ampare-se na realidade de que Deus está em você. Reflita na unção que te vivifica. O entendimento de que o Senhor mora em você pode influenciar na sua decisão de visitar certos lugares hoje e também nos seus planos.

Faça o que deve ser feito esta semana, seja o que for, não interessa quais sejam as barreiras que lhe atrapalhem o caminho, ou que situação e dúvida encare — apenas faça o que deve ser feito de forma correta. É possível que as outras pessoas sigam caminhos errados, mas não você. Seja correto. Posicione-se. Seja íntegro. Pense bem, Deus faz o que é correto, independentemente do que você faz: ele o redime por meio de sua graça.

Pense em uma dificuldade que Deus permitiu que você enfrentasse. Como aquela experiência afeta sua vida hoje?

Para os amigos no Brasil

O famoso "jeitinho brasileiro" tem um lado muito bom, que é a capacidade de improvisar para resolver situações complicadas. Só não permita que ele induza você a pegar o caminho mais fácil, se não for a coisa certa a fazer.

O BALDE CHEIO DA GRAÇA DE DEUS

O sangue de Jesus, seu Filho, nos purifica de todo pecado.
I João 1:7 (NVI)

João nos relata que o sangue de Jesus nos purifica de todo pecado. De outra forma, estamos sempre sendo purificados. Essa purificação não é uma esperança futura, mas já está ocorrendo nos dias de hoje. Basta que uma poeira suje o coração de um santo, que logo ele é limpo. Uma pequena mancha não passa incólume na alma do filho de Deus, ela é imediatamente lavada...

Nosso Redentor dobrou seus joelhos e olhou diretamente para nossas mais sombrias escuridões. Não fugiu escandalizado com o que viu. Ele chegou mais perto, cheio de afeto, e se ofereceu: "Eu consigo remover isto, basta você dizer que quer". E do balde de sua graça ele retira uma mão repleta de misericórdia, e esfrega o nosso pecado.

Porém, isso não bastou. Por ele nos aliviar a culpa, podemos perdoar uns aos outros.

Explique como podemos perdoar os outros porque Cristo nos libertou.

PARA OS AMIGOS NO BRASIL

Claro que perdoar pode ser muito difícil – imagine como uma mãe se sente diante do assassino do filho, ou o marido diante da mulher adúltera. Mas Jesus nos oferece perdão o tempo todo... como nossa atitude poderia ser diferente?

Do próprio céu

... Deus os vivificou com Cristo. Ele nos perdoou todas as transgressões, e cancelou a escrita de dívida, que consistia em ordenanças, e que nos era contrária. Ele a removeu, pregando-a na cruz.

Colossenses 2:13-14 (NVI)

As religiões, todas elas, podem ser divididas em duas partes: legalismo ou graça. Ou é ação divina ou humana. A redenção como recompensa por nossas ações; ou redenção pela morte de Jesus.

Um legalista acredita que a grande energia que move a redenção é você mesmo. Basta que tenha a aparência adequada, diga as palavras certas e seja inscrito no grupo correto na área acertada, isso já te credencia a salvação. A responsabilidade não está sobre os ombros de Deus e sim sobre os seus.

A consequência? A parte externa vai resplandecer. O papo é agradável e os passos certos. Porém, preste atenção. Ouça com mais cuidado. Nem tudo está completo. O que falta? Felicidade. O que existe? Temor. (De não atingir sempre a excelência.) Arrogância. (De acreditar ter feito o suficiente.) Fracasso. (Por ter errado.)

A jornada espiritual não é um empreendimento de homens. Ela está ligada ao Espírito Santo, e é conduzida por ele. Cada obra de fé é arquitetada e guiada por Deus.

Você considera a salvação um dom ou um fardo? Por quê?

Para os amigos no Brasil

Quando você troca a ação do Espírito Santo pelas regras do legalismo, saiba que isso tem um preço — sua alegria. Quando Deus não é a motivação de sua fé, você tem de carregar a cruz que Jesus veio para carregar em seu lugar.

O Senhor escuta nosso clamor

Os justos clamam, o Senhor os ouve
e os livra de todas as suas tribulações.
Salmos 34:17 (NVI)

No instante que um amigo contou a Jesus sobre a doença de Lázaro, ele fez o seguinte: "Mestre, aquele a quem o Senhor ama está doente". Seu foco não foi no afeto imperfeito do que precisava ser curado, mas no perfeito amor do Senhor. Suas palavras não foram: "Àquele que te ama está doente", mas "Aquele a quem o Senhor ama está doente". Falando de outra maneira: a força do clamor não depende de quem ora mas de quem recebe a oração.

É certo que precisamos, e a nos é possível, dizer a mesma frase de formas diferentes. "Aquele a quem o Senhor ama está esgotado, amargurado, faminto, só, aflito e depressivo". A ordem das palavras de uma oração podem variar, porém a resposta é sempre a mesma. O Redentor escuta nossa oração. Ele ordena que o céu se cale só para prestar atenção a cada palavra nossa. Ele escuta nosso clamor.

O poder da oração não depende de nós, e sim daquele que a ouve. Explique por que isso é verdade.

Para os amigos no Brasil

Imagine Jesus falando aos anjos: "Silêncio! Meu filho está orando e quero ouvir cada palavra." E quer saber? Quando se trata de oração, as antenas do céu estão sempre funcionando em potência máxima.

Noites sombrias — brilho divino

Antes de tudo, pois, exorto que se use a prática de súplicas, orações, intercessões, ações de graças, em favor de todos os homens.

1 Timóteo 2:1 (ARA)

É possível que você se questione se possuir uma mente inquieta seja uma benção ou uma maldição. Se prefere seguir pelo cinismo ou pela hipocrisia, continue então a orar de olhos abertos, enquanto pergunta sobre:

Crianças em situação de fome;
A força de um clamor;
Cristãos internados para o tratamento de câncer...

São questões difíceis. Perguntas que desgastam. Levantamentos feitos por discípulos que enfrentam tormentas.

Era possível avistar o céu sombrio enquanto o barco era castigado e danificado pelas ondas...

Nesse momento uma aparição surgiu diante dos seguidores de Jesus, caminhando sobre as águas. Eles aguardavam outra resposta. Por pouco não deixaram que a solução ao clamor que faziam fosse embora.

E, geralmente, corremos o mesmo risco se não prestarmos muita atenção, ouvindo e olhando com cuidado redobrado. Os sinais luminosos enviados por Deus nas nossas noites escuras são tantos quantos são as estrelas do céu, se apenas olharmos para elas.

Qual a reação que Deus espera de nós quando a noite é escura?

Para os amigos no Brasil

Nem a noite mais escura consegue encobrir a luz de Deus, pois ela tem um brilho próprio e especial. Por maiores que sejam as trevas que você tenha de enfrentar, tome a atitude mais inteligente — em vez de olhar para a profundidade da escuridão, tente distinguir a luz divina que mostra a saída.

Vestindo-se de humanidade

Levou consigo Pedro, Tiago e João, e começou a ficar aflito e angustiado.
Marcos 14:33 (NVI)

"Durante os seus dias de vida na Terra, Jesus ofereceu orações e súplicas, em alta voz e com lágrimas, àquele que o podia salvar da morte..." (Hb 5:7).

Céus, que imagem! Jesus em profunda angústia. Jesus em um dos momentos de pavor. Jesus vestindo-se de humanidade e não sobrenaturalidade.

Quando você estiver dominado pelo assombro, poderá se lembrar com mais nitidez de Cristo no jardim. E quando considerar que ninguém consegue compreendê-lo, leia outra vez o capítulo 14 do Evangelho de Marcos. Quando sentir dó de si mesmo, e então esse sentimento o levar a crer que ninguém se importa com você, vá até o cenário do Getsêmani. E quando, enfim, questionar se Deus sabe, de fato, como é profunda a dor neste planeta, escute-o clamando angustiado entre as árvores.

Separe um momento para ler o capítulo 14 do Evangelho de Marcos. O que você deduz a partir da oração de Cristo?

Para os amigos no Brasil

Você começa a orar e, de repente, vem aquela vontade de se derramar em lágrimas. Você sabe que tem de confiar, mas a angústia é forte. Nesses momentos, lembre que Jesus também passou por essa situação e não perdeu o foco em Deus.

O modelo

Pelo cumprimento dessa vontade fomos santificados, por meio do sacrifício do corpo de Jesus Cristo, oferecido uma vez por todas.

Hebreus 10:10 (NVI)

Apenas os que forem santificados terão acesso a Deus. A santidade é o passaporte para o céu. Ser perfeito é exigência para a vida eterna. Preferiríamos que fosse diferente. Nossos atos são como se não fosse acontecer assim. Nossas ações denunciam que acreditamos que apenas os que são "íntegros"é que fossem ver o Senhor. Demonstramos que aqueles que se esforçam de forma dura contemplarão a Deus. Fingimos que somos bonzinhos, que não cometemos maldade alguma. E essa nossa bondade é suficiente para nos carimbar a passagem para o Reino de Deus.

Pode até parecer justo aos nossos olhos, mas não aos de Deus. Ele tem um modelo definido. E é um modelo elevado. "Sede vós, pois, perfeitos, como é perfeito o vosso Pai, que está nos céus" (Mt. 5:48).

Preste bastante atenção: no projeto divino, o próprio Deus é o modelo da perfeição. Não devemos buscar comparação entre nós; as outras pessoas também se sentem tão cambaleantes quanto a gente. O objetivo é se tornar como ele; outra imagem menor que esta não serve.

Você se sente em condições de estabelecer um padrão de santidade? Explique.

Para os amigos no Brasil

Há uma expressão no Brasil — "santo do pau oco" — que se aplica em referência a quem só tem aparência de santidade e justiça, mas por dentro é vazio. Pessoas assim não estão qualificadas a ter comunhão com Deus. Ele não se deixa enganar pela aparência, pois conhece o coração.

Outras cenas

Eu lhes disse essas coisas para que em mim vocês tenham paz. Neste mundo vocês terão aflições; contudo, tenham ânimo! Eu venci o mundo.

João 16:33 (NVI)

Deus não nos escondeu nada. Ele foi assertivo ao dizer que, enquanto trilharmos esta amarelada estrada de tijolos conhecida também como vida, passaremos por momentos de preocupação. Enfermidades castigarão corpos. Separações dividirão corações. A morte transformará mulheres em viúvas, e pestes e tormentas afligirão nações inteiras. Não devemos esperar um outro cenário. No entanto, não é porque o Diabo nos aparece, rindo, que devemos temer. Nosso Senhor conta sobre uma tarefa cumprida: "Está consumado" (Jo. 19:30). A luta acabou. Fique em estado de atenção, mas não aflito. O texto escrito a mão foi publicado e tornou-se um livro encadernado. Satanás está livre por alguns momentos, mas é um tempo bem breve... Basta mais alguns atos, restam poucas voltas no circuito, e o seu destino se cumprirá.

De que maneira as palavras finais de Jesus na cruz — "Está consumado!" — motivam sua fé?

Para os amigos no Brasil

O calendário indica quantos dias faltam para o aniversário da pessoa amada, para o dia do pagamento, para a estreia daquele filme que você que você quer tanto ver. A expectativa é maior conforme a data se aproxima. O mesmo vale para a nossa fé, pois a vitória final e garantida está cada vez mais perto.

Um toque de Deus

E Jesus, estendendo a mão, tocou-lhe, dizendo: Quero, fica limpo!

Mateus 8:3 (NVI)

Como é poderoso o toque de Deus! Você já o sentiu? Seja quando o médico cuidou de você enquanto estava doente, ou mesmo a professora que o flagrou chorando e enxugou as suas lágrimas? Havia uma mão segurando a sua durante um velório? Outra, sobre seus ombros, enquanto você aguardava a sentença ser proferida pelo juiz? Houve uma saudação de boas-vindas quando chegou ao emprego novo ?...

Nós também podemos oferecer esse toque.

Boa parte de vocês já estendeu suas mãos em acolhimento. Estou certo de que alguns têm o toque primoroso do próprio Médico dos médicos. Vocês impõem suas mãos em oração sobre os doentes e ministram aos que se sentem enfraquecidos. Se não pode tocar de fato, usam as mãos para redigir cartas, realizar telefonemas ou cozinhar quitutes. Vocês já conhecem a força do toque.

Infelizmente, outros entre nós acabam esquecendo. Nossas intenções são boas; só que não nos lembramos bem. Deixamos de valorizar o significado do toque...

Que boa notícia que Jesus não se esquece disso, não?

Descreva um episódio em que o toque de uma pessoa fez diferença em sua vida.

Para os amigos no Brasil

Já se deu conta de que, assim como aconteceu com várias pessoas narradas no Novo Testamento, você também recebeu o toque do Mestre? Pode ser que não tenha sido para operar um milagre físico, mas certamente para realizar um milagre espiritual — conceder vida eterna a você.

PRIORIDADE DIVINA

Entrega o teu caminho ao Senhor;
confia nele, e ele tudo fará.
Salmos 37:5 (ARC)

Deus tem um compromisso que é cuidar das nossas necessidades. Paulo afirma que um homem que não cuida dos membros de sua própria família é pior que alguém que não segue a Jesus (1 Tm. 5:8). Quanto mais um Deus, que é santo, irá velar por seus filhos? Pois, de que forma cumpriremos a missão que nos designou, se as nossas necessidades não forem resolvidas? É possível ensinar, ministrar, ou influenciar, se as nossas necessidades mais básicas não forem supridas? Deus seria capaz de nos inscrever em seu exército, e não nos entregar as provisões? É certo que não!

"Ora, o Deus de paz... vos aperfeiçoe em toda a boa obra, para fazerdes a sua vontade" Hb. 13:20-21 (ARC). Esse clamor é respondido na vida de vocês? É certo que nem sempre cearemos banquetes, mas nunca nos faltará mantimentos. Mesmo sem uma ceia opulenta sobre nossas mesas, haverá, ao menos, pão. E por muitas outras circunstâncias houve mesmo uma grande festa.

Faça uma lista das maneiras como Deus demonstra se importar com suas necessidades diariamente. Como você deve reagir a isso?

PARA OS AMIGOS NO BRASIL

Muitas pessoas parecem viver angustiadas 24 horas por dia, pois a preocupação com suas necessidades consome todo o seu tempo. Enquanto isso, Deus faz uma oferta irrecusável: "Descanse, vou cuidar de você."

Filho do Senhor

Vede quão grande caridade nos tem concedido o Pai: que fôssemos chamados de filhos de Deus.

1 João 3:1 (ARC)

Vou dizer quem é você. Melhor ainda, vou anunciar, em alta voz, sobre você.

Você é um herdeiro de Deus e co-herdeiro com Cristo (Rm 8:17).

Você é imortal, assim como os anjos são (Lc 20:36).

Você possui uma coroa eterna (1 Co 9:25).

Você é um sacerdote santificado (1 Pe 2:5), um bem valioso (Êx 19:5)...

No entanto, além de qualquer uma destas coisas — mais representativo que qualquer título ou status — é a simples verdade de que você é filho de Deus.

Somos, verdadeiramente, filhos do Senhor.

Isso significa que se há algo que seja importante para você, é também valioso para Deus.

Se alguma coisa é importante para você, também é importante para Deus. Isso significa que não temos nenhuma responsabilidade sobre o que acontece em nossa vida? Explique.

Para os amigos no Brasil

Como é possível que um Deus tão poderoso se importe tanto com as coisas que nos afligem? Simples — ele é nosso Pai e, como tal, deseja o melhor para seus filhos. Por isso, Deus investe seu amor em nós.

Pegadas que nos guiam

Nisto todos conhecerão que sois meus discípulos, se vos amardes uns aos outros.
João 13.35 (ARC)

Veja a cena: um garotinho segue seu pai pela neve. Ele estica suas pernas para pisar no mesmo lugar onde o pai pisou. Não é uma função simples. As pequenas pernas do menino estendem-se o máximo que conseguem para que os pés alcancem as pegadas deixadas pelo pai.

O pai, percebendo o esforço do filho, discretamente sorri e começa a dar passos mais curtos para que o filho consiga segui-lo.

Essa é uma imagem de como funciona um discipulado.

Em nossa jornada de fé, miramos os passos de outras pessoas. Seja o pai, professor ou um herói – nenhum de nós é o precursor deste caminho. Todos temos mentores.

Da mesma forma, em nossa jornada de fé, deixamos pegadas que servem como guia para outros. Um filho, um amigo ou um novo convertido. Ninguém deve ser abandonado para trilhar o caminho sozinho. Esse é um princípio do que significa discipular.

Pense um pouco nas marcas que você está deixando no caminho da vida. Faça uma lista das principais.

Para os amigos no Brasil

Digo com orgulho que muitos homens e mulheres de Deus me inspiraram com suas vidas e as marcas que deixaram pelo caminho. Seguir seus passos foi uma escolha — uma das melhores que já fiz.

Um plano incrível

E a si mesmo se humilhou, tornando-se obediente até à morte e morte de cruz.

Filipenses 2:8 (ARA)

No instante em que mãos humanas prenderam, com prego e martelo, mãos divinas naquela cruz... não eram os soldados que martelaram as mãos de Jesus. Foi Deus. Foram as mãos que moldaram mares e esculpiram montanhas. Foram as mesmas mãos que arquitetaram o nascer do sol e pincelaram cada nuvem. Aquelas mesmas mãos criaram um inacreditável plano que diz respeito a você e a mim.

Percorra a montanha. Chegue mais perto do cenário do Calvário. Aproxime-se da cruz onde, com sangue santo, as mãos que o trouxeram ao mundo escreveram um compromisso: "Deus daria a vida de seu próprio filho antes de abrir mão de você."

Deus tem um plano incrível para sua vida. Descreva como você vê esse plano sendo realizado para seu bem e a glória dele.

Para os amigos no Brasil

Na década de 1980, quando vivi no Brasil, os políticos viviam lançando planos econômicos. A maioria só funcionava por um tempo, até a chegada do seguinte. Mas o plano de Deus para nossa vida é, sem dúvida, o melhor e definitivo.

A voz familiar

Não vos maravilheis disso, porque vem a hora em que todos os que estão nos sepulcros ouvirão a sua voz. E os que fizeram o bem sairão para a ressurreição da vida...

João 5:28-29 (ARC)

Haverá um tempo em que todos poderão ouvir a voz de Cristo. Nesse dia, todas as outras vozes se calarão. Apenas a voz de Jesus será entoada.

Para alguns, será a primeira vez em que a voz será ouvida. Não significa que Jesus não tenha falado antes, mas a razão é porque nunca lhe deram atenção. Por esse motivo, a voz do Senhor será um som esquisito.

Essas pessoas ouvirão a voz do Mestre apenas uma única vez — após isso, não tornarão a ouvi-la. Viverão para sempre queixando-se contra as vozes que preferiram seguir enquanto estiveram na terra.

Para outros, a voz que os levantará das sepulturas soará familiar. Estes são como ovelhas que conhecem o chamado do seu pastor. São servos que deixaram Jesus Cristo entrar quando ele bateu à porta dos seus corações.

Novamente teremos uma porta aberta diante de nós. E, somente nesse momento, não será Jesus que atravessará a porta e entrará em nossa casa; seremos nós que atravessaremos os portais da eternidade e entraremos em sua casa.

Você conhece pessoas que ouvem a voz de Deus como se fosse a de um estranho? Por que isso acontece?

Para os amigos no Brasil

A gente identifica com facilidade a voz de quem convive conosco — pessoas queridas, o chefe, a vizinha, a professora, o pastor. Mas a voz de Deus só pode ser reconhecida por aqueles que já ouviram e atenderam a seu chamado.

Abril

...fortaleçam-se no Senhor e no seu forte poder.

– Efésios 6:10 (NVI)

Um encontro de momentos distintos

Este homem lhes foi entregue por propósito determinado e pré-conhecimento de Deus; e vocês, com a ajuda de homens perversos, o mataram, pregando-o na cruz.

Atos 2:23 (NVI)

A cruz não foi um acaso.

A morte de Jesus não foi o resultado de um lapso na engenharia do universo. A cruz não foi um susto trágico. O Calvário não foi um reflexo involuntário e sensitivo a um sistema que precipitava-se para a destruição. Não foi um ajuste ou uma forma de tapar o buraco. A morte do Filho de Deus foi um evento, entretanto, não era uma aventura sem planejamento.

Pelo contrário, foi uma etapa de um plano fantástico. Uma decisão bem-pensada.

No instante em que o fruto não permitido encostou nos lábios de Eva, o reflexo da cruz surgiu no horizonte. E entre aquele instante e o instante em que o homem com o grande martelo de ferro cravou o prego no pulso de Deus, um plano incrível foi consumado.

"A cruz não foi uma surpresa trágica. Foi uma escolha calculada." O que significa essa afirmação para você?

Para os amigos no Brasil

De vez em quando aparece alguém inventando uma nova teoria para a crucificação de Jesus, minimizando ou mesmo ignorando o plano de Deus. A perfeição do projeto de Deus para a nossa redenção incomoda quem não consegue compreendê-lo.

A SOMBRA DE UMA CRUZ

João viu a Jesus... e disse: Eis o Cordeiro de Deus, que tira o pecado do mundo.

João 1:29 (ARA)

Jesus nasceu já destinado a cruz. A partir do momento em que tomou consciência de quem era, também tornou-se consciente do que deveria realizar. A silhueta da cruz sempre era percebida. Assim como os apelos dos que estavam presos ao inferno sempre puderam ser escutados.

Isso justifica seu olhar determinado quando foi a Jerusalém pela última vez. Era sua marcha fúnebre (Lc 9:51).

Justifica também seu pronunciamento decidido: "Por isso, o Pai me ama, porque dou a minha vida para tornar a tomá-la. Ninguém me tira de mim, mas eu de mim mesmo a dou" Jo 10:17-18 (ARC).

Sendo assim, dê o nome que preferir: seja uma atitude de graça. Um projeto de salvação. Um martírio... Isto é desimportante. Chame como preferir a morte de Jesus. Só não a chame de um acidente. Ela foi um evento, mas jamais um acontecimento fortuito.

Cristo sabia que o sofrimento e as dificuldades faziam parte do plano, e mesmo assim ele seguiu em frente com determinação. De que maneira isso encoraja você?

PARA OS AMIGOS NO BRASIL

Pensar no sacrifício de Jesus como um "acidente de percurso" é desprezar as muitas evidências do plano de Deus para resgatar a humanidade — pode ser muito divertido para historiadores, mas só serve para confundi-los.

Você era a razão das preces dele

Ele se afastou deles a uma pequena distância,
ajoelhou-se e começou a orar.

Lucas 22:41 (NVI)

A última oração de Jesus teve você como tema. A sua dor derradeira foi por você. A paixão final foi por sua causa. Antes de seguir pela via dolorosa, Jesus refugiou-se no jardim. E quando clamou ao Pai, você estava em suas palavras...

E assim Deus não pôde esquecer de você. Não pôde porque os olhos divinos o fitaram, e isso o cativou. E precisamente ali, naquele ambiente hostil, Deus o notou sendo enviado a um destino que não desejou. Ele presenciou quando você foi traído por quem mais amava. Ele o viu com um corpo capaz de adoecer, com um coração que esmorece...

Um dia antes de ser crucificado, Jesus fez uma escolha. Ele decidiu que seria melhor ir ao inferno por sua causa a voltar ao céu sem a sua companhia.

A oração final de Jesus diz respeito a você. Qual é a sua reação?

Para os amigos no Brasil

Nos dias que antecederam à crucificação, Jesus tinha muitos motivos para orar. Nenhum deles, porém, era tão importante quanto você. Nem a iminência do sofrimento injusto tirou o Mestre de seu foco: você.

A DÍVIDA FOI QUITADA

Venham cá, vamos discutir este assunto. Os seus pecados os deixaram manchados de vermelho, manchados de vermelho escuro; mas eu os lavarei, e vocês ficarão brancos como a neve, brancos como a lã.

Isaías 1:18 (NTLH)

No momento em que Jesus nos orientou a pedir perdão por nossas dívidas, da mesma forma como havíamos perdoado aos que nos deviam, ele já sabia quem pagaria a conta. Sabia que quando estivesse exposto na cruz, diria: "está consumado"... quitando toda dívida que era contra nós.

Há algumas coisas que jamais irão mudar. Uma delas é que não há mais dívida contra você. Se você aceitou a Cristo, quando Deus olha para você, suas transgressões foram cobertas — ele não as vê. Ele olha para você e enxerga uma pessoa bem melhor da que você vê quando olha seu reflexo. E essa é uma verdade majestosa na sua vida.

Cristo dá mais valor a você do que pode imaginar. De que maneira isso afeta a visão que você tem de si?

PARA OS AMIGOS NO BRASIL

Problemas de autoestima? Se a resposta for "sim", então você precisa dar uma olhada nas passagens do Novo Testamento que revelam o amor de Jesus por nós. Depois de ler, você não terá mais dúvidas a respeito de seu valor para o Mestre.

Alma de adorador

Ó, vinde, adoremos e prostremo-nos. Ajoelhemos diante do Senhor que nos criou.

Salmos 95:6 (ARC)

Adoração. Depois de dois mil anos, não abandonamos algumas coisas. Ainda nos esforçamos para encontrar as melhores palavras ao orar. Ainda tropeçamos nos textos sagrados das Escrituras. Ficamos indecisos sobre o momento certo de dobrar os joelhos. Acontece o mesmo no momento de se levantar. Somos inseguros sobre como orar.

Adorar é uma missão assombrosa.

Por esse motivo Deus nos presenteou com Salmos — um livro de adoração para o povo de Deus. Cada um dos hinos compostos e dos clamores dessa compilação de textos está ligada ao mesmo fio condutor: uma alma esfomeada por Deus.

Alguns salmos são confrontantes; outros, piedosos. Há poesia para ser musicalizada; outras são para reflexões e orações. Alguns são viscerais; outros, compostos para serem usados universalmente...

A diversidade nos lembra que adorar é algo pessoal. Não há uma receita misteriosa. O que te inspira pode ser um fator de bloqueio para outro. Cada um ora de um jeito próprio. Porém, todos devem buscar a Deus em adoração.

Cite algumas coisas que Cristo nos ensinou a respeito da oração, tanto com palavras quanto com a própria vida.

para os amigos no Brasil

Falar com Deus e demonstrar seu amor a ele é muito mais simples do que parece. Não se preocupe em encontrar palavras muito rebuscadas ou frases de efeito. O que ele valoriza é a sinceridade em seu coração.

A REAÇÃO DIVINA

Agora, vou para ti, mas digo estas coisas enquanto ainda estou no mundo, para que eles tenham a plenitude da minha alegria.

João 17:13 (NVI)

O que Jesus desejava fazer e o que parecia ser capaz de realizar estavam distanciados por um abismo de impossibilidades. Sua reação foi orar.

Não há informações sobre o que ele teria orado. Tenho, porém, uma teoria... Ele clamou por algo impossível.

Pode ser que eu esteja equivocado. Quem vai saber? Pode ser que ele não tenha pedido nada. É possível que tenha apenas se aquietado na presença de seu Pai, desfrutado de sua Majestade. Talvez Cristo tenha se refugiado diante do trono de Deus, cansado, e por um pequeno momento, repousado.

É possível que tenha erguido sua cabeça o suficiente para escutar a resposta do céu. Pode ser que Jesus tenha se lembrado de que corações endurecidos não sensibilizam o Pai. O que pode representar uma forma de intimidação para as pessoas, não perturba o Eterno.

Pessoas problemáticas não perturbam Deus... mas perturbam a gente. Por quê?

PARA OS AMIGOS NO BRASIL

Não precisa pensar muito — você deve ter pelo menos uma pessoa conhecida que perturba sua vida. Todo mundo tem. A questão é: você é capaz de reagir do mesmo modo que Jesus reagiria?

Uma palavra de sua boca

Eis que vos dei autoridade... e nada, absolutamente, vos causará dano.

Lucas 10:19 (ARA)

Diversos personagens surgem no teatro do Getsêmani. Judas, o traidor. Pedro com sua espada desembainhada. Os soldados armados... E, por mais que fossem importantíssimos, não tinham utilidade. O encontro não era entre Jesus e os soldados; era entre Deus e Satanás.

Satanás tem ousadia de invadir até outro jardim, mas Deus se opõe, e Satanás não tem quem peça por ele...

Diante de Jesus, Satanás não resiste. Basta uma palavra de sua boca e o mais poderoso exército desse mundo se desmancha.

Satanás é silenciado na aclamação de Jesus. Não houve um só momento em que o Inimigo falou sem a permissão de Jesus. Diante de Cristo, Satanás não tem argumentos.

Contra a força de Jesus, o Diabo não tem poder algum.

Quando Jesus garante que te protegerá, ele realmente o faz. Para te atingir, o Inferno terá que passar por Cristo. Jesus pode guardar sua vida. Se ele prometeu que o conduzirá ao lar, ele certamente o fará.

Descreva algumas situações em que você sentiu a proteção de Cristo.

Para os amigos no Brasil

O brasileiro não é diferente do norte-americano nem de qualquer pessoa no mundo quando se trata da necessidade de se sentir protegido. Melhor que um carro blindado, um exército de guarda-costas ou um seguro total, Jesus cuida de você por causa de seu amor.

A fé vê o Salvador

Tornem-se cada vez mais fortes, vivendo unidos com o Senhor e recebendo a força do seu grande poder.
Efésios 6:10 (NTLH)

Estanquei meus passos diante do espelho e vi o rosto de um homem que não foi capaz... que falhou com o seu Criador. Por outra vez eu prometi que não falharia, mas errei. Calei-me quando deveria ser atrevido. Encolhi-me quando o certo era ter tomado uma posição.

Se ainda fosse a primeira vez, seria tolerável. Mas não era. Quantas vezes alguém é capaz de errar e ficar à espera de ser denunciado?...

Seus olhos no espelho refletem um pecador, um derrotado, alguém que não consegue cumprir sua palavra. Contudo, pelo prisma da fé, você vê um talento refletido no espelho, coberto com um manto, com um anel da graça sendo ostentado no dedo. No rosto , o beijo de afeto de seu Pai...

Os olhos naturais miram apenas suas falhas. Pela fé você contempla o seu Redentor.

Os seus olhos assistem a suas culpas. A sua fé, o sangue de Jesus.

De que maneira nossa fé nos ajuda a "ver" o Salvador e seu sangue purificador?

Para os amigos no Brasil

A fé tem essa incrível capacidade de nos fazer enxergar as coisas que nossos olhos não conseguem captar. Você nem pode imaginar as coisas maravilhosas que Deus está fazendo além de sua vista.

Balança inclinada

...e conhecer o amor de Cristo,
que excede todo entendimento,
para que sejais cheios
de toda a plenitude de Deus.
Efésios 3:19 (ARA)

Não foi correto os pregos atravessarem as mãos que criaram o mundo. E não foi certo o Filho de Deus ser obrigado a ver seu Pai silenciar.

Não foi adequado, mas foi o aconteceu.

Durante a crucificação de Jesus, Deus cruzou os braços. Deu as costas, não considerando os gritos de dor de um inocente.

Deus aquietou-se ao mesmo tempo que os pecados de todo o mundo eram colocados sobre os ombros de seu Filho. E ele não se moveu quando um urro, dolorido um milhão de vezes, rasgou o céu escuro: "Deus meu, Deus meu, por que me desamparaste?"

Foi correto? Não.

Foi justo? Não.

Foi amor? Sim.

É fácil se meter em brigas para defender nossos "direitos". De que maneira sua vida poderia ser diferente se Cristo lutasse para defender os dele?

Para os amigos no Brasil

Ninguém escapa. De vez em quando, a gente se sente a pessoa mais injustiçada do mundo. E em muitos casos, sem razão. Dá para ter uma ideia de como Jesus se sentiu ao ser sacrificado sem culpa alguma? E como ele reagiu? Com amor, é claro.

Coração quebrado

Ao ver as multidões, teve compaixão delas,
porque estavam aflitas e desamparadas,
como ovelhas sem pastor.

Mateus 9:36 (NVI)

Não consigo compreender. Sinceramente, não. Por que Jesus foi crucificado? Ouço sempre as respostas históricas. "Para cumprir uma antiga lei", "Para que as profecias fossem reveladas". São respostas verdadeiras. Sim, elas são. No entanto, há algo além. Algo que revela compaixão. Alguma coisa inquietante. Muito pessoal.

O que é?

A razão é porque o coração de Jesus foi quebrado, partido de igual maneira a todos aqueles que olharam em profundo desespero ao céu sem luz, e clamaram a mesma oração "Por quê?" Seria por que o coração de Cristo estava moído pelo sofrimento?...

Eu posso imaginar ele inclinando-se aos que estão sofrendo.Sou capaz de vê-lo ouvindo, com olhos lacrimejosos, vejo sua mão transpassada recolhendo uma gota de lágrima. Ele, que já provou da solidão, consegue entender.

Imagine Cristo inclinando-se para tocar seu coração ferido, para curar você... que áreas de sua vida necessitam desse toque?

Para os amigos no Brasil

Pode encher o Maracanã de gente — onde quer que você esteja, Jesus consegue localizar e tocar sua vida. Não há multidão capaz de roubar a atenção que o Mestre dedica a cada um de nós, nem distração suficiente que desvie o olhar dele de sua dor.

Amor suspenso numa cruz

Porque Deus tanto amou o mundo deu o seu Filho unigênito, para que todo aquele, para que todo o que nele crer não pereça, mas tenha a vida eterna.

João 3:16 (NVI)

Ele olhou ao redor do monte, e antecipou a imagem. Três personagens suspensas em três cruzes. Os braços estendidos. Cabeças caídas. Gemiam com o vento frio.

Os soldados acomodaram-se no chão, perto dos três...

Mulheres enlutadas apinhavam-se ao pé da colina... nos rostos lágrimas escorridas.

Todo o céu estava pronto para a batalha. Toda a natureza pôs se de pé para ajudar. Toda a eternidade colocou-se à disposição. Mas não houve ordens do Criador.

"Assim deve acontecer...", sentenciou ele, para depois retirar-se.

O anjo retrucou: "Não seria tão doído se..."

O Criador interrompeu de forma suave: "Mas isto não seria amor".

A cruz é um símbolo de amor, coragem e esperança. Pense em outras coisas que a cruz simboliza.

Para os amigos no Brasil

A cruz é o símbolo mais fácil de ser identificado no mundo. Mostre uma cruz a qualquer pessoa que você conheça e ela sabe do que se trata sem que você precise explicar. Difícil mesmo é explicar um amor tão grande capaz de levar Jesus até essa cruz por nós.

A mensagem divina ao homem

E, quando Jesus tomou o vinagre, disse: "Está consumado". E, inclinando a cabeça, entregou o espírito.

João 19:30 (ARC)

"Está feito".

Pare por um momento e imagine. Deixe as palavras entrarem em seu coração. Pense no gemido da cruz. O céu está nublado. Os outros dois homens ao lado gemem de dor. As vozes escarnecedoras do povo desta vez estão em silêncio. Talvez esteja trovejando. Talvez exista choros dramáticos. Pode ser que só haja quietude. Então Jesus respira profundamente, ajusta seus pés nos pregos romanos, e brada: "Está feito!"

O que havia sido concluído?

A intensa jornada para resgatar o homem estava cumprida. A mensagem divina ao homem estava pronta. O esforço empenhado por Jesus, enquanto vivia na terra, como ser humano, estava consumado... O aguilhão da morte fora retirado. Estava terminado.

Cristo venceu a morte na cruz. De que maneira isso serve como motivação para você?

Para os amigos no Brasil

Você consegue imaginar o que é isso? Ao morrer na cruz e ressuscitar depois, Jesus derrotou o que a maioria das pessoas considera o maior poder que existe, o da morte. Ele provou que seu poder é ainda maior, ilimitado. É o poder da verdadeira vida.

A PEDRA ANGULAR DA NOSSA FÉ

Nós cremos que Jesus morreu e ressuscitou; e assim cremos também que, depois que Jesus vier, Deus o levará de volta e, junto com ele, levará os que morreram crendo nele.

1 Tessalonicenses 4:14 (NTLH)

Para qualquer discípulo de Jesus, a esperança é: A ressurreição de Cristo é nossa garantia e prólogo da nossa.

Porém, por que depositar a nossa fé nessa esperança? A ressurreição é real? É histórico o sepulcro vazio? Esta não é apenas uma dúvida interessante. É a pergunta chave. Como o apóstolo Paulo explicou: "Se Cristo não ressuscitou, é vã a vossa fé, e ainda permaneceis nos vossos pecados" 1 Coríntios 15:17 (ARC). Tentando explicar melhor: Se Jesus ressurgiu dos mortos, os seus discípulos também irão ressuscitar como ele; se não for assim, seus discípulos são malucos. Essa é a pedra angular, fundamental, sobre a qual está construída a fé cristã.

"A ressurreição de Jesus é uma prova e uma prévia da nossa." O que isso significa para você, tanto hoje quanto na eternidade?

PARA OS AMIGOS NO BRASIL

Se hoje em dia falar em ressurreição já deixa muita gente confusa, imagine o que aconteceu com as pessoas que procuraram Jesus no túmulo e não acharam! Sim, a ressurreição torna a fé cristão extraordinária!

Uma motivação ilustre

Depois do sábado, tendo começado o primeiro dia da semana, Maria Madalena e a outra Maria foram ver o sepulcro.
Mateus 28:1 (NVI)

Não foi uma expectativa que levou Maria Madalena e a outra Maria a subirem a colina, em direção ao sepulcro. Foi a obrigação. Era um dever singelo. Não aguardavam nenhuma recompensa. O que Cristo poderia lhes dar naquele momento? O que um homem morto tinha para oferecer? As duas mulheres não subiram a colina em busca de qualquer coisa; elas foram lá para ofertar. Foi isso.

Não há inspiração mais ilustre.

Servir motivado apenas por servir. Este é o convite para quem quer ser discípulo.

Embora aquelas mulheres tivessem achado que o Salvador continuava morto, elas continuaram a servi-lo. Você reagiria como elas? Por quê?

Para os amigos no Brasil

Na língua portuguesa, "servir" é uma palavra da qual nem todo mundo gosta. Talvez porque lembre algum serviço humilhante ou mesmo a escravidão. Mas Jesus transformou esse termo em algo nobre quando ele mesmo deu o maior exemplo.

UM SERVIÇO SANTO

Tudo o que fizerem, seja em palavra ou em ação, façam-no em nome do Senhor Jesus.
Colossenses 3:17 (NVI)

Maria Madalena e a outra Maria tinham conhecimento de que um serviço precisava ser realizado — o corpo de Jesus deveria ser preparado para a cerimônia fúnebre. Pedro não se colocou à disposição. André não se voluntariou... Por isso, as duas Marias se ofereceram.

Eu tenho dúvidas se antes de chegarem ao destino, elas não pararam e repensaram por um momento. Imagine se elas se entreolhassem e desistissem: "O que é o funeral?" E se elas não fossem até o túmulo? Como seria se uma delas balançasse os braços e reclamasse: "Estou farta de ser a única a se importar. Que tal o André se mover um pouco, só para variar? Natanael poderia mostrar sua força no grupo agora".

Se isso passou pela cabeça delas ou não, fico feliz de que tenham prosseguido. Seria uma tragédia. Pense, nós temos conhecimento de um fato que elas não sabiam. Sabemos que Deus monitorava toda a cena. Maria Madalena e a outra acreditavam estar a sós naquele lugar. Não estavam. Achavam que a jornada não fora percebida. Estavam erradas. Deus as seguia de perto.

Aquelas mulheres demonstraram seu amor por Cristo. Como você pode fazer o mesmo?

PARA OS AMIGOS NO BRASIL

Nunca desista. Mesmo que você não consiga enxergar uma razão lógica para fazer algo que Deus mandou, não pare. Tal como aconteceu com aquelas mulheres, há algo que você não pode ver, mas que justifica seu esforço.

Apenas um caminho

Eu sou o caminho, e a verdade, e a vida.
Ninguém vem ao Pai senão por mim.
João 14:6 (NVI)

Paciência. Um dom valorizado nos dias de hoje. A competência de tolerar aqueles que são diferentes de você é sinal de talento. Jesus também tinha uma paciência exemplar:

- Paciente com os discípulos quando eles não acreditavam.
- Paciente com o povo, quando eles não entendiam o que ele queria dizer.
- Paciente conosco, quando erramos.

Entretanto, houve uma área onde Jesus era irredutível. Um setor onde ele era intransigente e autoritário.

Era a respeito da Salvação. Não havia muitas opções, apenas uma. O único caminho era o próprio Cristo.

Por essa razão, as pessoas sentem dificuldades em crer em Jesus. É mais tranquilo quando ele é considerado apenas mais um entre muitos caminhos que levam a Deus. Apenas mais uma opção. Mas não há outras escolhas.

Explique por que Cristo não é "uma" opção, e sim "a" opção.

Para os amigos no Brasil

Milhares de pessoas prestam o vestibular brasileiro todos os anos, e quando passam pela fase das provas de múltipla escolha, sabem que só há uma resposta certa para cada pergunta. Cristo é a opção, a resposta certa para a pergunta: "Quem pode me dar vida eterna?"

Saldo insuficiente

.. àquele que não trabalha, mas confia em Deus, que justifica o ímpio, sua fé lhe é creditada como justiça.

Romanos 4:5 (NVI)

Se Cristo não derramasse sua graça sobre nós, teríamos ficado com saldo insuficiente no banco celestial. No momento em que nos faltasse bondade, não teríamos saldo. Santidade no vermelho. Deus exige um aporte de virtudes em nossa conta, e é um número além de nossas possibilidades. Nossa conta de santidade está devedora, e apenas os santos é que verão a Deus. Como fechar esta conta?

A gente pode até realizar alguns depósitos. Um aceno ao vizinho, um elogio à esposa, ou ir ao culto no domingo pela manhã, creio que terei alguns trocados a mais. Entretanto, seria o suficiente para cobrir o rombo?...

Por mais que tente encontrar explicações para seu extrato, esqueça. Fique em paz. Esse é um saldo que não podemos preencher... "É Deus quem [nos] justifica" (Rm 8:33).

Ser justificado significa que Deus vê você "como se" nunca tivesse pecado. De que maneira isso aumenta sua esperança?

Para os amigos no Brasil

A graça é um conceito fora do comum, difícil mesmo de ser compreendido sem fé. Afinal, como pode Deus, que conhece tão bem nossos erros e pecados, olhar para nós como pessoas puras? Ah, claro — ele nos olha através de Cristo!

PERFEITOS NÃO, PORÉM PERDOADOS

Àquele que não conheceu pecado,
o fez pecado por nós; para que, nele,
fôssemos feitos justiça de Deus.
2 Coríntios 5:21 (ARC)

Não foram os soldados romanos que crucificaram a Cristo. Nem os pregos que o suspenderam. O que o fixou na cruz foi a certeza de que era preciso que ele se transformasse em pecado — ele, que era limpo, se tornou pecador, e a ira de Deus foi despejada, não sobre sua criação, mas sobre o próprio Criador.

No instante em que aquele que jamais pecou tornou-se pecador por nós, quando o único homem sem pecado foi vestido com os pecados de todas as pessoas no mundo inteiro, Deus não ordenou que seu exército celestial fosse livrá-lo. Não foi assim porque o Senhor tinha a convicção de que melhor seria entregar seu próprio filho a desistir de nós.

Seja o que já fez na vida, ainda há tempo. Não importa quão longe foi o lugar onde caiu, ainda dá tempo. Não interessa a profundidade do seu erro, não é tarde demais para desenterrá-lo, arrancá-lo fora e deixá-lo liberto.

Não é a perfeição que o torna cristão, é o perdão.

É possível ser perfeito?
É necessário buscar a perfeição? Por quê?

PARA OS AMIGOS NO BRASIL

"Ninguém é perfeito" — esta é a frase que mais se ouve quando alguém quer justificar um erro. Agora pense na mesma frase dita por Jesus quando Satanás questiona por que o Salvador optou por morrer por pecadores imperfeitos.

DÚVIDAS AO PÉ DO OUVIDO

A virgem ficará grávida e terá um filho que receberá o nome de Emanuel. (Emanuel quer dizer "Deus está conosco".)

Mateus 1:23 (NTLH)

O espaço em branco entre os versículos das Sagradas Escrituras é perfeito para o surgimento de questões. É muito difícil que alguém leia a Bíblia sem falar baixinho: "Será?"

"Será que Eva também experimentou outros frutos?"

"Será que Noé conseguiu dormir uma noite boa de sono durante a torrencial chuva?"

Entretanto, há uma pergunta que não precisa ser feita entre a multidão de dúvidas que surgem: Será que Deus se importa? Será que somos valiosos para Deus? Ele verdadeiramente ama seus filhos?

Na face delicada do bebê nascido no estábulo, ele responde: Sim.

Sim, seus pecados foram esquecidos.

Sim, o seu nome está no livro dos céus.

E, sim, Deus invadiu este mundo. Emanuel. Deus entre nós.

Pense em algumas coisas que intrigam você na Bíblia. Agora faça uma lista das que você não tem dúvida.

PARA OS AMIGOS NO BRASIL

Deus ama você? Sem dúvida! Se há uma certeza com a qual você pode contar é esta, e pode anunciá-la aonde quer que você for. E se há alguma dúvida em seu coração a respeito disso, converse com o Pai e logo se convencerá.

O fogo que queima nossa alma

Tenho grande alegria em fazer a tua vontade, ó meu Deus; a tua lei está no meu coração.

Salmos 40:8 (NVI)

Quer saber quais os planos de Deus para você? Então responda: O que faz com que seu coração queime? Órfãos desprezados? Nações que jamais foram evangelizadas? As luzes do centro da cidade? As esquinas das periferias?

Fique atento ao que queima seu espírito!

Você tem desejo de cantar? Cante! Você é inclinado a gerenciar? Gerencie! Você se aflige pelos enfermos? Vá ampará-los! Você sofre pelos que estão perdidos? Então guie-os!

Quando eu era um jovem, meu coração ardeu com o desejo de pregar. Duvidoso de que esse seria o plano de Deus para mim, fui me aconselhar com um pastor a quem respeitava muito. Ainda hoje posso ouvir seu conselho honesto: "Não pregue", disse, "a menos que seja fundamental".

Enquanto pensava na frase, encontrei minha resposta: "Eu tenho que falar da palavra. Se não for assim, o fogo me consumirá".

E qual é o fogo que queima você?

Que tipo de paixão Deus colocou em seu coração? O que você está fazendo para perseguir essa paixão?

Para os amigos no Brasil

O povo brasileiro é cheio de paixão. Eu e minha família sentimos isso durante os anos que vivemos em seu país. É desse sentimento que Deus precisa para transformar as pessoas em agentes do Reino. Não deixe que esse fogo se apague em você.

Uma agenda livre

Mas Jesus retirava-se para lugares solitários, e orava.

Lucas 5:16 (NVI)

Quanto tempo faz que você ficou disponível para Deus?

Qual foi a última vez em que lhe deu uma parte do seu tempo integralmente, sem distrações, apenas para escutar o som da voz divina? Isto era o que Jesus parecia fazer. Ele dedicava-se de livre vontade a investir tempo com Deus.

Invista tempo estudando sobre a vida de Cristo, isto irá revelar um padrão elevado. Ele gastava seu tempo buscando a Deus em orações. Destaque isto: "E, levantando-se de manhã muito cedo, estando ainda escuro, saiu, e foi para um lugar deserto, e ali orava" Mc 1:35 (ARC).

Parece ser evidente, mas permita-me questionar. Se Jesus, o Filho de Deus, o Redentor de todo o mundo, acreditava que era importante guardar um tempo em sua agenda para orar, não deveríamos ser inteligentes o suficiente para repeti-lo?

Deus deseja seu esforço deliberado por passar tempo com ele. Por que isso é tão importante para viver de maneira vitoriosa?

Para os amigos no Brasil

Tem gente que não perde um capítulo da novela preferida, mas tem uma enorme dificuldade em dedicar tempo todo dia para falar com Deus. Você já parou para pensar que ele está o tempo todo disponível para você? A recíproca é verdadeira?

A GRANDIOSA COMPOSIÇÃO DIVINA

...sabemos que, quando ele se manifestar, seremos semelhantes a ele; porque haveremos de vê-lo como ele é.

1 João 3:2 (ARA)

Quando você chegar ao Paraíso, algo incrível vai acontecer. Uma metamorfose final. Você será exatamente como Jesus...

De todos os presentes celestiais, você será um dos mais especiais! Você será a grandiosa composição divina, a sua obra-prima. Os anjos suspirarão. A composição divina estará pronta. Enfim, você terá um coração como o do próprio Deus.

Seu amor será perfeito, como é o dele.

Sua face irá brilhar quando adorar.

Todas as palavras ditas por Deus serão ouvidas por você.

O seu coração será totalmente limpo, as suas palavras serão como pedras preciosas, e os seus pensamentos, como riquezas.

Você será simplesmente como Jesus. Você terá, enfim, o coração da mesma forma que é o coração de Cristo.

Pense em todas as outras coisas que serão diferentes em sua vida quando você finalmente tiver um coração como o de Jesus.

PARA OS AMIGOS NO BRASIL

Como assim? Um coração igual ao de Jesus? Será que é possível? Claro que é. A Palavra de Deus garante, e não há motivo para duvidar daquilo que Jesus iniciou e vai completar em sua vida.

Amizade com o Pai

Já os chamo servos...eu os tenho chamado amigos...
João 15:15 (NVI)

Foi por meio da morte de Jesus na cruz que nosso passado ficou esquecido e o nosso futuro garantido. E, "sendo, pois, justificados pela fé, temos paz com Deus" Romanos 5:1 (ARC).

Paz com o Pai. Um belo resultado da fé! Não tão somente o fim das guerras entre nações, das confusões entre vizinhos ou mesmo dos conflitos domésticos; A nossa redenção em Jesus nos possibilita paz com Deus...

Deus não é mais um adversário, ele é nosso amigo. Temos a paz do Senhor.

Por intermédio do sacrifício de Cristo, Deus tornou-se seu amigo. De que maneira isso afeta a sua vida?

Para os amigos no Brasil

Há uma música famosa no Brasil que diz: "Amigo é coisa para se guardar no lado esquerdo do peito, dentro do coração". Não há lugar melhor para você manter Jesus, seu melhor amigo. E é justamente ali que ele quer habitar.

CONFISSÃO TRAZ AFINIDADE

Como é feliz aqueles que têm suas transgressões perdoadas e seus pecados apagados!

Salmos 32:1 (NVI)

Por que, se já fomos absolvidos dos nossos pecados, Jesus ensinou-nos a orar "Perdoa as nossas dívidas"?

Foi pelo mesmo motivo que você desejaria que seus filhos o fizessem. Se as minhas filhas quebram uma das minhas regras, desobedecem uma das minhas ordens, eu não as afasto de mim. Não as chuto para a rua, longe de casa, nem lhes retiro meu sobrenome. Só espero que sejam francas e peçam desculpas. E enquanto não pedirem, nosso relacionamento não será brando. Continuaremos pai e filhas, mas nossa relação se esfriará.

É assim em nossa jornada com o Pai. Confessar nossos pecados cria uma afinidade com Deus; alimenta esse relacionamento. Se você é cristão, admitir suas culpas não muda sua condição diante de Deus, mas traz paz com ele.

A confissão alimenta nosso relacionamento com Deus. Você consegue imaginar outras razões pelas quais é importante ser totalmente honesto com ele?

PARA OS AMIGOS NO BRASIL

Há pessoas que se confessam por obrigação; outras acham que nem têm pecados para confessar. Mas Deus está com seus ouvidos atentos e o coração cheio de compaixão para oferecer àqueles que vão a ele com o coração arrependido.

NO INTERIOR DE CADA PESSOA

Desde que Deus criou o mundo, as suas qualidades invisíveis, isto é, o seu poder eterno e a sua natureza divina, têm sido vistas claramente. Os seres humanos podem ver tudo isso nas coisas que Deus tem feito e, portanto, eles não têm desculpa nenhuma.

Romanos 1:20 (NTLH)

O julgamento de Deus, quando Cristo voltar, será fundamentado na resposta que o homem deu à mensagem proclamada. Ele não nos imputará a culpa sobre as coisas que não nos ensinou. Da mesma forma, não deixará que pereçamos sem conhecer a sua voz. Até mesmo os que jamais ouviram sobre o Evangelho de Jesus, tiveram acesso aos ensinos sobre o caráter de Deus. "Os céus manifestam a glória de Deus" (Salmos 19:1, ARC).

A criação é a primeira missionária dos céus. No local onde a Bíblia não chegou, há estrelas iluminando o céu. Onde não há pastores, há primaveras... Se a pessoa não possuir nada, mas tiver a criação de Deus manifesta na natureza, terá informações suficientes a respeito de Deus. Como disse o apóstolo Paulo: "... no fundo de seus corações eles sabem fazer a diferença entre o certo e o errado. As leis de Deus estão escritas dentro deles; a própria consciência os acusa ou, por vezes, os desculpa... Chegará o dia quando, por ordem divina, Jesus Cristo julgará a vida íntima de todos, seus pensamentos e seus motivos mais secretos" Romanos 2:14-16 (Bíblia Viva).

O que a essência da Criação mostra a você sobre Deus? Ao olhar para a natureza, você consegue distinguir a mão do Criador?

PARA OS AMIGOS NO BRASIL

Pode se orgulhar por ser brasileiro. Você vive em um país cujas belezas naturais declaram o tempo todo a glória de Deus. Seja nas praias maravilhosas, nas ricas florestas, no céu deslumbrante, o Criador diz: "Vejam a beleza do que eu criei no Brasil!"

CARÁTER GERA SEGURANÇA

Sejam fortes e corajosos, todos vocês que esperam no Senhor!

Salmos 31:24 (NVI)

Uma tradição hindu conta a história de um rato que tinha pavor a gatos. Esse rato foi até um mágico que concordou em transformá-lo num gato. O rato sentiu-se confiante... até se deparar com um cão. O mágico então fez dele um cachorro. O rato que havia virado gato e depois cachorro, andava feliz... até encontrar um tigre em seu caminho. Como aconteceu antes, o mágico o transformou naquilo que ele tanto tinha medo. Mas quando o ratinho, que agora era um tigre, foi lamentar-se ao mágico por ter encontrado um caçador, o mágico negou-se em ajudar. "Vou te fazer um rato novamente, porque, por mais que tenha a aparência de um tigre, a sua alma ainda é a de um rato".

Essa história te parece conhecida? Quantas pessoas você já viu que edificaram um exterior imponente, mas que são covardes no seu interior? Encaramos nossos medos ou... acumulamos bens. Buscamos confiança no que adquirimos. Cuidamos para ter fama e procuramos reconhecimento.

Mas dá certo?

A confiança é um reflexo do que você é. Construir fachadas exteriores podem enganar por um tempo, mas somente o caráter interior é que produz a verdadeira coragem.

A que você recorre quando precisa de segurança?

PARA OS AMIGOS NO BRASIL

Não consigo pensar em nada mais prejudicial ao desenvolvimento do coração do que o medo. É uma força poderosa que trava a nossa vida, e só uma força mais poderosa — a da fé corajosa — é capaz de vencê-la.

Rara criação

Tu criaste o íntimo do meu ser e me teceste no ventre de minha mãe.
Salmos 139:13 (NVI)

Tenho um casaco em meu armário que uso muito pouco. Está curto... Eu deveria me desfazer dele, mas o carinho não me deixa...

Ele é o resultado do esforço de uma mãe dedicada expressando o seu afeto. Cada fio de lã foi selecionado com atenção. Cada linha, escolhida com muito carinho... É precioso, não por sua função, mas por causa de quem o fez.

Acho que foi isso que o salmista pensou quando escreveu: "entreteceste-me no ventre de minha mãe".

Reflita nessas palavras. Você foi entretecido. Você não é um acaso. Não foi uma produção em série. Não saiu de uma linha de montagem.

Você foi propositalmente arquitetado, com dons específicos e posto na terra de forma afetuosa pelo Artesão Maior. Numa sociedade onde o ser humano é medido pelo valor de seu contracheque, ou pelas curvas de suas pernas... permita-me dizer-lhe algo: o plano de Cristo é uma razão de júbilo!

Com amor, Deus colocou você na Terra. Como você se sente diante disso?

Para os amigos no Brasil

Que privilégio maravilhoso é esse: Deus criou o Universo, criou este planeta, criou este país... e criou você especialmente para viver nele! Você não é uma obra do acaso. Nem um acidente. Você é resultado do amor de Deus.

Voz graciosa

E disse-lhe Jesus: Em verdade te digo que hoje estarás comigo no Paraíso.

Lucas 23:43 (ARA)

Explique para mim o que o criminoso na cruz fez para receber perdão? Ele gastou sua vida inteira. Como poderia clamar para ser perdoado? Ele zombou, diante de todos, de Jesus. Como esse homem teria o direito de orar: "Jesus, lembra-te de mim, quando entrares no teu Reino"?

Quer saber mesmo? Ele tinha o direito igual ao que você tem.

Pense comigo, eu e você estamos pregados naquela cruz. Nus, muito tristes, desesperançados, e separados. Somos nós. Somos nós que pedimos...

Não temos motivos para se orgulhar. Não escrevemos uma lista. Seja qual for o preço que estamos dispostos a pagar, parece ser insuficiente diante de Deus crucificado...

Nós, como aquele ladrão, temos ainda uma prece. E, da mesma forma que aquele criminoso, clamamos.

E, como ele, ouvimos a resposta vinda de uma voz cheio de graça.

O ladrão à beira da morte ouviu a voz da graça de Deus. Você já ouviu essa voz? O que ela mudou em sua vida?

Para os amigos no Brasil

Não há esforço capaz de se comparar à maravilhosa obra de redenção humana, resultado da graça divina. É algo que não depende de lógica humana — apenas do amor de um Deus inigualável.

ESPIRITUALIDADE TERCEIRIZADA

Chegai-vos a Deus, e ele se chegará a vós.

Tiago 4:8 (ARC)

Alguns entre nós têm procurado fazer um devocional todos os dias, e não têm conseguido êxito. Pode ser pela dificuldade de concentração ou mesmo pela quantidade de compromissos diários. Dessa forma, em vez de termos nossas próprias experiências com Deus, nos alimentamos das experiências dos outros. Deixamos que essas pessoas nos revelem sobre o que Deus tem a dizer. Enfim, essa não é a função dos pregadores?

Se esta é a sua situação, se a suas experiências espirituais são histórias de outras pessoas, não suas, quero lançar um desafio: Você repete essa postura nas outras áreas pessoais?

É certo que você não terceiriza as férias. Nem suas relações afetivas. Você não deixa outra pessoa comer no seu lugar, certo? Há coisas que ninguém pode fazer no seu lugar.

E, entre elas, ter uma experiência com Deus.

Por que é tão importante que dediquemos tempo para Deus? Por que não basta apenas ouvir o que as pessoas falam a respeito dele?

PARA OS AMIGOS NO BRASIL

É claro que um dia você ouviu falar de Jesus, mas daí a ter uma experiência pessoal e real com ele, há uma distância. Deus não deseja apenas que você o conheça de nome — ele quer manter um relacionamento com seus filhos, e é a oração que propicia essa experiência.

Mendigos com fome

O pão nosso de cada dia dá-nos hoje. Perdoa-nos as nossas dívidas, assim como nós perdoamos aos nossos devedores.

Mateus 6:11-12 (ARC)

Somos pecadores necessitados de graça, lutadores que precisam de força. Jesus ensinou-nos a orar: "Perdoa as nossas dívidas... e não nos deixe cair em tentação".

Todos já erramos, e todos ainda cometeremos mais alguns deslizes. A linha que divide os melhores de nós dos piores é muito sutil, por isso é prudente dar a devida atenção a advertência do apóstolo Paulo: "Mas tu, por que julgas teu irmão? Ou tu, também, por que desprezas teu irmão? Pois todos havemos de comparecer ante o tribunal de Cristo" Romanos 14:10 (ARC).

Sua irmã talvez necessite ser lembrada de que ela precisa de uma ação de benevolência. Do mesmo jeito que você necessita ser perdoado, ela também tem essa necessidade. Existem situações, seja em qual relacionamento for, em que é pior buscar o caminho do tribunal; cobrar a dívida apenas aumenta o fogo. Em alguns momentos é melhor receber seu irmão, e estender-lhe a mesma misericórdia que foi dada a você por meio da graça.

"Somos batalhadores que precisam de força." O que isso significa para você?

para os amigos no brasil

A arrogância de algumas pessoas faz com que elas acreditem quem não precisam de nada além de esforço próprio. Que grande engano. Somos totalmente dependentes do amor de Cristo — e isso é uma boa notícia!

Maio

A tua palavra é lâmpada que ilumina os meus passos e luz que clareia o meu caminho.

— **Salmos 119:105 (NVI)**

Orações são tesouros

Porque os olhos do Senhor estão sobre os justos e os seus ouvidos estão atentos à sua oração, mas o rosto do Senhor volta-se contra os que praticam o mal.

I Pedro 3:12 (NVI)

O mundo onde você e eu vivemos é repleto de ruídos. Conseguir a atenção de outra pessoa não é fácil. É preciso que seu ouvinte silencie todo o resto para lhe escutar; precisa desligar o rádio, distanciar-se do monitor, marcar a página do livro e guardá-lo. É uma honra quando alguém interrompe tudo ao seu redor para escutar-nos atentamente. Certamente, é algo pouco frequente.

No céu sua oração é recebida como um tesouro. Limpas e cheias de autoridade, as palavras sobem como um perfume agradável ao nosso Deus. O som da oração não para até que encontre o altar do Senhor.

O seu clamor na Terra torna ativo, no céu, o poder de Deus, e a vontade do Senhor se realiza na terra, assim como no céu...

Suas orações fazem com que Deus transforme o planeta. Você pode não conhecer os mistérios da oração. Você nem precisa compreender. No entanto, essa verdade é explícita: os céus começam a mover-se quando alguém clama na Terra.

"Suas orações fazem com que Deus mude o mundo." Como você reage a essa verdade?

para os amigos no Brasil

A oração é uma espécie de botão ou chave que aciona um poder que nem sempre conseguimos imaginar. O poder de Deus é ativado quando seus filhos o buscam em oração aqui na Terra.

Nossos olhos estão em Deus

Senhor, disse Pedro, se és tu, manda-me ir ao teu encontro por sobre as águas.

Mateus 14:28 (NVI)

Pedro não está colocando Jesus à prova; está lhe fazendo um pedido desesperado. Andar sobre um mar agitado não é racional; é uma atitude extrema. Pedro segurou a lateral da embarcação. Jogou uma perna por cima da borda... e depois firmou a outra. Deu vários passos. Era como se pisasse num solo feito por rochas. No fim desse caminho, encontra o rosto alegre do amigo que nunca diz "você vai morrer".

É o que fazemos, não é? Procuramos Jesus num momento de grande angústia. Deixamos para trás o barco de boas ações. Entendemos que não serão nossas atitudes que nos livrarão. Assim, lançamos nosso olhar desesperado para o Senhor. Fica óbvio que todas as boas obras do planeta são inúteis quando coladas diante daquele que é irrepreensível.

Pense em uma situação em que você clamou a Deus em desespero e ele supriu sua necessidade. De que maneira isso motiva sua fé?

Para os amigos no Brasil

Muitas vezes, quando procuramos Deus em um momento de dificuldade, nos sentimos constrangidos. Parece que somos interesseiros. Mas quer saber? Deus não pensa assim, e está pronto para ouvir sua oração.

A resposta às vezes é não

Dediquem-se à oração, estejam alerta e sejam agradecidos.
Colossenses 4:2 (NVI)

É possível imaginar como seria se um pai concordasse com todos os pedidos de seus filhos durante uma viagem? Eles ficariam com a barriga enorme após pararem em cada sorveteria que vissem...

Você consegue pensar no tamanho da confusão se Deus atendesse cada solicitação nossa?

"Porque Deus não nos destinou para a ira, mas para a aquisição da salvação, por nosso Senhor Jesus Cristo" (1 Ts 5:9, ARC. Ênfase minha).

Veja qual é o destino reservado por Deus para você: a salvação.

A maior expectativa do Senhor é que você encontre esse destino. Seu caminho reserva alguns contratempos que servirão para te dar coragem em sua caminhada. Ele não aprova quando você fica preso, detido na jornada. No momento em que os supremos planos do Senhor vão contra os seus projetos humanos, é preciso uma escolha. Quem está no comando da caminhada?

Se ao Senhor couber uma decisão entre a sua alegria terrena e a sua salvação eterna, o que você acha que ele escolherá?

Eu penso assim também.

Você acha que Deus está mais preocupado com sua satisfação na Terra ou na salvação eterna? Por quê?

Para os amigos no Brasil

Deus não nos criou para sermos como crianças mimadas. Exatamente porque nos ama muito, ele sabe que há momentos em que aquilo que queremos não é o melhor para nós. E o melhor a fazer é aceitar a vontade dele.

Paixão e propósitos divinos

Lâmpada para os meus pés é tua palavra
e luz, para o meu caminho.
Salmos 119:105 (ARC)

O plano da Bíblia é tão somente anunciar o projeto de Deus para redimir seus filhos. Ela anuncia a perdição do homem e a necessidade de encontrar a salvação. Também proclama a notícia de que Jesus é Deus que se fez homem e foi enviado a nós para a redenção.

Ainda que tenha sido redigida há mais de dezesseis séculos, pelas mãos de quarenta autores diferentes, a Bíblia possui um assunto central — A salvação por meio da fé em Jesus. Começada por Moisés, no isolado deserto da Arábia, e finalizada com João, na solitária ilha de Patmos, ela é tecida e ligada por linha em comum: a apaixonada jornada de Deus e o seu propósito de salvar seus filhos.

Que revelação fundamental! Compreender o plano bíblico é como ajustar a bússola na direção correta. Deixe a bússola calibrada de forma correta que sua viagem será em segurança. Mas, se não souber ajustar o equipamento, nunca vai saber onde chegar.

Ao ler a Bíblia, procure pelo tema central — a salvação por intermédio da fé em Cristo. Explique por que esse é o fundamento da fé cristã.

Para os amigos no Brasil

Apesar de muitos planos importantes para o Brasil serem traçados em Brasília, o plano fundamental para sua vida está no céu, mais precisamente no coração de Deus.

Não há condenação

Quem fará alguma acusação contra os escolhidos de Deus? É Deus quem os justifica.

Romanos 8:33 (NVI)

Em cada instante de sua vida, há um acusador juntando provas contra você. Ele tem anotado cada falha e acentuado as quedas. Mesmo que você queira esquecer seus erros passados, ele fará questão de lembrá-los. Pode até tentar apagar seus pecados; ele não deixará que isso ocorra.

Essa testemunha rasteira só tem um objetivo: conduzi-lo ao tribunal, e cobrá-lo pelas acusações. De quem estamos falando? Do Diabo, nosso adversário.

Ele enfrenta: "Esta pessoa a quem você chama de filho, Deus, é um imprestável".

Diante do discurso diabólico, você abaixa o rosto. Não há argumentos em sua defesa. As acusações são verdadeiras. "Excelência, sou culpado dos crimes a mim impostos", diz, em voz baixa.

"Vamos à sentença, Meritíssimo", exulta Satanás.

"Para o pecado, a condenação é a morte", diz o Juiz, "Só que para este caso, a morte já aconteceu. Porque ele morreu com Cristo".

Satanás fica sobressaltado e aquieta-se. Você fica extremamente feliz. Seu processo foi apresentado ao Juiz e recebeu a proclamação: "Inocentado".

Quando você se colocar diante do Juiz celestial, ele dirá: "Inocente." Como você encara essa notícia?

Para os amigos no Brasil

Nem os melhores advogados do Brasil seriam capazes de defender você no dia do Julgamento Final. Quando Satanás apontar seus pecados, apenas Jesus poderá dizer: "Estão pagos."

Deus comanda

Porque aquele que está em vocês é maior
do que aquele que está no mundo.
1 João 4:4 (NVI)

Nenhum poder tem Satanás, exceto aquele dado por Deus.

Para a igreja do século 1, que ficava em Esmirna, Cristo lembrou: "Nada temas das coisas que hás de padecer. Eis que o diabo lançará alguns de vós na prisão, para que sejais tentados; e tereis uma tribulação de dez dias. Sê fiel até à morte, e dar-te-ei a coroa da vida" Apocalipse 2:10 (ARC).

Detenha-se por alguns momentos nas palavras de Jesus. Ele avisou a igreja sobre a tribulação, o tempo que duraria (dez dias), o motivo dela (tentá-los) e o sua consequência (a coroa de vida). Explicando de outro jeito, ele usa Satanás para fortalecer sua Igreja.

Até nos momentos em que Satanás parece estar vencendo, ele é derrotado.

Mesmo quando parece que o diabo vai vencer, ele é derrotado. Relacione esta verdade com fatos em sua vida.

Faça o mesmo em relação a fatos do mundo.

Para os amigos no Brasil

O jogo está no fim, seu time está perdendo, mas faltando poucos minutos, o artilheiro vira o jogo. Não é um alívio? Mais que isso — a vitória tem um sabor ainda melhor. Não tenha dúvidas, Jesus é seu artilheiro e garante sua vitória.

Ensinados pela graça

Ele se entregou por nós a fim de nos remir de toda a maldade e purificar para si mesmo um povo particularmente seu, dedicado à prática de boas obras.

Tito 2:14 (NVI)

Já cometemos erros durante a noite, conscientes de que pela manhã poderíamos pedir perdão?

É confortável agir como o homem que visitou Las Vegas e de lá telefonou para um pastor local desejando saber os horários das reuniões de domingo. O pastor impressionou-se: "A maior parte das pessoas que vêm a Las Vegas não deseja vir a igreja".

"Ah, não penso na igreja. Quero mesmo é saber dos jogos, das festanças e belas mulheres. Se conseguir me divertir a metade do que planejo, serei obrigado a ir ao culto no domingo pela manhã para me confessar".

Seria essa a razão da graça? Deus planeja incentivar a desobediência? Certamente que não. "Porque a graça de Deus se há manifestado, trazendo salvação a todos os homens, ensinando-nos que, renunciando à impiedade e às concupiscências mundanas, vivamos neste presente século sóbria, justa e piamente" Tito 2:11-12 (ARC). A graça do Senhor nos livrou do egoísmo. Qual seria a razão de retornarmos a ele?

O objetivo da graça não é promover a desobediência, e sim uma vida sábia. De que forma a graça de Deus ensina você a viver melhor?

Para os amigos no Brasil

É certo dizer que a graça é mais eficiente que a lei, mas não podemos transformá-la em justificativa para viver de qualquer maneira. Pelo contrário, ela aumenta nossa responsabilidade de viver de uma forma que agrada a Deus.

Deixe a poltrona do juiz

Com o juízo com que julgardes sereis julgados.
Mateus 7:2 (ARC)

Censuramos um homem por ziguezaguear na manhã de hoje, porém não vimos a surra que ele recebeu ontem. Censuramos uma mulher por coxear, mas não vemos que há uma tachinha em seu calçado. Rimos do medo estampado em seus olhos, no entanto não fazemos ideia de quantas pedradas eles têm se desviado, ou mesmo da quantidade de dardos que têm se livrado.

Você os considera muito extravagantes? Pode ser que tenham medo de não serem atendidos novamente. E se são reservados demais? É possível que tenham medo de escorregar outra vez. São muito vagarosos? Pode ser que tropeçaram ao andarem de forma apressada recentemente. Você não conhece a vida deles. Somente aquele que seguiu cada passo dado por você pode ser o seu juiz.

Nada sabemos a respeito do ontem e também do amanhã. Seríamos capazes de avaliar um livro antes que os capítulos fossem elaborados? Devemos classificar uma tela enquanto o artista ainda tem nas mãos os pincéis? Da mesma forma, como temos coragem de recusar um coração, sendo que o trabalho de Deus ainda está incompleto? "Aquele que em vós começou a boa obra a aperfeiçoará até ao Dia de Jesus Cristo" Filipenses 1:6 (ARC).

"Não dá para julgar uma pintura enquanto está inacabada." Qual é a relação entre esta declaração e as pessoas com as quais você convive?

Para os amigos no Brasil

A coisa mais fácil do mundo é julgar. Todo mundo passa de vez em quando por um daqueles momentos em que se sente o juiz do universo. Mas já parou para pensar que seus critérios de julgamento também podem ser usados contra você?

Dando ouvidos a voz do Senhor

Ordem sobre ordem, ordem sobre ordem, regra e mais regra; um pouco aqui, um pouco ali.
Isaías 28:10 (NVI)

Instrumentalizados de forma adequada, podemos descobrir como dar ouvidos a voz do Senhor. Que instrumentos são esses? Listo alguns que entendo ser importantes:

Um local e horário regulares. Separe um momento em sua rotina, um pequeno local no seu mundo. Peça isto a Deus. Há os que preferem as manhãs, outros são notívagos.

O próximo instrumento que deve ter é a Bíblia por perto. O Senhor nos traz revelações por meio das Escrituras. O primeiro passo deve ser estudar a Bíblia e orar a Deus, pedindo que o ajude em sua interpretação. Recuse-se a buscar as suas próprias explicações; procure o que Deus quer dizer a você.

Temos ainda um terceiro instrumento. Não precisamos somente regularidade e de um exemplar do Livro Sagrado próximo, é preciso ter um espírito atento ao que Deus quer dizer. Se seu desejo é ser igual ao Mestre, permita que Deus tenha posse de você. Invista momentos escutando-o, até que seja revelado o aprendizado daquele dia. A partir de então, busque aplicar o que ouviu de Deus.

Você separa tempo específico para ouvir a voz de Deus? Como isso influencia sua vida espiritual?

Para os amigos no Brasil

É claro que a gente não ouve a voz de Deus com os ouvidos físicos, mas o silêncio ajuda muito a entender o que ele tem a dizer. Sem distrações, nosso coração fica mais atento.

A fé toca a graça

Aproximemo-nos, com sincero coração, em plena certeza de fé, tendo o coração purificado de má consciência e lavado o corpo com água pura.

Hebreus 10:22 (ARA)

A fé não surge numa reunião de escritório, onde negociamos nossos méritos pela misericórdia do Senhor. A fé não é um prêmio entregue ao que possui mais mérito. Nem mesmo uma forma de recompensar àqueles que foram mais corretos. Não se trata de uma honraria ao que melhor cumpriu os ritos religiosos.

Fé é um salto desesperado a partir da canoa furada dos empreendimentos humanos, um clamor de um náufrago para que Deus segure em suas mãos e o puxe para fora do mar. O apóstolo Paulo descreveu deste modo:

"Porque pela graça sois salvos, por meio da fé; e isso não vem de vós; é dom de Deus. Não vem das obras, para que ninguém se glorie" Efésios 2:8-9 (ARC)

A poderosa força que nos redime é a graça de Deus.

"A fé e um gesto desesperado quando o ser humano se dá conta de que seus esforços são em vão." Explique por que não podemos alcançar a salvação por conta própria.

Para os amigos no Brasil

Pode fazer quanto exercício você quiser, ganhar todo o dinheiro do mundo, ocupar o maior cargo de sua empresa — nada que você faça ou tenha pode tirar da graça o crédito de ser a única força capaz de operar a salvação do ser humano.

Graça distinta

O Senhor conhece as pessoas que são dele.
2 Timóteo 2:19 (NTLH)

Pense numa cena. Você está diante do trono de Deus para ser julgado. Um livro é desatado e sua leitura inicia. Você escuta cada pecado seu, suas mentiras proferidas, cada momento em que a ambição e assolação estiveram presentes. Porém, ao seu final, a graça é proferida...

A sentença? A decisão repleta de misericórdia divina será retumbante em todo o universo. Compreenderemos ali, pela primeira vez em nossa existência, a profundidade de sua bondade. Graça distinta. Compaixão classificada. Perdão anotado. De pé, com reverência, ouviremos pecado após pecado sendo proclamados e, por fim, inocentados.

Ao Inimigo só restará se encolher humilhado. Os anjos tomarão à frente, reverentemente. E nós, os justificados, frutificaremos na graça de Deus. Na mesma porção que formos perdoados, entenderemos o quanto o Senhor ama a cada um de nós. Ali o glorificaremos.

Como consequência haverá a primeira comunidade de pessoas verdadeiramente justificadas. Somente um será digno de ser aplaudido nos céus, e este é o que possui mãos e pés perfurados por cravos.

Você se firma na graça de Deus? Até que ponto isso faz diferença em sua vida?

Para os amigos no Brasil

Como explicar a graça de Deus? Não há nada que possa ser usado como parâmetro. Todo tipo de comparação seria imperfeita. No entanto, ela é real, e determina nossa eternidade.

Um padrão elevado

Prossigo para o alvo, a fim de ganhar o prêmio do chamado celestial de Deus em Cristo Jesus.

Filipenses 3:14 (NVI)

Durante muito tempo em minha vida, a maior parte dela, fui desleixado...

Daí me casei.

E fiz minha inscrição num programa que propunha doze passos para deixar de ser tão desorganizado. ("Olá, meu nome é Max. Eu detesto limpar o pó".) Coube a um terapeuta físico ajudar-me na tarefa de redescobrir quais músculos usar para pendurar as camisas adequadamente. Meu olfato conheceu a fragrância de Pinho Sol.

Foi quando tive que encarar a primeira grande prova. Denalyn foi viajar por uma semana. No começo, pensei no antigo homem. Cogitei ser displicente nos próximos seis dias, e asseado no último. No entanto, algo diferente aconteceu; um desconforto que não conhecia. Não ficava tranquilo ao ver os pratos acumulados e sujos sobre a pia.

O que aconteceu comigo? Fácil. Eu havia sido apresentado a um padrão mais elevado.

Não parece ser semelhante ao que aconteceu na vida da gente? Antes de conhecer Jesus, vivíamos descontrolados, relaxados e relapsos. Não nos dávamos conta de que éramos sujos até encontrá-lo. E, quando percebemos, estávamos buscando viver de forma correta. Devemos novamente voltar ao desleixo? Nem de brincadeira!

De que maneira Deus mudou a direção de sua vida?

Para os amigos no Brasil

Depois que conheci o litoral do Rio de Janeiro, passei a ser mais exigente com praias. Ipanema e Copacabana elevaram meu padrão. É assim que acontece quando Cristo entra em nossa vida.

Uma questão particular

Então, lhes perguntou: Mas vós, quem dizeis que eu sou?
Marcos 8:29 (ARA)

Jesus virou-se em direção aos seus seguidores e fez uma pergunta. A grande pergunta: "Mas vós quem dizeis que eu sou?"

Não questionou "Qual a opinião de vocês sobre o que realizei hoje?" Ele perguntou: "Para vocês, quem eu sou?"

Não questionou: "O que seus amigos acham?... O que o pai deles pensam?... Seus colegas imaginam quem sou?..." Ao invés disso, ele olhou para o fundo dos olhos deles e os desafiou, questionando: "Quem vocês pensam que sou?"

É certo que você é questionado em temas relevantes para sua vida:

Quer se casar comigo?

Pensa numa transferência de emprego?

Qual seria sua reação se soubesse que estou esperando um filho?

São temas importantes. Porém, seu maior dilema é como um formigueiro ao lado do Monte Evereste quando lemos o capítulo 8 de Marcos.

Mas vós, quem dizeis que eu sou?

Como você responderia à pergunta de Jesus?

Para os amigos no Brasil

É uma pergunta simples, e a resposta parece óbvia. Mas não é. A questão não é de definir quem é o Salvador — isso todos sabem —, e sim o que ele representa em sua vida.

As colinas divinas

Minha graça é suficiente para você, pois o meu poder se aperfeiçoa na fraqueza.

2 Coríntios 12:9 (NVI)

Algumas colinas só podem ser vencidas por Deus.

Você pode até tentar escalar, mas o problema é sua incapacidade para isso.

Se o termo "Salvador" consta em sua descrição de trabalho, foi porque você a inseriu ali. Sua função é colaborar com o mundo, não redimi-lo. A montanha "Messias" não foi feita para você subir.

Da mesma forma, você não deve escalar a colina da autossuficiência. Você não tem condições de conduzir o mundo, nem pode prover sustento a ele. Sei que alguns de vocês até pensam ser capazes. Pensam poder se garantir. Não se inclinam em oração; vocês só pensam em arregaçar as mangas e lançarem-se às jornadas de trabalho de até doze horas... que até podem ser eficazes quando falamos de conquistar lucro ou fazer o negócio prosperar. No entanto, no momento em que se deparar com seu próprio funeral, ou suas culpas, sua capacidade não adiantará de nada.

É na infância que somos educados a não depender de ninguém. Porém, será que isso pode gerar um problema quando levamos esta ideia para a questão da nossa salvação?

Para os amigos no Brasil

A autossuficiência pode ser uma armadilha terrível. Quando perdemos a noção de nossa dependência de Deus — principalmente no que se refere à salvação —, ficamos sem norte.

A solução certa

Mas o justo viverá da fé.
Romanos 1:17 (ARC)

Agora, não estou me sentindo muito inteligente. Entrei no voo errado e fui parar numa cidade onde não queria ter ido, num aeroporto distante. Minha intenção era seguir rumo ao leste e não para o oeste; terminei em Houston em vez de Denver.

O avião aparentava ser o certo, mas era o errado. Segui pelo portão de embarque errado, dormi no voo errado, e terminei na cidade errada.

O apóstolo Paulo diz que eu não sou o único. Todos agimos assim. Não com aviões e aeroportos, mas nos caminhos da vida e na relação com Deus. Ele escreveu aos romanos:

"Não há um justo, nem um sequer" Romanos 3:10 (ARC).

"Porque todos pecaram e destituídos estão da glória de Deus" Romanos 3:23 (ARC).

Todos nos perdemos, anuncia. Todos nós. Gentios e judeus. As pessoas de todo mundo seguiram o destino equivocado. E, por isso, necessitamos de socorro... Os caminhos errados são o prazer e o orgulho; o caminho correto é Jesus Cristo (Romanos 3:21-26).

Explique por que Jesus é a solução certa.

Para os amigos no Brasil

Quando se trata de reconciliação do ser humano com Deus, não existe solução parcial ou temporária. Nem existe mais de um tipo de solução. Só há uma — Jesus Cristo.

NÃO É NOSSA CASA

Vocês não são do mundo, mas eu os escolhi, tirando-os do mundo.

João 15:19 (NVI)

A gente sabe bem a sensação de estar numa casa diferente da nossa. Pode ser que tenha vivido por um tempo morando numa república de estudantes ou num quartel militar. Talvez tenha se hospedado num quarto de hotel, ou dormiu na beliche de um albergue. Todos estes lugares têm cama, mesa e pode até ter ser quentinhos e terem comida à disposição. Mas estão distantes de serem a "casa de seu pai".

A casa do pai é onde vive seu pai.

Às vezes nos sentimos deslocados aqui na terra. Parece que não há um lugar adequado para a gente. Algumas pessoas fazem com que nos sintamos ainda mais indesejáveis. Alguns acontecimentos trágicos deixam-nos um sabor amargo. Forasteiros. Imigrantes numa pátria distante a nossa. Nem sempre nos sentimos acolhidos por aqui.

E nem deveríamos. Esta não é a nossa casa. Sentir-se deslocado não é uma tragédia. Na verdade, é até bom. Não estamos no nosso lar. O idioma falado aqui é diferente do nosso. Este corpo não nos veste bem. O mundo onde estamos vivendo não é a casa do nosso pai.

PARA OS AMIGOS NO BRASIL

O povo brasileiro é conhecido por sua hospitalidade, que eu conheci bem. Também estou à vontade vivendo nos Estados Unidos. Mas só vou me sentir totalmente em casa quando estiver no céu com Cristo. Ali é o nosso lar.

Você já se sentiu como um estranho nesta terra, como se não pertencesse a ela? Como é essa sensação?

Todo o momento é sagrado

Pois nós somos cooperadores de Deus.

1 Coríntios 3:9 (NVI)

É um dia maravilhoso aquele em que deixamos de apenas trabalhar para Deus para ser seu cooperador.

Por muitos anos, imaginava que o Senhor fosse semelhante a um piedoso diretor executivo enquanto minha função seria ser um fiel representante de vendas. Nos meus pensamentos, ele possuía uma sala reservada e eu tinha minha mesa em outro local. Poderia procurá-lo todas as vezes que precisasse. Ele era acessível, bastava apenas que eu enviasse um fax ou lhe telefonasse. O Senhor então me orientava, me motivava e dava todo apoio, mas jamais ia comigo. Era essa a ideia que fazia. Foi quando li 1 Coríntios 3:9: "Porque nós somos cooperadores de Deus".

Cooperadores? Colaboradores? Deus e eu na mesma jornada de trabalho? Pense na diferença que esta realidade faz. Em vez de apenas submeter nossos relatórios a Deus, é o próprio Senhor que sai para trabalhar conosco. Não entramos e saímos de sua sala, para depois seguir nosso caminho sozinho. Temos sempre sua presença e companhia. Todo momento é sagrado!

Como você explicaria a diferença entre trabalhar para Deus e com Deus?

Para os amigos no Brasil

Aí está um privilégio que nem o mais generoso chefe do mundo oferece. Deus propõe a você que trabalhem juntos! Isso significa um desrespeito à autoridade dele? Claro que não. Significa que ele ama e valoriza você.

Escolhido, convidado e adotado

Mas Jesus, ouvindo, disse: Os sãos não precisam de médico, e sim os doentes. Ide, porém, e aprendei o que significa: Misericórdia quero e não holocaustos; pois não vim chamar justos, e sim pecadores [ao arrependimento].

Mateus 9:12-13 (ARA)

O Senhor não lança seu olhar para nossas vidas cansadas e avalia: "Quando você merecer, morrerei por você".

Não é assim. Mesmo diante de nossos tropeços, da nossa revolta, ele optou por adotar-nos. E ele jamais se arrependerá dessa escolha. O seu favor é um convite: "Venha como você está." Você foi escolhido, convidado e adotado, por isso, entregue sua confiança ao Senhor, seu Pai, e acolha este versículo em seu coração. "Mas Deus prova o seu próprio amor para conosco pelo fato de ter Cristo morrido por nós, sendo nós ainda pecadores" Romanos 5:8 (ARA). Assim, jamais questione quem é seu pai. Você é filho de Deus, por meio da adoção. É um "herdeiro por Deus" Galatás 4:7 (ARA).

Você foi recebido por Deus em adoção. Descreva algumas características de quem vive assim.

Para os amigos no Brasil

Rejeição? Nada disso! Quando Deus olha para nós, ainda que sejamos pecadores, ele não fecha os olhos. Ele não olha para o outro lado. Ele não nos rejeita. Ele nos ama como filhos.

Perto de suas orações

Se Deus é por nós, quem será contra nós?
Romanos 8:31 (ARC)

Não é uma questão fácil. "Quem será contra nós?" Você pode pensar em alguns opositores, tais como as doenças, a inflação, a corrupção ou o cansaço. Pode ser as grandes tragédias, o medo da prisão. Pelos questionamentos do apóstolo Paulo "Quem será contra nós?", é mais fácil perceber quem está do lado oposto da trincheira do que lutar contra eles. Porém, não se trata disso. A pergunta é: Se Deus é por nós, quem será contra nós?

Deus está ao seu lado, ao seu favor. Seus pais podem ter abandonado você. Seus professores podem ter sido desatentos. Seus irmãos podem te causar vergonha. Com tudo isso, a distância de uma prece está o criador dos mares, o Senhor Deus.

"Deus está ao seu lado." Pense nas várias maneiras como Deus tem demonstrado amor por você. Louve-o por seu amor que nunca falha.

Para os amigos no Brasil

Grandes adversários podem nos intimidar. Nem sempre nos sentimos capazes de enfrentar um desafio. Mas Deus nos assegura que não estamos sozinhos. Com ele, a vitória é garantida.

A ira divina é contra o mal

Portanto, matem os desejos deste mundo que agem em vocês, isto é, a imoralidade sexual, a indecência, as paixões más, os maus desejos e a cobiça, porque a cobiça é um tipo de idolatria. Pois é por causa dessas coisas que o castigo de Deus cairá sobre os que não lhe obedecem.

Colossenses 3:5-6 (NTLH)

Compreender o castigo divino não é fácil para muitas pessoas, porque a ira de Deus é comparada com a ira humana. Mas elas possuem muito pouco em comum. A cólera humana é particularmente projetada de dentro para fora, inclinada a estouros de temperamento e ações agressivas. Nos irritamos porque somos desconsiderados, não atendidos ou mesmo passados para trás. Essa é a cólera humana. No entanto, não é assim que funciona com Deus.

Deus não se enraivece quando seus planos não saem do jeito que desejou. A ira de Deus é em razão de que a infração cometida pelo homem termina na sua própria destruição. Qual é o pai que, vendo seu filho se machucar, ficaria sentado, impassível?

Desobediência a Deus sempre acaba em autodestruição. Você tem amigos ou familiares que vivem em desobediência a Deus? Ore agora por eles.

Para os amigos no Brasil

Em qualquer lugar do mundo, pais esperam que seus filhos os obedeçam. E é justo que pensem assim. Deus também tem essa expectativa a nosso respeito. É para nosso bem.

Deus te chama pelo nome

Veja, eu gravei você nas palmas das minhas mãos.

Isaías 49:16 (NVI)

Que incrível ideia, não é mesmo? Seu nome tatuado nas mãos de Deus, seu nome proclamado pelos lábios do Senhor. É possível que seu nome já ocupou pódios. Talvez numa premiação ou ao receber o diploma... Porém, reflita nisto: seu nome está nas mãos ou na boca de Deus... Como isto é possível?

Pode ser que você passou a vida toda sem ter seu nome homenageado. Ou mesmo nem se lembra da última vez que seu nome foi dito com ternura. Se este for seu caso, talvez seja mais complicado para você entender e crer que Deus te conhece pelo nome.

Mas esta é a verdade. Seu nome está grafado em sua mão. Dito por sua boca. Sussurrado pelos lábios divinos. Isso mesmo, seu nome.

Você se lembra de alguma situação em que tenha sido honrado? Como se sentiu? Como você se sente sabendo que seu nome está escrito nas mãos de Deus?

Para os amigos no Brasil

Não, você não é apenas um conhecido de Deus, daquelas pessoas que a gente só se lembra da fisionomia, mas nunca do nome. Ele conhece você muito bem, pois é assim que os melhores amigos fazem.

Vida breve

Os nossos dias na terra são como uma sombra.

I Crônicas 29:15 (NVI)

Ele, que é eterno, colocou-se diante de uma multidão de forasteiros reclamantes: "Até quando, Senhor?" (Salmo 89:46)

"Até quando tenho que aguentar esta doença?"

"Até quando terei paciência com minha esposa ou marido?"

"Até quando suportarei receber este salário?"

Quer mesmo que Deus te responda? Ele é capaz disto, nós sabemos. Deus teria condições de tirar estas dúvidas e responder sobre o tempo da forma que o conhecemos "Esta sua doença ainda levará dois anos". "Seu casamento deve durar o resto de sua vida". "Seu salário só vai melhorar daqui a dez anos".

Porém, é muito raro ouvir respostas de Deus assim. Normalmente Deus escolhe comparar nossas breves aflições com a Eternidade. E no momento em que você coloca na mesma balança sua vida terrena com a celestial, percebe que esta vida é breve.

Você já questionou Deus com uma pergunta do tipo: "Até quando, Senhor?" Você confia que a graça divina pode suprir suas necessidades?

Para os amigos no Brasil

Uma das coisas mais maravilhosas sobre a vida em Cristo é que o tempo é apenas um detalhe. Não importa se nos restam algumas horas ou muitos anos nesta terra, pois nada se compara à eternidade com ele.

Preservem a comunhão

O Senhor conduza o coração de vocês ao amor de Deus e à perseverança de Cristo.

2 Tessalonicenses 3:5 (NVI)

"Nisto todos conhecerão que sois meus discípulos, se vos amardes uns aos outros" (João 13:35). Reflita um instante nesta passagem bíblica. Seria a comunhão a chave que abrirá o mundo para o Evangelho de Jesus?

Se a comunhão é a chave para a pregação da palavra, ela não deveria estar no topo dos nossos pedidos, quando oramos? Não seria o certo fazer como o apóstolo Paulo, e seguir sua orientação: "Façam todo o esforço para conservar a unidade do Espírito pelo vínculo da paz" Efésios 4:3 (NVI). Se a comunhão é valiosa para o Senhor, não deveria ser importante para nós também? Já que a comunhão entre os filhos de Deus é de fundamental interesse aos céus, não deveria ser do mesmo modo aqui na terra?

Não há orientação nas Escrituras para que edifiquemos uma suposta unidade. Apenas nos é designado que cuidemos da comunhão. Do ponto de vista do Senhor, há somente "um rebanho e um pastor" João 10:16 (ARC). Comunhão não precisa ser construída; deve ser apenas protegida.

E é possível ser assim? Significa que teremos que abrir mão de nossos princípios? Não é isto. Então seria deixar para trás as nossas convicções? Também não. Significa que devemos observar atentamente e de forma criteriosa as ações que escolhemos.

O que podemos fazer individualmente para manter a unidade do rebanho de Deus?

Para os amigos no Brasil

Basta uma palavrinha errada, um gesto em falso, e lá se vai a unidade de um grupo. Tenha cuidado com o que você diz e faz, pelo seu bem e o do povo de Deus.

A INFELICIDADE CAUSADA PELO PECADO

Se confessarmos os nossos pecados, ele é fiel e justo para perdoar os nossos pecados e nos purificar de toda injustiça.

1 João 1:9 (NVI)

"Se confessarmos os nossos pecados..." Uma das palavras mais valiosas da Bíblia tem somente duas letras: "se". Porque confessar pecados, ou reconhecer os erros, é justamente o que os orgulhosos não querem.

"Eu cometo pecados? Sim, com certeza. Posso descumprir pequenas regras, mas em geral sou uma boa pessoa".

"Veja só, eu tenho as mesmas qualidades e defeitos que todo mundo, assim como meus vizinhos. Eu pago meus impostos..."

Tentar se explicar, ponderar ou mesmo se comparar aos outros. Isto pode parece uma boa opção. É comum e até mesmo patriótico. Mas esses argumentos são vazios nos céus.

No momento em que a dor do pecado te atingir, quando, enfim, entender que não há outra escolha para você, jogue sobre o Senhor todas as suas tristezas. Ele aguarda por isto.

Por que é tão difícil para nós admitir nossos erros e pecados? Por que é necessário fazer isso?

PARA OS AMIGOS NO BRASIL

Você não gosta de admitir quando erra? Se isso serve de conforto, ninguém gosta. Mas reconhecer os erros não significa fraqueza — não diante de Deus, pelo menos. Pelo contrário, ele admira sua coragem por fazer isso.

Vencendo o medo por meio da graça

Mas por isso mesmo alcancei misericórdia, para que em mim, o pior dos pecadores, Cristo Jesus demonstrasse toda a grandeza da sua paciência, usando-me como um exemplo para aqueles que nele haveriam de crer para a vida eterna.

1 Timóteo 1:16 (NVI)

Nos primeiros dias da guerra civil dos Estados Unidos, um militar foi detido por deserção. Impossibilitado de reunir provas de que era inocente, foi julgado e sentenciado à pena capital. Enquanto aguardava no corredor da morte seu pedido de clemência chegou até o então presidente Abraham Lincoln. Compadecido com o soldado, o presidente assinou um documento, concedendo-lhe perdão. O jovem militar voltou as fileiras do exército nacional e bravamente lutou durante todo o conflito. Na última batalha, porém, foi alvejado e morto. Quando resgataram seu corpo, encontraram no bolso de sua camisa o indulto assinado pelo presidente.

Ao lado do coração do soldado repousava a absolvição de seu governante. Foi a partir do perdão que encontrou valentia. Eu fico pensando em quantas outras pessoas não deixaram todo medo para trás a partir da redenção na cruz por meio do filho de Deus.

Descreva como a cruz de Cristo pode encorajar você.

Para os amigos no Brasil

O que encoraja você? Elogios? Recompensas? Já parou para pensar em como a graça é superior a tudo isso?

Deus virá

O Senhor está perto dos que têm o coração quebrantado e salva os de espírito abatido.

Salmos 34:18 (NVI)

"Pois tudo o que foi escrito no passado, foi escrito para nos ensinar" declara Paulo, " de forma que, por meio da perseverança e do bom ânimo procedentes das Escrituras, mantenhamos a nossa esperança" Romanos 15:4 (NVI).

Não se trata somente de contos narrados nas escolas dominicais. Nem mesmo de ficções romanceadas. São fatos de comprovação histórica, em que o Senhor, que é real, provou da verdadeira dor a fim de que pudesse nos responder: "Por onde estará Deus no momento em que a dor nos aflige?"

Qual é a resposta de Deus para a expectativa destruída? Estude sobre o que aconteceu a Jairo. Como será que Jesus reage diante dos que estão doentes? Tome lugar ao seu lado no tanque de Betesda. Você esperá que Deus comunique-se com sua alma deserta? Preste atenção então ao que Jeus diz aos dois discípulos que seguiam tristes pelo caminho de Emaús.

Ele não repondeu apenas às aflições destas pessoas. Ele se apresentou também a mim e a você.

O Deus que entoou sua voz ainda tem muito a nos dizer hoje. O Deus que veio entre nós virá outra vez. Ele visitará nosso mundo. Ele estará com você para ajudá-lo naquilo que você não é capaz de realizar.

Explique como a Bíblia oferece paciência, encorajamento e esperança a você.

para os amigos no brasil

O fato de Deus não estar ao alcance de seus olhos carnais não significa que ele está distante ou ausente. Ele está perto e atuante. Pense nisso como o combustível para sua vida.

Amizade profunda com Deus

Como suspira a corça pelas correntes das águas,
assim, por ti, ó Deus, suspira a minha alma.
Salmos 42:1 (ARA)

Jesus esperava o mover do Pai para que se movesse em seguida. Não tecia julgamento algum antes de escutar a decisão de seu Pai. Nada do que fazia era sem o conselho do Eterno.

Por ter a sensibilidade de ouvir o que passava desapercebido aos outros, Jesus tinha ações diferentes. Você recorda-se do episódio em que todos estavam aflitos com o homem que era cego desde seu nascimento? Jesus não se preocupava com isto. Não se incomodava porque tinha a convicção de que a doença era para mostrar o poder de Deus (João 9:3) E quando as pessoas estavam desesperadas com a situação de Lázaro, que estava doente? Não era esse o caso de Jesus. Parecia que ele tinha condições de escutar o que mais ninguém ouvia. Jesus mantinha uma constante comunhão com Deus. Você pode pensar que este é o mesmo desejo de Deus para nós? Certamente é. O Senhor quer manter com você a mesma relação de amizade profunda que mantinha com seu Santo Filho.

Jesus não dava ouvidos à voz dos outros. Ele dava ouvidos a Deus. Qual a diferença que isso fez na vida dele?

Para os amigos no Brasil

Amigo de verdade é para essas coisas — conversar, abrir o coração, compartilhar os momentos bons e ruins, confiar. E quanto mais você aumenta sua intimidade com Deus, mais desfruta essa amizade especial.

UMA OBRA EM ANDAMENTO

O qual vos confirmará também até ao fim, para serdes irrepreensíveis no Dia de nosso Senhor Jesus Cristo.

1 Corintos 1:8 (ARC)

O Senhor ainda não completou sua boa obra em você. É possível que você pense que ele já fez o suficiente. Que realizou o que dava para ser feito. Pode achar que ele seguiu adiante para reconstruir outra pessoa, ao invés de você.

Se for deste jeito, pense com mais cuidado.

"Tendo por certo isto mesmo: que aquele que em vós começou a boa obra a aperfeiçoará até ao Dia de Jesus Cristo" Filipenses 1:6 (ARC).

Sabe qual é a proposta de Deus na sua vida? Realizar uma boa obra.

Sabe quando isto vai estar completo ? No dia em que Jesus Cristo voltar para resgatar sua igreja.

É possível entender o que isto significa? Que Deus ainda não finalizou o trabalho em você.

Somos uma "obra em andamento" de Deus até que ele nos leve ao lar. Como isso influencia sua vida?

PARA OS AMIGOS NO BRASIL

Sabe por que você ainda tem de enfrentar lutas e dificuldades? Porque Deus ainda está trabalhando em sua vida. Ainda não acabou. Falta pouco, mas enquanto isso ele está aperfeiçoando você.

O AMOR DESPREZA A MALDADE

Muitos dos que dormem no pó da terra ressuscitarão, uns para a vida eterna, e outros para vergonha e horror eterno.

Daniel 12:2 (ARA)

Há razão para um inferno? Retire-o das Escrituras e, junto, despreze os conceitos de um Deus de justiça e de sua Palavra fiel.

Se o inferno não existir, Deus não estaria sendo justo. Acreditar que o pecado passará impunemente é crer que o céu está alheio às pessoas que estupram, roubam e matam. Se o inferno for uma ficção, Deus não se importa com as vítimas e deu as costas aos que imploram por ajuda. Se não existir indignação acerca da maldade, Deus não pode ser amor, afinal o amor despreza a maldade.

Afirmar que o inferno é só uma ilusão é fazer de Deus um enganador, de sua Palavra uma mentira. É a Sagrada Escritura que nos ensina, repetidamente, a dualidade no final dos dias. Alguns serão redimidos com Cristo e outros condenados ao horror eterno.

Para que serve o inferno? Em que ele é importante para que se cumpra a justiça divina? Em que isso afeta sua vida?

PARA OS AMIGOS NO BRASIL

O inferno não é um lugar imaginário ou simbólico, como muitas pessoas afirmam. A Bíblia é clara. Faz parte da justiça de Deus. Mas a Palavra de Deus também deixa claro o caminho do céu: Jesus Cristo, aquele que se fez justiça por nós.

Além dos nossos erros

Quando Jesus saiu do barco e viu aquela grande multidão, ficou com muita pena deles e curou os doentes que estavam ali.

Mateus 14:14 (NTLH)

Mateus relata que Jesus "curou os doentes". Não apenas alguns escolhidos. Nem mesmo os que mereciam ou eram pessoas corretas. Diz que curou os doentes que estavam ali.

É provável que, entre milhares de pessoas que o seguiam, alguns não mereciam ser curados. O mesmo poder divino que permitia a Jesus sarar também lhe possibilitava saber quem era quem naquela multidão. Será que Jesus teria sentido-se inclinado a intransigência: "Vá embora e leve junto sua soberba", poderia dizer . E Jesus não apenas percebia o que as pessoas já tinham feito como também o que iriam fazer no futuro.

Certamente alguns, a partir do momento em foram curados, usariam sua nova condição para atrapalhar a vida de outras pessoas. Jesus destrancou vozes que, algum dia, espalhariam maldições. Abriu olhos cegos que, pouco tempo depois, teriam inveja e cobiça. Sarou mãos de futuros homicidas...

A cada pessoa a quem ele curava, descortinava-se um filme do passado e do porvir.

Mesmo assim, Jesus não permitia que as pessoas fossem embora do mesmo jeito que chegaram.

Por que é tão confortador saber que Jesus curou tantos doentes?

Para os amigos no Brasil

Já imaginou que trágico seria se Jesus tivesse abençoado e curado apenas as pessoas que mereciam? Não haveria um relato sequer de cura e bênção na Bíblia. Mas a graça é assim mesmo, muito mais poderosa que nossa compreensão.

Sublime melodia

Eu te louvarei, porque de um modo terrível e tão maravilhoso fui formado.

Salmos 139:14 (ARC)

Antônio Stradivari foi um exímio artesão de violinos do século XVII. Seu nome, na forma latina, Stradivarius, é sinônimo de primor e qualidade. Uma vez ele disse que fabricar um violino com uma qualidade ruim seria o mesmo que roubar a Deus, pois o Senhor não tinha como produzir instrumentos de Antônio Stradivari, sem a ajuda do Antônio.

Ele não estava enganado. O Senhor não poderia mesmo confeccionar violinos Stradivarius sem Antônio Stradivari. O talentoso artesão tinha dons que nenhum outro dispunha.

Da mesma forma, existem algumas coisas que só você tem condições de realizar. Nenhuma outra pessoa pode fazer igual. Pode ser os cuidados com que você educa seus filhos. Ou mesmo como edifica construções ou a forma que aconselha e motiva quem está desmotivado. Existe afazeres que só você dá conta. E você está vivo para realizá-los. Nesta imensa orquestra que damos o nome de vida, você é o responsável por um instrumento musical e uma canção. E, para Deus, você deve tocar e cantar esta melodia da forma mais excelente.

Que dons Deus concedeu a você? Você está desenvolvendo e usando esses dons para a glória do Pai?

Para os amigos no Brasil

Seja qual for o dom que Deus concedeu a você — um grande pregador, um craque no futebol, uma empresária talentosa, um chef premiado —, jamais se esqueça de que ele abençoou sua vida para que, através dela, outras vidas sejam alcançadas pelo amor divino.

Junho

As [coisas] que se veem são temporais,
e as que se não veem são eternas.

– 1 Coríntios 4:18 (ARC)

A palavra preferida de Deus

E disse-lhe: Vinde após mim.
Mateus 4:19 (ARA)

O Senhor é um Deus inclusivo. Ele chamou Maria para ser a mãe de seu unigênito. Convocou discípulos a serem pescadores de homens, estimulou a mulher adúltera a ter uma nova vida. Desafiou Tomé a colocar a mão em seus ferimentos.

Ele é o Rei que arruma sua casa, dispõe iguarias em sua mesa, e chama todos a participar da festa.

Dá a entender que sua palavra preferida é *venha*. É como se ele nos dissesse: "*Venha*, vamos falar sobre isso. Mesmo que você tenha falhas terríveis e que sejam como o vermelho forte, posso desfazê-las e torná-las claras como a branca neve".

"Quem tem sede, *venha* e tome água fresca".

"Quem estiver cansado e sobrecarregado, *venha* até mim e eu darei o descanso necessário".

Ele é o Deus que convida, chama para perto, inclui.

O que esse convite de Deus a todas as pessoas diz a respeito de seu caráter?

Para os amigos no Brasil

Quando alguém promove um churrasco ou uma feijoada, seleciona os convidados. Mas o convite de Jesus é amplo, vale para todos que aceitem de coração.

O galho e a parreira

Estai em mim, e eu, em vós; como a vara de si mesma não pode dar fruto, se não estiver na videira, assim também vós, se não estiverdes em mim,

João 15:4 (ARC)

O desejo de Deus é ser um conosco, assim como o galho é com a árvore. Um complementa o outro. Não se pode dizer onde um começa e onde o outro termina. Eles não permanecem ligados somente no período frutífero. O agricultor não guarda o ramo numa caixa, e então, no dia em que deseja uvas, conecta-o à videira. Ele se alimenta da planta o tempo todo.

Esse exemplo é utilizado por Jesus para demonstrar que tipo de relação quer manter conosco. Paulo pergunta: "*Será que vocês não sabem que o corpo de vocês é o templo do Espírito Santo, que vive em vocês e lhes foi dado por Deus? Vocês não pertencem a vocês mesmos, mas a Deus*" 1 Co 6.19 (NTLH)

Quando o templo é citado, quer dizer que o Senhor não entra nele e vai embora, Depois aparece novamente e logo desaparece. A presença dele em nós é sempre disponível e constante.

Que notícia maravilhosa! Deus quer estar sempre conosco!

De que maneira a videira nutre sua alma?

Para os amigos no Brasil

Deus está perto de você o tempo inteiro, por isso conhece suas necessidades, das mais simples às mais complexas. Não há nada que escape a seus cuidados.

Mártir invisível

Sei o que é estar necessitado e sei também o que é ter mais do que é preciso. Aprendi o segredo de me sentir contente em todo lugar e em qualquer situação, quer esteja alimentado ou com fome, quer tenha muito ou tenha pouco.

Filipenses 4:12 (NTLH)

Imagine Paulo na prisão: encolhido, debilitado, preso por uma algema ao braço de um soldado romano. Olhe o apóstolo de Jesus. Sem dinheiro. Sem amigos nem familiares. Sem posses. Sem enxergar direito e sem forças. Não se parece com um herói. E nem fala como se fosse. Mostrou-se como o pior pecador que já existiu. Assassino de cristãos, antes mesmo de ser líder deles.

Nos momentos em que seu coração estava demasiadamente sobrecarregado, ele lamentava-se: "Pobre homem que eu sou! Quem me poderá me livrar o corpo desta sentença?" (Romanos 7:24)

Só Deus conhece como ele conviveu com esse remorso, antes de surgir força que o fez concluir: "Agradeço a Deus porque fui salvo através de Jesus Cristo, nosso Senhor" (leia Romanos 7:25).

Em que sentido a mudança na vida de Paulo — de matador a líder dos cristãos — é um exemplo de esperança para todos nós?

Para os amigos no Brasil

Quais são os seus heróis? Quem você considera modelo de heroísmo para sua vida? Paulo não voava nem usava máscara, mas nem precisava.

O PODER PODE SER PENOSO

Porque a sabedoria deste mundo é
loucura aos olhos de Deus...
1 Coríntios 3:19 (NVI)

Há diversas maneiras de demonstrar o desejo de poder:

O esposo que nega amor à esposa.

O empregado que nutre ambições que ultrapassam o limite da dignidade.

A mulher que regula o sexo para castigar ou convencer o marido a fazer algo.

Assassinos que tiram a vida de muitos. Ou pessoas comuns que fazem de tudo para passar a perna em outras.

Todos esses exemplos têm como definição a mesma palavra: P-O-D-E-R.

O objetivo se traduz: "Conseguirei o que quero, custe o que custar".

A essência: mesquinhez.

Importante é entender que o poder absoluto é inatingível. Pois quando se chega ao cume — se é que há um — o próximo passo é a decadência. A descida é geralmente dolorosa.

Reflita: será que daqui a mil anos, seus títulos terão alguma importância?

Acredito que não. Porém fará uma enorme diferença saber de quem você é filho.

Pegue a vida de Cristo como referência para citar exemplos de maneiras positivas de como usar o poder.

Para os amigos no Brasil

O poder pode ser muito perigoso. É preciso muito cuidado para que ele não se torne um problema em sua vida — pior, sua prioridade. Permita que o Reino de Deus esteja sempre em primeiro lugar.

A MÃO PODEROSA DE DEUS

Porque nele foram criadas todas as coisas que
há nos céus e na terra, visíveis e invisíveis.

Colossenses 1:16 (ARC)

Com uma ordem, a história começou. A existência tornou-se palpável.

Do nada surgiu a luz.

Da luz aparececeu o dia.

Então foi feito o céu... e a Terra.

E na Terra uma mão poderosa começou a se mover.

Esculpiu abismos. Cavou oceanos. Das planícies, ergueu montanhas. Espalhou estrelas. Fez o universo cintilar.

Veja os abismos, e enxergue o esplendor do Criador. Passe a mão nas flores, e perceba a sua delicadeza. Escute o trovão, e estremeça diante do seu poder...

Você pode encontrar a criação de Deus se enxergar tudo o que é belo ao seu redor e deixar cada minúcia te lembrar de levantar a cabeça em agradecimento. Demonstre a sua gratidão por tudo o que Deus fez. Provoque outros a enxergar essa beleza também.

Escreva um salmo de louvor a Deus pela beleza da Criação.

PARA OS AMIGOS NO BRASIL

As belezas naturais fazem do Brasil um dos lugares mais lindos do mundo. Eu sei disso porque vivi aí por alguns anos, sempre louvando a Deus pela beleza das coisas que ele criou — inclusive o povo brasileiro. Louve-o você também.

E, QUANTO AOS MAIS VELHOS...

E, quando ficarem velhos, eu serei o mesmo Deus; cuidarei de vocês quando tiverem cabelos brancos. Eu os criei e os carregarei; eu os ajudarei e salvarei.

Isaías 46:4 (NTLH)

Ser idoso pode ser delicado demais. É um caminho perigoso e com muitas arapucas. É sensato estar pronto para essa fase. Saber que você também passará por isto é um começo.

Deus não ignorou esta etapa. É preciso encontrar caminhos e aprender à medida que envelhece.

Muitos já passaram por isso. É só olhar em seu redor. Muitos exemplos de como preparar-se e muitos casos a imitar.

Se a velhice o pegar de surpresa, não culpe a Deus. Ele lhe deu muitos avisos. E muitos conselhos.

Seus últimos capítulos podem ser os melhores. A última canção pode ser a mais aplaudida. Pode ser que toda a sua vida o tenha preparado para um grande final. Em toda a história, Deus sempre deu muito valor aos mais velhos e estes sempre estiveram entre os seus chamados.

Faça uma lista de coisas boas que a idade nos proporciona.

Você acha que nossa cultura valoriza as pessoas idosas? E a igreja?

PARA OS AMIGOS NO BRASIL

O tempo passa para todos. Se você ainda não chegou à chamada "terceira idade", não precisa ter medo. Trata-se de um dos períodos mais ricos da vida, e se você não valorizá-lo, é difícil esperar que os outros o façam.

O Senhor o conduzirá ao lar

Assim, fixamos os olhos, não naquilo se vê, mas no que não se vê, pois o que se vê é transitório, mas o que não se vê é eterno.

2 coríntios 4:18 (NVI)

O caminho tem sido extenso para muitos. Longo e cheio de tempestades.

Não digo isso para diminuir os problemas que muitos enfrentam ao longo de sua vida. Sei que muitos têm levado pesos que quase ninguém conseguiria suportar.

Alguns já se despediram de companheiros de toda uma vida. Outros tiveram sonhos roubados.

Uns receberam corpos que não podem sustentar o seu próprio espírito. Outros têm cônjuges intolerantes.

Sem falar em contas maiores que o salário no fim do mês.

Desafios que ultrapassam as forças.

E superar o cansaço não é fácil.

Não é fácil enxergar a cidade em meio à tempestade na estrada. Sempre aparece o desejo de encostar à beira da rodovia e sair do caminho, ao mesmo tempo que persiste o desejo de continuar. Ainda assim, em muitos momentos, a estrada parece não ter fim...

Deus nunca disse que o caminho seria fácil, mas garantiu que a chegada valeria a pena.

O que incentiva você a prosseguir quando a jornada parece longa?

Para os amigos no Brasil

Andar de uma ponta a outra da praia de Copacabana é fácil, mesmo sendo um caminho extenso. Mas ninguém faz isso com prazer debaixo de uma tempestade — a não ser que se tenha a certeza de que Deus pode proteger você da chuva e da ventania.

Separados

... vocês não sabem que a amizade com o mundo é inimizade com Deus? Quem quer ser amigo do mundo faz-se inimigo de Deus.

Tiago 4:4 (NVI)

Nenhuma igreja convidaria João Batista nos dias de hoje para pregar. Seu ministério não seria um sucesso. Já naquela época ele era um problema com as relações públicas. Andava vestido de pelos de camelo e com um cinto de couro ao redor de seus ombros. Comia gafanhotos e mel silvestre (Mc 1:6). Quem iria querer olhar para um homem assim todos os domingos?

A sua mensagem era tão grosseira quanto suas roupas: convocava as pessoas ao arrependimento porque o reino de Deus estava próximo.

João Batista separou-se do mundo para uma missão. Tudo o que fazia estava baseado em um propósito: ser a voz de Cristo. Como se vestia, o que comia, o que fazia era para esse fim.

Para fazer a diferença no mundo e mudá-lo, você não precisa ser igual aos demais. Para trazer as pessoas ao entendimento da palavra, você não precisa começar a fazer o que elas fazem. A santidade não visa a ser esquisita; visa a ser igual a Deus.

"Ser santo é procurar ser como Deus." O que essa declaração significa para você? Isso influencia as escolhas que você faz diariamente?

Para os amigos no Brasil

Por todo o tempo que morei no Brasil, o mais importante para mim não era que as pessoas me vissem como um brasileiro — elas sabiam que eu não era. O meu principal objetivo era que me vissem como um cristão. Isso é o que realmente importa.

Escolhas

*Todos nós andávamos desgarrados como ovelhas;
cada um se desviava pelo caminho, mas o SENHOR
fez cair sobre ele a iniquidade de nós todos.*
Isaías 53:6 (ARA)

Como Deus que é Deus de amor pode sentenciar e mandar pessoas ao inferno? Este é um questionamento normal. Algumas coisas precisam ser explicadas, a começar por esta pergunta.

Primeiro, Deus não *sentencia* pessoas ao inferno. Ele simplesmente respeita a escolha de cada um. O inferno é a expressão máxima da elevada consideração de Deus pela autonomia do homem. Ele não força as pessoas para que o escolha. E respeita as escolhas, mesmo que elas signifiquem a preferência pelo inferno.

Em parte alguma a Bíblia ensina que pessoas inocentes são sentenciadas ao inferno. Pessoas inocentes não vão para o inferno. Pecadores é que vão. Os rebeldes vão. Os egoístas vão. Então, como pode um Deus amoroso mandar as pessoas para o inferno? Ele não manda. Ele apenas respeita a escolha dos pecadores.

Deus respeita nossas escolhas. De que maneira isso influencia nosso relacionamento com ele?

Para os amigos no Brasil

A gente faz escolhas o tempo todo, mas já reparou como nos arrependemos de algumas delas? Para fazer as escolhas mais sábias, abra seu coração para a instrução de Deus.

Pequenas frases

E quando orarem, não fiquem sempre repetindo a mesma coisa, como fazem os pagãos. Eles pensam que por muito falarem serão ouvidos.
Mateus 6:7 (NVI)

Gosto muito de pequenas frases. As frases seguintes foram tiradas de alguns de meus livros. Mantenha as que você gostar. Perdoe as outras. Compartilhe-as quando quiser.

Ore em todo tempo. Se for preciso, use palavras.

Deus perdoa e esquece o passado. Pode imitá-lo?

Lamento que as pessoas sejam gananciosas. Nunca pelas generosas.

Não peça para Deus fazer o que você quer. Peça-lhe para fazer o que é certo.

Ninguém é inútil para o Senhor. Ninguém.

Não foram cravos que pregaram Jesus na cruz. Foi seu amor.

Você nunca vai perdoar alguém mais do que Deus já o tem feito.

Escolha uma das frases acima e escreva o que ela significa para você.

Para os amigos no Brasil

Que tal agora formar sua própria frase curta? Tenha em mente que ela deve resumir um valor importante em sua vida e seu relacionamento com Deus. Melhor — comece hoje um caderno de frases curtas de sua autoria.

QUEM ME COMANDA?

Lançando sobre ele toda a vossa ansiedade,
porque ele tem cuidado de vós.
1 Pedro 5:7 (ARC)

Quando se está preocupado demais, essa preocupação leva a pessoa a esquecer quem está no comando. E aparece a ansiedade. Ela vem por diversas razões. Eis algumas:

Seus empregados não gostam de você.
Seus chefes o fazem trabalhar demais.
Seu supervisor não te entende.
Sua igreja não consegue te sustentar.

No dia a dia, seus afazeres são tão prioritários que você deixa Deus de lado. Você fica mais preocupado em se apresentar do que em satisfazer a vontade dele. E acaba não confiando no julgamento de Deus.

Ele te deu habilidades. E as deu às pessoas próximas a você também. Se você se preocupa com aquilo que o teu próximo faz, acaba deixando o que tem que fazer.

Porém se você se ocupar com aquilo que Deus quer que você faça, acabará influenciando outros a fazer o mesmo.

Suas preocupações aumentam quando você se concentra mais em si do que em Deus? Por que isso acontece?

PARA OS AMIGOS NO BRASIL

Pode ter certeza de uma coisa — você não é o centro do universo. Quando a pessoa acredita que o mundo gira em torno dela, ela tende a aumentar suas preocupações. Mas quando Deus é o centro de sua vida, tudo faz mais sentido.

Caminhar com o Senhor

Quanto à antiga maneira de viver, vocês foram ensinados... a serem renovados no modo de pensar, e a revestir-se do novo homem, criado para ser semelhante a Deus em justiça e em santidade, provenientes da verdade.

Efésios 4:23-24 (NVI)

Bons casamentos são constantes. O marido dedica-se à esposa, e ela dedica-se a ele. Existe amor, ternura, honestidade, comunicação ininterrupta.

O mesmo deve acontecer em nossa relação com Deus. Às vezes conversamos com ele sobre nossas alegrias; outras vezes, sobre nossos sofrimentos. Mas sempre nos chegamos a ele. E, à medida que nos aproximamos, mais parecidos com ele nos tornamos. Paulo diz que somos transformados "de glória em glória" (2 Co 3:18).

Pessoas que convivem há muito tempo, fatalmente passam a falar igual, a comportar-se de forma parecida, e até os pensamentos se completam. À medida que andamos com Deus, pensamos do mesmo jeito que ele, adotamos seus princípios, seu modo de agir. Encontramos e agimos conforme o que ele deseja.

Você passa por momentos em que fica na dúvida se deve levar a Deus alguma alegria ou sofrimento? Como isso afeta seu crescimento espiritual?

Para os amigos no Brasil

À medida que os anos passam, me sinto cada vez mais ligado a Denalyn. Sinto que a conheço e entendo melhor. O mesmo vale para nosso relacionamento com Deus — permita que ele seja sua companhia permanente.

A PROMESSA

E eu, João, vi a Santa Cidade, a nova Jerusalém, que de Deus descia do céu, adereçada como uma esposa ataviada para o seu marido.

Apocalipse 21:2 (ARC)

O que pode ser mais bonito que uma noiva?

A Cidade Santa, segundo João disse, é como uma noiva belamente vestida para o seu noivo no dia do casamento.

Ora pelo vestido branco, ou talvez pelos brilhantes que refletem seus olhos. Ou pelo próprio amor que dá o tom rosa à sua face, ou o as promessas em forma de buquê que ela carrega.

Uma noiva. Símbolo elegante de compromisso. "Ficarei contigo para a eternidade". O futuro trazendo esperança para o presente. Pureza prometida fielmente entregue.

Quando você imagina que o nosso lar celeste é como uma noiva, conte-me se não dá vontade de ir para lá?

Cristo diz que está preparando um lindo lar para nós. Como você o compararia com seu lar terreno?

PARA OS AMIGOS NO BRASIL

Quantas noivas lindas você já viu entrando no altar? Dezenas, talvez centenas. Pois nenhuma delas jamais conseguiria se ornar com tanta beleza quanto a do lar em que vamos passar a eternidade com o Salvador.

Resposta para o desencanto

Eu sou o Senhor, o Deus de toda a humanidade.
Há alguma coisa difícil demais para mim?
Jeremias 32:27 (NVI)

Necessitamos compreender o tempo todo que o Senhor permanece no comando das coisas. Que nada se acaba até que ele o diga. Entender que as desgraças e as fatalidades da vida não são motivo para pular de para-quedas. São simplesmente uma razão para ajustar os cintos.

Corrie Ten Boom costumava dizer: "Quando o trem entra num túnel e o mundo fica escuro, você pula dele? Claro que não. Você se senta firme e confia que o maquinista o ultrapassará"...

Existe um jeito de trabalhar com o desânimo? Há cura para o desencanto? Olhe para a história da humanidade. Leia repetidamente. Tenha em mente de que você não é a primeira pessoa a chorar. E não é a primeira pessoa a precisar de ajuda.

Leia a história, e lembre-se: você é parte dela!

O que a paciência durante as tragédias da vida tem a ver com nossa confiança em Deus?

Para os amigos no Brasil

Desistir de um projeto pessoal ou da própria vida quando os problemas aparecem, com certeza, não é a solução para eles. Passe a encarar as dificuldades como um teste não apenas para sua paciência, mas, principalmente, para sua fé.

A grande escolha

Se, porém, não lhes agrada servir ao Senhor,
escolham hoje a quem irão servir,...
Josué 24:15 (NVI)

O chamado de Deus é explícito e sem negociações. Ele oferece tudo, e nós lhe devolvemos tudo. Único e incondicional. Especifico no que solicita, e é cristalino no que oferta. A escolha é de cada um. É impressionante que essa decisão fique na mão de cada um. Existem muitas situações em que não temos escolha. Não podemos, por exemplo, determinar o tempo. Não ha como controlar a economia.

Não podemos decidir quando nascer, nem como. Se queremos um nariz grande ou pequeno, nem a cor dos olhos ou dos cabelos. Não podemos nem escolher como as pessoas interagem conosco.

Contudo, podemos decidir onde queremos passar a eternidade. Essa grande deliberação está em nossas mãos. Deus coloca em nossa responsabilidade. A decisão crítica é nossa.

E essa é a única escolha que realmente faz sentido.

Como escolher onde vamos passar a eternidade? Você já fez essa escolha?

Para os amigos no Brasil

Durante o dia, escolhemos a roupa que vamos usar, o que vamos comer, o que vamos fazer, que horas vamos dormir. E nenhuma dessas escolhas é definitiva, temos de fazê-las todo dia. Nosso destino na eternidade, ao contrário, é a única escolha que faz diferença permanente.

Todos precisam de um Salvador

Porque todos pecaram e estão afastados da presença gloriosa de Deus. Mas, pela sua graça e sem exigir nada, Deus aceita todos por meio de Cristo Jesus, que os salva.

Romanos 3:23-24 (NTLH)

O poder da salvação é a graça de Deus. Não as coisas que fazemos para ganhá-la. Nem nossas habilidades. Muito menos o que sentimos. Nem nossos músculos.

Salvação é a presença súbita e serena de Deus, durante a tormenta no oceano de nosso viver. Escutamos sua voz e iniciamos a caminhada.

Assim como Paulo, temos certeza de duas situações: somos grandes transgressores, e necessitamos de um redentor.

Assim como Pedro, estamos conscientes de duas verdades: estamos nos atolando, e Deus continua firme. Então, pulamos do *Titanic* da justiça própria e nos lançamos no sólido trilho da graça de Deus.

Sem que nos darmos conta, estamos habilitados a andar sobre os mares. A morte perde sua força. Os erros são justificáveis. A vida adquire um sentido verdadeiro. E *viver com* Deus deixa de ser apenas uma ideia, mas passa a ser nossa realidade.

Quando nos mantemos na trilha da graça de Deus, descobrimos que a vida tem um verdadeiro propósito. Como essa verdade se aplica em sua vida?

Para os amigos no Brasil

A graça é surpreendente. Já vi muita coisa em todas as décadas de vida que Deus me concedeu, mas Jesus sempre me surpreende com a extensão e a magnitude de sua graça. E você?

Enfrentar o passado

Deixa a ira e abandona o furor; não
te indignes para fazer o mal.
Salmos 37:8 (ARC)

Ira. É fácil definir: o barulho da alma. Ira. A indignação escondida no coração. Ira. A inevitável agressora da paz...

Quanto mais barulhenta, mais consternados ficamos.

Você pode me dizer: "Você não tem noção de como a minha vida tem sido difícil". E você está certo, pois eu não compreendo mesmo. No entanto, tenho a certeza de que o seu futuro será deplorável se continuar nesse caminho. A ira precisa ser tratada, antes que isto aconteça.

Observe uma pessoa vingativa e perceba como a sua amargura assemelha-se a um tumor: encardido, feroz e muito mal. Câncer da alma. Suas fibras sinistras espalham-se pelo coração e o detonam.

Não há como apagar o que aconteceu ontem, mas existe a possibilidade de mudar o seu olhar em relação ao ocorrido. Você não pode dissipar o passado, mas tem a chance de enxergá-lo de outra forma. Sempre.

Explique os prejuízos que a raiva pode causar em nossa vida e como Deus deseja que lidemos com ela.

Para os amigos no Brasil

Há um livro chamado Manual da raiva, *dos drs. Les Carter e Frank Minirth, que ensina como a Palavra de Deus pode nos ajudar a lidar com esse sentimento sem permitir que ele transforme a vida em um desastre total. Deus pode ajudar você mesmo quando a raiva tenta assumir o controle.*

QUEM É MEU IRMÃO?

Senhor, quantas vezes deverei perdoar a meu irmão quando ele pecar contra mim? Até sete vezes? Jesus respondeu: "Eu lhe digo: não até sete, mas até setenta vezes sete".

Mateus 18:21-22 (NVI)

Tenho a impressão que Deus oferece muito mais graça do que mereço. E eu deveria fazer o mesmo.

Não quero dizer que devo alterar a verdade, nem devo prejudicar o evangelho. Mas se alguém, com um coração limpo, chama Deus de *Pai*, será que não devo chamar essa mesma pessoa de *irmão?*

Se o Senhor não pretende fazer que a perfeição da doutrina seja uma condição de aceitação para novos membros da família, devo eu fazer?

Se Deus pode suportar minhas falhas, será que eu não deveria também suportar as falhas dos outros? Se Deus me consente, apesar de todas as minhas imperfeições, chamá-lo de Pai, não deveria eu conceder essa mesma graça aos outros?

Por que tendemos a ser tão intolerantes, mesmo sabendo que Deus derrama sua graça sobre nós?

PARA OS AMIGOS NO BRASIL

Lembro-me com clareza da diversidade religiosa do Brasil, mas também me recordo da maneira como as pessoas se respeitam em seu país, mesmo quando há discordância. Isso diz muito sobre a maneira como a graça de Deus nos alcançou.

Permanecer em sua presença

Orem no Espírito em todas as ocasiões, com toda oração e suplica; tendo isso em mente, estejam atentos e perseverem na oração por todos os santos.
Efésios 6:18 (NVI)

Como permanecer na presença de Deus? Como sentir as suas mãos invisíveis em meus ombros e a sua voz em meus ouvidos? Como nos familiarizar com a voz divina? Eis aqui algumas ideias:

Dedique a Deus seus pensamentos logo ao acordar. Antes de enfrentar o dia, fale com o Pai. Antes de se levantar, entre em sua presença.

Conduza a Deus os seus pensamentos improdutivos. Dedique tempo a ele, em silêncio.

Direcione a Deus os seus pensamentos mais secretos. Considere fazer cada momento um tempo produtivo de comunhão com Deus.

Conte ao Senhor os seus piores pensamentos. Ao fim do dia, deixe a sua mente descansar nele. Termine o dia da forma como o começou: conversando com Deus.

De que maneira você pode entregar todos os seus pensamentos aos cuidados de Deus?

Para os amigos no Brasil

Manter Deus em sua mente o tempo todo não é fácil. Mas quando você começa a disciplinar seus pensamentos, está treinando algo a que a Bíblia se refere como "levar a mente cativa" diante do Pai.

DIMENSÃO CELESTE

*Pedi, e dar-se-vos-á; buscai e encontrareis;
batei, e abrir-se-vos-á.*
Mateus 7:7 (ARA)

Retornem, e contem a João o que vocês escutaram e presenciaram: "Os cegos veem, e os coxos andam... e aos pobres é anunciado o evangelho".

Essa foi a resposta à pergunta aflita de João, de dentro de um calabouço onde duvidava muito se este seria o prometido Messias: "És tu aquele que havia de vir, ou esperamos outro?"

Não há como saber ao certo a reação de João à resposta que Jesus lhe enviou. Aprecio imaginar que apareceu um pequeno sorriso em seus lábios, quando ouviu a resposta enviada por seu Mestre. Agora ele entendia. Jesus não estava em silêncio. João é que não tinha escutado a resposta correta. Ele recebera uma solução para os seus problemas terrenos, enquanto Jesus estava ocupado resolvendo as questões celestes.

Vale a pena lembrar disso na próxima vez que você ouvir o silêncio de Deus.

O que você fará na próxima vez que ouvir o silêncio de Deus? Por que Deus permite esses nossos momentos angustiantes de questionamento?

PARA OS AMIGOS NO BRASIL

Há alguma coisa mais angustiante do que orar a Deus e não receber resposta? A impressão que dá é a de que ele resolveu ignorar você. Mas é só impressão. O silêncio do Criador não é ausência de resposta — é uma das maneiras pelas quais ele nos fala.

Ele chama pelo seu nome

Porque assim diz o Soberano, o Senhor:Eu mesmo buscarei as minhas ovelhas e delas cuidarei.

Ezequiel 34:11 (NVI)

Ele está aguardando por você. Na entrada do céu. Desejoso, espera por ver você. Espreita o horizonte, suspirando por um vislumbre de seu filho. Deus anseia por você.

Ele é o Pai que aguarda no portão, o pastor atento em busca de sua ovelha. Suas pernas estão feridas, seus pés, machucados, e os seus olhos, queimando. Escala penhascos e atravessa campinas. Ele explora grutas. Ele põe as mãos em torno dos lábios e grita algo, do alto do despenhadeiro.

É o seu nome que ele chama...

E o recado para você é este: ele deu o seu Filho a fim de trazer de volta para si todos os seus filhos e filhas. Para chamar seus filhos para casa. E espera ouvir sua resposta.

Qual é sua resposta ao convite de Deus? Ele ainda está esperando por sua resposta?

Para os amigos no Brasil

Quem vive no Brasil sabe que, quando uma pessoa marca um horário para um compromisso, é normal esperar pelo menos meia hora por sua chegada. Essa paciência extra é algo que faz parte de sua cultura. Imagine a paciência de Deus, aguardando por sua resposta à salvação que ele oferece.

UMA LUZ, POR FAVOR

Já de madrugada, entre as três e as seis horas,
Jesus foi até lá, andando em cima da água.
Quando os discípulos viram Jesus andando em
cima da água, ficaram apavorados e exclamaram:
— É um fantasma! E gritaram de medo.

Mateus 14:25-26 (NTLH)

Em alguns momentos, cairá uma grande chuva. Nós direcionaremos nossos olhos para o céu tenebroso e diremos: "Deus, uma luz, por favor!"

E ela veio para os discípulos. Um vulto apareceu para eles, caminhando sobre as águas. Eles não estavam esperando por isso. Talvez esperassem que alguns anjos aparecessem, ou que o céu se rompesse... Não dá para saber o que aguardavam. Uma coisa, no entanto, é certeza: não imaginavam ver Jesus vindo lentamente sobre as águas.

E, uma vez que Jesus veio de uma maneira inesperada, quase deixaram escapar a a resposta aos seus clamores.

E nós arriscamos cometer o mesmo erro. As luzes de Deus em nossas noites densas são tantas quanto são as estrelas, bastando somente procurarmos por elas.

Às vezes nos preocupamos tanto com a escuridão trazida pela tempestade que deixamos de enxergar Deus. Como evitar esse erro?

PARA OS AMIGOS NO BRASIL

No Rio de Janeiro, as "chuvas de verão" são muito comuns — no meio de uma tarde ensolarada, as nuvens trazem um temporal. Mas logo depois, elas desaparecem e a luz do sol volta a brilhar. Ele estava lá o tempo todo. Pense em Deus como esse sol quando estiver passando por momentos difíceis em sua vida.

TRATADO DE PAZ E AMOR

Tenham cuidado para que ninguém retribua
o mal com o mal, mas sejam sempre bondosos
uns para com os outros e para com todos.

1 Tessalonicenses 5:15 (NVI)

Jesus contou aos seus discípulos o que ele tinha vindo fazer no mundo. Ele veio para se relacionar com as pessoas. Para acabar com a inimizade, a discórdia e a barreira que permanecia entre Deus e o homem. Uma vez que ele conseguiu isso e fez a ponte, "Chamarei vocês de amigos", disse ele. Agora é importante entender que nenhuma relação é perfeita, nenhum matrimônio é isento de erros, nenhuma pessoa é impecável. Determinado a fazer um relacionamento dar certo, você pode estabelecer um tratado de paz e amor, de tolerância e harmonia, para transformar uma situação difícil em algo belo.

Como fazer para mudar para melhor os relacionamentos difíceis de sua vida?

PARA OS AMIGOS NO BRASIL

Se Deus lhe pedisse que colocasse no papel os nomes de todas as pessoas com as quais você tem problemas de relacionamento, será que a lista seria longa? Não importa — todas elas são alvo da graça de Cristo, e devem ser alvo de sua oração também.

MISSÃO DE ALTO-RISCO

E não temais os que matam o corpo e não podem matar a alma; temei, antes, aquele que pode fazer perecer no inferno a alma e o corpo.

Mateus 10:28 (ARC)

Pode a miséria do inferno ser muito relevante, mas não tão a tal ponto de nublar o amor de Deus.

Desta forma, se você foi salvo, deve alegrar-se muito, pois foi remido.

Uma olhadela para o interior do inferno conduz o salvo à alegria da salvação. Mas também o leva a redobrar os esforços para conseguir que mais pessoas experimentem isto. Compreender o que o inferno significa impele-nos a orar de forma mais sincera e servir a Deus com maior compromisso. Temos uma missão de alto-risco.

E quanto aos perdidos? O que esta mensagem significa aos desavisados?

Preste atenção aos avisos e prepare-se. Esta aeronave não prestará serviço eternamente. "Melhor é ir à casa onde há luto... porque ali se vê o fim de todos os homens; e os vivos o aplicam ao seu coração" Eclesiastes 7:2 (ARC).

"Entender o inferno nos leva a orar com mais determinação e servir de maneira mais diligente." Explique o que isso significa.

PARA OS AMIGOS NO BRASIL

"Quem avisa amigo é", afirma um famoso ditado brasileiro. E Jesus, nosso maior amigo, nos alerta para a importância de tomar a decisão certa agora para garantir a eternidade ao lado dele. Você já atendeu a esse chamado do Mestre?

Qual o seu valor?

...a vida de um homem não consiste na quantidade dos seus bens.

Lucas 12:15 (NVI)

Jesus definiu claramente a palavra ganância. Ele a chamava de prática de medir a vida pelas posses e igualar o valor de uma pessoa ao quanto consta em sua carteira.

1. Você ganha muito = você vale muito.
2. Você ganha pouco = você vale pouco ou quase nada.

Prever a consequência de tal filosofia é fácil. Se você é o montante de tudo quanto possui, logo você precisa fazer qualquer coisa para possuir muito. E nenhum preço é alto demais. Nenhum pagamento é exagerado...

A ganância não se define por quanto custa alguma coisa, mas ela é medida pelo valor que você tem.

Se os bens custam sua vida, sua fé, ou a sua família, o preço é alto demais.

Você cai na armadilha do mundo de julgar uma pessoa pelas riquezas que ela possui? Por que isso desagrada a Deus?

Para os amigos no Brasil

Ao ver uma pessoa passando na rua cheia de joias ou dirigindo um carrão, a tendência é pensar: "Aí está uma pessoa importante." Bem, depende de seu critério. Diante de Cristo, riquezas ou posses são apenas recursos. O que você faz com eles para promover o Reino de Deus é o que faz a diferença.

Firmeza em suas mãos

[Deus] é poderoso para vos guardar de tropeçar e apresentar-vos irrepreensíveis diante de sua glória.

Judas 1:24 (ARC)

Estamos numa grande escalada. O paredão é alto e os riscos, mais altos ainda. O primeiro passo foi dado no dia em que admitiu ser Cristo o Filho de Deus. Ai você recebeu o equipamento que precisa: o Espírito Santo. Em suas mãos, o Senhor pôs uma corda: sua Palavra.

Seus primeiros passos foram firmes e confiantes. No entanto, no caminho começou a se cansar. A altura trouxe medo. Você perdeu o pé e tropeçou. Perdeu o foco. Perdeu a garra, e caiu. Por um momento, que parecia não acabar nunca, você caiu sem freios. Sem controle. Sem autocontrole. Desorientado. Despejado. Cadente.

Mas então a corda permanecia lá e se esticou. A queda parou. Você voltou a pendurar-se no equipamento, e percebeu que ele é forte. Aí segurou fortemente a corda, e entendeu que ela é autêntica. No entanto, você não pode enxergar o seu guia, mas você o conhece. Sabe que ele é forte. Você sabe que ele é hábil o suficiente para impedi-lo de desabar.

O Espírito Santo nos guia nas trilhas da vida. Explique como ele nos ajuda a não cair.

Para os amigos no Brasil

Você está passando por um momento difícil? Confie em Deus. Acha que está só? Confie em sua mão poderosa para segurar a sua. Perdeu o rumo? Deixe que o Espírito Santo oriente cada um de seus passos. Não tem erro.

Reflexo da beleza de Deus

E todos nós, que com a face descoberta contemplamos a glória do Senhor, segundo a sua imagem estamos sendo transformados com glória cada vez maior, a qual vem do Senhor, que é o Espírito.

2 Coríntios 3:18 (NVI)

O intuito da adoração é transformar o rosto do adorador. Foi exatamente isto que aconteceu a Jesus quando estava na montanha. Sua aparência foi modificada e o : "Seu rosto resplandeceu como o sol" Mateus 17:2 (ARC)

A ligação entre a face e a adoração é muito mais que coincidência. Nossa face é a parte mais visível de nosso corpo, menos escondida que qualquer outra área.

É também a parte mais facilmente reconhecida. Ninguém coloca em documentos importantes e nos anuários escolares fotos dos pés, mas do rosto.

O desejo de Deus é fazer de nossas faces, uma parte notável de nosso corpo, usada para expor a sua glória.

Explique por que é tão importante adorar a Deus.

Para os amigos no Brasil

Durante o Carnaval, as pessoas usam máscaras. Mas na vida real, nosso rosto reflete nosso estado de espírito. Mais que isso — reflete nossa comunhão com Deus. E nada melhor para adornar nossa face do que a adoração sincera ao Criador.

O PERDÃO LIBERTA

Pois, se vocês fazem o mal e são castigados, qual é o merecimento de suportarem com paciência o castigo? Mas, se vocês sofrem por terem feito o bem e suportam esse sofrimento com paciência, Deus os abençoará por causa disso...

1 Pedro 2:20 (NTLH)

Existe uma emoção que encarcere mais a alma que a indisposição para perdoar?

O que você faz quando uma pessoa te magoa ou fere alguém que você ama? Você sete o ardor da ira como fogo ferver dentro de você? Parece que estas fagulhas consomem suas emoções? Ou você se volta a algum lugar, a uma fonte de água fria, e puxa um balde de misericórdia, para se livrar a si próprio?

Não se permita inflamar-se com as chamas da ira e do ressentimento. Seja aquele que diz: "Sim, ele me maltratou, mas vou ser igual a Cristo. Serei aquele que diz: 'Perdoa-os, Pai, eles não sabem o que fazem'".

Você se sente preso à montanha-russa da raiva e do ressentimento? Por quê? Explique como o perdão e a compaixão podem livrar você desses sentimentos ruins.

PARA OS AMIGOS NO BRASIL

Quando uma pessoa sofre violência, a primeira coisa em que pensa é punição impiedosa aos agressores. Como explicar, então, a reação de Jesus, clamando a Deus que perdoasse aqueles que o crucificaram? A resposta em uma palavra: graça.

Alguém bate à porta

Mas como é santo aquele que vos chamou, sede vós também santos em toda a vossa maneira de viver.

1 Pedro 1:15 (ARC)

Indigno-me contra algumas vozes que iludem e envenenam nosso mundo.

Você já deve ter ouvido muitas delas, propondo que trocasse sua integridade por uma coisa qualquer.

Vozes que sugerem a troca de seus princípios por quinquilharias; a inversão de sua piedade por emoções passageiras.

Sussurram. Insinuam. Flertam. Cortejam. Perseguem.

São vozes que dizem: "Vá em frente". "Tudo bem fazer isto, ninguém está vendo".

Essas vozes investem ferozmente contra a sua porta, querendo arrebentá-la. Jesus, porém, bate de leve.

As vozes te assediam o tempo todo ambicionando sua subordinação.

Jesus, elegante, suave e ternamente, o convida a ouvi-lo.

Vozes do mundo que te incentivam a entregar-se aos prazeres insaciáveis.

Jesus, ao contrário, promete uma refeição sossegada... com Deus.

A que voz você dá ouvidos?

O que acontece quando damos ouvidos às mentiras do mundo? Como podemos ser mais sensíveis à suave voz de Deus?

Para os amigos no Brasil

Da hora que você acorda até o momento em que se deita, alguém está tentando chamar sua atenção na rua, na televisão, no trabalho, enfim, em todo lugar. Mas se você parar um pouquinho, vai perceber uma voz suave em meio a tanto ruído. É Deus chamando você: "Venha cear comigo."

JESUS, O SALVADOR

Quem crê no Filho tem a vida eterna, já quem rejeita o Filho não verá a vida, mas a ira de Deus permanece sobre ele.

João 3:36 (NVI)

Sabe quando acontece a salvação? Acontece ao direcionarmos nossos olhos para Cristo. Quando o adotamos como Salvador. Assombrosamente simples, não?

Basta assumir a promessa de João 3:16: "Porque Deus amou o mundo de tal maneira que deu o seu Filho unigênito, para que todo aquele que nele crê não pereça, mas tenha a vida eterna". (ARA)

Jesus, o amigo. Jesus, o doador. Jesus, o salvador. Jesus, o homem, o fiel.

E para todos os que confiam nesta palavra, ele prometeu que nasceriam de novo.

Infelizmente, apesar de ser muito simples, ainda existem aqueles que não acreditam. Não confiam neste compromisso.

Se ao menos experimentassem. Se ao menos testassem.

Por outro lado, o Senhor é tão polido quanto apaixonado. Ele nunca impõe. Apenas oferece.

Pense nas pessoas que você conhece ainda distantes da mensagem simples da salvação. Ore por elas e pense em maneiras de alcançá-las com a Verdade.

PARA OS AMIGOS NO BRASIL

Não tem nada de complicado — a salvação é tão fácil de entender. Mesmo assim, muitas pessoas preferem rejeitar a oferta de Deus. Você acha que não pode fazer nada? Engano seu! Sua vida pode ser o canal por meio do qual a graça vai se manifestar a elas!

Julho

Mas Jesus imediatamente lhes disse:
"Coragem! Sou eu. Não tenham medo!"
– Mateus 14:27 (NVI)

JULGAR É TRABALHO DE DEUS

Espere pelo Senhor, e ele dará a vitória a você.
Provérbios 20:22 (NVI)

Algumas pessoas parecem estar na sala de um tribunal de queixas. Algumas, a cada chance que têm de alguém as escutar, apresentam novamente a mesma ferida. Faço a seguinte pergunta: Quem fez de você Deus? Não quero parecer arrogante, mas por que você quer fazer o trabalho dele? "Pois sabemos quem foi que disse: 'Eu me vingarei, eu acertarei contas com eles.'" Hebreus 10:30 (NTLH). Julgar é trabalho de Deus. Pensar o contrário é pensar que Deus não pode fazê-lo. A vingança é irreverente. Perdoar alguém é mostrar reverência. Perdoar não significa que alguém que o prejudicou esteja certo. Perdoar é declarar que Deus é fiel e fará o que é correto.

Às vezes você se encontra "fazendo o trabalho dele"? Em outras palavras, você se encontra julgando outros? Por que isto é uma perda de tempo?

PARA OS AMIGOS NO BRASIL

Quando nos sentimos prejudicados, esperamos que Deus faça justiça, como ele nos prometeu. Essa vontade muitas vezes nos leva a ignorar as lições que Deus tem para nossas vidas. Paciência. Deixe Deus fazer a justiça.

Sussurrando pensamentos

Sonda-me, ó Deus, e conhece o meu coração;
prova-me e conhece os meus pensamentos.
Salmos 139:23 (ARA)

Imagine transformar cada momento de sua vida em uma oportunidade de comunhão com Deus. Quando a sua vida chegar ao fim, você terá passado seis meses em semáforos, oito meses abrindo correspondência de propagandas, um ano e meio procurando coisas perdidas (no meu caso, esse tempo deve ser dobrado), e uns bons cinco anos em pé, enfrentando filas. Por que não dar todos esses momentos a Deus? Ao sussurrar seus pensamentos a Deus, o comum torna-se incomum. Palavras simples como "Obrigado, Pai", "Tu és soberano, ó Senhor", "Seja o meu descanso, Jesus" podem transformar a simples e comum ida e volta diária para o trabalho numa verdadeira peregrinação. Você não precisa sair do escritório, nem ajoelhar-se na cozinha. Ore onde você está. Faça de sua cozinha uma catedral e da sala de aula, uma capela. Entregue a Deus seus pensamentos, sussurrando-os ao Pai.

Imagine só! Cinco anos de pé, em filas. Como você pode dedicar esses momentos para Deus?

Para os amigos no Brasil

Muitas pessoas reclamam que a vida é tão corrida que não têm tempo para passar em comunhão com Deus. Qualquer lugar é um bom lugar para passar com Deus. Pense em todos os momentos vagos do seu dia – em filas, no trânsito, andando na rua. Essas ocasiões, não importa quão breves, podem ser muito valiosas para o seu relacionamento com Deus.

ROSTO TRANSFORMADO

[Ele]pôs um novo cântico na minha boca,
um hino de louvor ao nosso Deus.
Salmos 40:3 (NVI)

Deus nos convida a ver a sua face para que ele possa transformar a nossa. Ele usa as nossos rostos descobertos para mostrar a sua glória. A mudança não é simples. O escultor do monte Rushmore enfrentou um desafio menor que esse. Mas o nosso Deus é hábil para o trabalho. Ele gosta de mudar a face de seus filhos. Passando seus dedos, rugas de preocupações são apagadas. Sombras de vergonha e dúvidas viram retratos de graça e verdade. Ele relaxa mandíbulas apertadas, e tira vincos das testas. Remove debaixo dos olhos aquelas bolsas que revelam cansaço, e faz das lágrimas de desespero, lágrimas de paz. De que forma ele opera tudo isso? Pela adoração. Queremos que tudo mais complicado, somos exigentes. Quarenta dias de jejum, ou ainda decorar o livro de Levítico. Mas não! O plano divino é simples. O Senhor muda nossas faces quando o adoramos.

Explique como adorar a Deus pode apagar rugas de preocupações, sombras de vergonha, mandíbulas apertadas e testas vincadas?

PARA OS AMIGOS NO BRASIL

Deus não exige o impossível. Adorar a ele pode ser tão simples quanto lembrarmos do seu amor em qualquer momento do nosso dia. Mais que qualquer coisa, porém, a adoração é um ato transformador que nos identifica como seguidores de Deus.

ENCONTRANDO A GRAÇA DE DEUS

Deste-me vida e foste bondoso para comigo, e na tua providência cuidaste do meu espírito.

Jó 10:12 (NVI)

Disciplina é fácil de entender. Algo lógico para aprender. Apropriado e com o qual dá para lidar. Mas e a graça de Deus? Pode ser qualquer coisa, menos isto. Há exemplos? Tem tempo? Davi, o salmista, tornou-se Davi, o *voyeur*. Mas pela graça de Deus, recuperou a condição de Davi, o salmista. Pedro negou ao Senhor antes de pregar o seu nome. Zaqueu, o fraudador. A área mais limpa de sua vida era o dinheiro que ele lavava. Apesar disso, Jesus teve tempo para ele. O ladrão na cruz foi outro caso. Num minuto, rumo ao inferno e pendurado para morrer; no minuto seguinte, pulando para o céu e rindo. História após história. Prece após prece. Surpresa após surpresa. Parece que Deus está mais interessado em descobrir um jeito de nos conduzir ao Lar, do que em deixar-nos do lado de fora. Desafio você a encontrar uma só pessoa que tenha vindo a Deus em busca de sua graça e não a tenha encontrado.

Pense na história da sua vida. Como a graça de Deus afeta sua vida?

PARA OS AMIGOS NO BRASIL

Uma faceta importante da graça de Deus é que esta é uma promessa eterna e imutável. Mesmo quando não reconhecemos, ou quando parece impossível, somos guiados, acolhidos, resguardados e salvos pela graça.

A PRISÃO DA AMARGURA

Pois se perdoarem as ofensas uns dos outros,
o Pai celestial também lhes perdoará.
Mateus 6:14 (NVI)

A amargura é a sua prisão. Com laterais escorregadias de ressentimentos. Um assoalho de raiva barrenta que imobiliza os pés. O fedor da traição enche o ar e queima os olhos. Uma nuvem de autopiedade impede a visão da minúscula abertura acima. Entre e veja os prisioneiros. As vítimas estão acorrentadas às paredes. Vítimas da traição. Vítimas do abuso. A masmorra, funda e escura, o chama para entrar... Você pode, você sabe. Afinal, já experimentou sofrimento suficiente. Você pode escolher, como tantos, prender-se à sua dor... Ou, pode escolher, como poucos, descartar o seu sofrimento antes que ele vire ódio. Como Deus lida com o seu coração amargurado? Ele o lembra de que aquilo que você tem é mais importante que o que não tem. Você ainda possui o seu relacionamento com o Senhor e ninguém pode tirar isto.

Você já esteve na prisão da amargura? Como Deus te ajudou a lidar com esta mágoa?

PARA OS AMIGOS NO BRASIL

A amargura e a depressão são buracos que podem surgir em diversos momentos de nossas vidas. Muitas vezes, são aqueles ao nosso redor que nos puxam para dentro desta vala. Para fugirmos dese caminho escorregadio, precisamos nos municiar do poder reconfortante de Deus, o único remédio para curar a alma.

O SACERDOTE PERFEITO

Isso acontecerá no dia em que ele vier para ser glorificado em seus santos e admirado em todos os que creram, inclusive vocês que creram em nosso testemunho.

2 Tessalonicenses 1:10 (NVI)

Quando olharmos para Jesus, o que enxergaremos? Veremos o sacerdote perfeito, "um semelhante a filho de homem, vestido até aos pés de uma veste comprida e cingido pelo peito com um cinto de ouro" Apocalipse 1:13 (ARC). Os primeiros destinatários dessa carta conheciam o significado da túnica e do cinto. Jesus está usando as vestes de um sacerdote. O sacerdote apresenta o povo a Deus e Deus ao povo. Em sua vida, você já deve ter conhecido outros sacerdotes. Ministros ou não que buscaram te levar a Deus. Mas eles também precisavam de um sacerdote, até mais que você, pois também eram pecadores. Com Cristo não é dessa maneira. "É de um sumo sacerdote como este que precisávamos: santo, inculpável, puro, separado dos pecadores, exaltado acima dos céus" Hebreus 7:26 (NVI). Jesus é o sacerdote perfeito.

O fato que Cristo, como sacerdote perfeito, te representa perante Deus, significa o que para você?

PARA OS AMIGOS NO BRASIL

A vida de Cristo nos mostra o maior e mais prático exemplo de como deveríamos viver as nossas vidas. Esse exemplo serve para cada um de nós, mas, principalmente, para aqueles que na terra são lideres entre os homens.

MAIS PRÓXIMO DO QUE VOCÊ IMAGINA

Nesse instante Jesus disse:
"Coragem! Sou eu! Não tenham medo!"
Mateus 14:27 (NTLH)

Quando os discípulos encontram Jesus no meio de uma tempestade, à noite, disseram que era um fantasma, uma aparição. Para eles, aquele clarão era tudo, menos Deus. Ao olharmos para o horizonte e identificarmos luzes suaves, costumamos ter a mesma reação. Não aceitamos a bondade eventual e taxamos como se tratasse de aparições, acidentes ou anormalidades. Tudo, menos Deus. E por procurar fogueiras, perdemos a vela. Esperando ouvir a gritaria, perdemos o sussurro. Só que é na chama de velas que Deus vem e, pelas promessas sussurradas, fala: "Se tiver dúvidas, olhe à sua volta; estou mais próximo do que você imagina".

Você às vezes perde a luz da bondade de Deus porque está procurando a fogueira? Você deixa de ouvir os sussurros? Quais são as consequências?

PARA OS AMIGOS NO BRASIL

O nosso Deus é misterioso, mas está sempre presente. Ele se mostra em todos os momentos e em todos os lugares. Precisamos apenas estar atentos. Procure ele a todo momento. Não deixe os sussurros passarem desapercebidos.

ELE MANTEVE A FÉ

Mantendo fé e boa consciência, porquanto alguns, tendo rejeitado a boa consciência, vieram a naufragar na fé.

1 Timóteo 1:19 (ARA)

Sento-me na frente de um homem que está no corredor da morte. Judeu de nascimento, fazedor de tendas como profissão, mas apóstolo por vocação. Seus dias estão contados. Fico curioso sobre o que sustenta esse homem, enquanto sua morte se aproxima. Por isso, começo a questionar:

Você tem família, Paulo? "Não tenho ninguém."

Como vai sua saúde? "Estou com o corpo quebrado e cansado."

Espera alguma recompensa pelo que fez? "Não na Terra."

Nenhum bem. Nenhuma família... O que você tem de importante, Paulo? "Tenho a minha fé. Isso é tudo. Mas é tudo o que preciso. Tenho mantido a fé." Ele, então, recosta-se na parede do cárcere abre o sorriso.

A fé é a única coisa que realmente importa. O que isso significa para você?

PARA OS AMIGOS NO BRASIL

A fé é poderosa. Para os que lutam diariamente para uma vida melhor, é a certeza de que já alcançamos a vitória. A fé é a nossa maior conquista.

Orgulho de Pai

O Senhor não demora a fazer o que prometeu, como alguns pensam. Pelo contrário, ele tem paciência com vocês porque não quer que ninguém seja destruído, mas deseja que todos se arrependam dos seus pecados.

2 Pedro 3:9 (NVI)

A todos que o aceitarem como Salvador, Jesus prometeu a experiência de nascer de novo. Isso quer dizer que a velha natureza nunca mais se erguerá de forma repugnante? Ou que você será imediatamente capaz de resistir a qualquer tentação? Para responder tais questões, é preciso comparar o novo nascimento em Cristo a uma criança recém-nascida. Um bebezinho pode andar? Consegue se alimentar sozinho? Escreve, lê ou fala? Não, não nessa idade. Mas um dia o fará. Demora para crescer. Contudo, o pai envergonha-se do pequeno, na sala de espera? A mãe fica constrangida porque o bebê não fala, não anda, não faz um discurso? Certamente não. Os pais não se envergonham; orgulham-se. Eles sabem que o crescimento virá com o tempo. O Senhor também.

Em quais momentos da sua caminhada com Cristo você tem demonstrado que ainda tem muito para aprender?

Para os amigos no Brasil

O processo de fortalecer o seu relacionamento com o criador é um processo de aprendizagem. Cada dia e cada situação é um aprendizado novo. Entender que este é um caminho gradual é o primeiro passo para um relacionamento saudável com Deus.

A FINALIDADE DA VIDA

Ame o Senhor, o seu Deus, de todo o seu coração, de toda a sua alma e de todo o seu entendimento

Mateus 22:37 (NVI)

Faça uma escavação profunda em um coração e encontrará: um desejo por significado, uma busca de finalidade. Tão certo quanto uma criança respira, um dia ela questionará: "Qual é o propósito de minha vida?" Alguns procuram sentido numa profissão. "Meu propósito é ser um dentista". Excelente vocação, mas que não é capaz de justificar a existência. Escolhe-se ser ocupado com o trabalho, em vez de ser ocupado em viver. Tais pessoas são o que fazem; por isso, fazem muito. Trabalham muitas horas porque, se não trabalharem, sua identidade não existe. Outros já são o que possuem. Eles acham significado num carro novo, numa nova casa ou em roupas novas. Esse tipo é ótimo para a economia, e violento com o orçamento, porque o sentido de suas vidas está no que possuem. Alguns tentam esportes, entretenimentos, cultos, sexo, e o que mais você possa pensar. Mas tudo não passa de miragens em meio a um deserto de propósitos. Não deveríamos enfrentar a verdade? Se não confessamos a Deus, não passamos dos restos de naufrágios que flutuam na imensidão.

O que dá propósito para sua vida?

PARA OS AMIGOS NO BRASIL

Todos temos nossos interesses, talentos e qualidades, e estes são importantes para estabelecermos quem nós somos. A nossa identidade como seguidores de Deus, porém, influencia e norteia todas as nossas outras qualidades.

Uma tremenda revelação de Deus

Santo, Santo, Santo é o Senhor Deus,
o Todo-poderoso, aquele que era, e que é, e que há de vir.
Apocalipse 4:8 (ARA)

O que, realmente, é adoração? Gosto da maneira que o rei Davi explica o assunto: "Engrandecei ao Senhor comigo, e juntos exaltemos o seu nome" Salmos 34:3 (ARC). Adoração é o ato de engrandecer a Deus. Ampliar nossa visão sobre ele, entrar em sua morada para ver onde ele se senta, e observar como ele age. O tamanho dele não vai mudar, mas a maneira como o enxergamos, sim. Quanto mais nos aproximamos, mais ele parece maior. Não é disso que necessitamos? Uma *grande* revelação de Deus? Não temos problemas *grandes*, preocupações *grandes*, dúvidas *grandes?* Com certeza. Assim, precisamos de uma grande revelação de Deus. A adoração nos dá isto. Como podemos cantar "Santo, Santo, Santo", e não ter a nossa visão expandida?

Como você define adoração?

PARA OS AMIGOS NO BRASIL

Uma revelação clara e grande de Deus requer esforço da nossa parte. Para entender e enxergar melhor o nosso Deus, precisamos nos aproximar dele. Se a melhor maneira de se aproximar de Deus é pela adoração, não faria sentido passar cada momento possível adorando ao nosso Criador?

Arrepender-se é uma decisão

Ou será que você despreza as riquezas da sua bondade, tolerância e paciência, não reconhecendo que a bondade de Deus o leva ao arrependimento?

Romanos 2:4 (NVI)

Não existe felicidade maior do que a daquele que se arrepende de seus erros. Arrependimento é a decisão de abandonar os desejos egoístas e buscar a Deus. É um pesar verdadeiro e sincero, que produz tristeza e nos faz admitir nossos erros e desejar ser melhores. É uma certeza interior que se revela nas ações externas. Você olha para o amor de Deus, e não pode acreditar que ele o tenha amado dessa maneira tão grande. É essa compreensão que o motiva a mudar de vida. Essa é a natureza do arrependimento.

Explique por que "não existe felicidade maior do que a daquele que se arrepende de seus erros".

Para os amigos no Brasil

O sentimento de arrependimento que todos sentem em inúmeros momentos de suas vidas mostra continuamente a necessidade que temos da perdão de Deus. O arrependimento nos mostra que não somos perfeitos e que precisamos dos conselhos e lições que só Deus oferece.

QUAL É A VONTADE DE DEUS?

Porque a vontade de meu Pai é que todo aquele que olhar para o Filho e nele crer tenha a vida eterna, e eu o ressuscitarei no último dia.

João 6:40 (NVI)

Para conhecer a vontade de Deus, precisamos gastar tempo em sua presença. A chave para conhecer o coração do Senhor é manter um relacionamento com ele. Um relacionamento pessoal. Deus falará com você de forma única. Não é porque o Senhor falou com Moisés em uma sarça em chamas que todos nos sentaremos perto de um arbusto, aguardando que ele nos fale. Deus usou um peixe para convencer Jonas. Isto quer dizer que precisamos adorá-lo no meio do oceano? Não. Deus revela pessoalmente e de forma diferente o seu coração a cada pessoa. Dessa forma, o seu caminhar com ele é essencial. O coração do Altíssimo não é descoberto numa conversa eventual ou numa visita de final de semana. Aprendemos a sua vontade fixando residência em sua casa, todos os dias. Ande com ele o tanto que for preciso, e você conhecerá o seu coração.

Você conhece a vontade de Deus para sua vida? Faça uma lista das coisas que Deus tem te mostrado sobre o propósito que ele tem para sua vida.

PARA OS AMIGOS NO BRASIL

Ter um relacionamento com Deus é incrível porque ele te conhece melhor do que você conhece a si mesmo. Ele sabe do que você precisa e a maneira correta para falar contigo. Por isso, e por tantas outras razões, não há conselho mais valioso do que o conselho de Deus.

A ASSINATURA DIVINA

Antes de formá-lo no ventre eu o escolhi; antes de você nascer, eu o separei e o designei profeta às nações.

Jeremias 1:5 (NVI)

Se Deus está em sua vida, você não é um acidente ou um incidente; você é um presente para o mundo, uma obra de arte divina, assinada pelo Criador. Um dos presentes mais apreciados que já recebi foi uma bola de futebol americano, autografada por trinta ex-zagueiros. Não há nada de exclusivo nessa bola. Pelo que sei, ela foi comprada com desconto, numa loja esportiva. O que a torna especial são as assinaturas. A mesma coisa acontece conosco. Da forma como funciona a natureza, não há nada de especial no *Homo sapiens*. Não somos os únicos com carne, sangue, coração e cabelos. O que nos faz especiais não é o nosso corpo, mas a assinatura de Deus em nossas vidas. Somos a sua obra de arte. Fomos criados à sua imagem, para fazer obras boas. Temos significado não por aquilo que realizamos, mas por quem somos.

O que significa ter a assinatura de Deus em nossas vidas?

PARA OS AMIGOS NO BRASIL

Quando andamos em comunhão com Deus, mostramos ao mundo que carregamos a sua mensagem. Não há autor ou compositor com obra-prima mais completa e perfeita. A assinatura de Deus, estampada em nossas vidas através do sua mensagem, é um reconhecimento de que somos diferentes.

ALÉM DO QUE OS OLHOS PODEM CONTEMPLAR

Ora, a fé é a certeza daquilo que esperamos e a prova das coisas que não vemos.
Hebreus 11:1 (NVI)

Fé é confiar naquilo que os olhos não podem ver. Os olhos veem o leão faminto. A fé vê o anjo de Daniel. Os olhos veem tempestades. A fé enxerga o arco-íris de Noé. Os olhos veem gigantes. A fé contempla Canaã. Seus olhos veem suas faltas. A sua fé vê o seu Salvador. Seus olhos veem sua culpa. A sua fé contempla o sangue dele. Seus olhos se deparam no espelho com um pecador, um derrotado, alguém incapaz de manter promessas. Pela fé, no entanto, você observa no espelho e vê um pródigo usando um manto, com o anel da graça no dedo, e, no rosto, o beijo do Pai.

Pense em alguma vez que você teve que confiar em Deus sobre aquilo que você ainda não podia enxergar. Como isto te afetou?

PARA OS AMIGOS NO BRASIL

A vida nos mostra a todo momento que somos repletos de limitações. Por uma razão ou outra, são inúmeras as coisas que não podemos entender, enxergar ou perceber. Deus entende tudo, vê tudo e percebe tudo.

TODOS OS FILHOS DE DEUS

E, se é pela graça, já não é pelas obras;
do contrário, a graça já não é graça.
Romanos 11:6 (ARA)

A quem Deus oferece suas bênçãos? Ao que é mais brilhante? Ou mais bonito? Talvez ao mais impressionante? Não. As suas bênçãos são para todos nós: mendigos e executivos, ministros e ambulantes, juízes e porteiros. Todos os filhos de Deus. E ele nos quer tanto que nos aceita de qualquer maneira: "como está" é o que se lê na etiqueta afixada no nosso colarinho. Ele não espera que primeiro sejamos perfeitos (aliás, ele sabe que nunca chegaremos lá!). Você pensa que ele espera que vençamos todas as tentações? Acho difícil. Que façamos com perfeição a caminhada cristã? Não mesmo. Cristo morreu por nós quando ainda éramos pecadores. Você deve sempre se lembrar disso. Seu sacrifício não dependeu de nossa performance. Ele nos quer agora.

Deus não espera que alcancemos a perfeição. Ele nos aceita do jeito que somos. Como Deus te encoraja para sua vida?

PARA OS AMIGOS NO BRASIL

Não deixe de ouvir a voz de Deus só porque você sente que não merece escutá-lo. Mesmo sem merecermos tal honra, Deus quer ser nosso melhor amigo.

DEUS ESTÁ PRESENTE NAS SUAS DIFICULDADES

O próprio Senhor irá à sua frente e estará com você; ele nunca o deixará, nunca o abandonará. Não tenha medo! Não desanime!

Deuteronômio 31:8 (NVI)

Quanto tinha somente sete anos, fugi de casa. Eu estava cansado das regras de meus pais, e decidi fazer as coisas do meu jeito, quando bem entendesse. Coloquei as roupas numa bolsa de papel, saí depressa pelo portão dos fundos, e rumei viela abaixo. Mas não fui muito longe. Cheguei ao fim da viela, e lembrei que estava com fome. Voltei para casa. Tudo bem, a rebelião foi rápida, mas não deixou de ser rebelião. E se você tivesse me parado naquele caminho do pródigo, eu lhe teria dito tudo que sentia. "Não preciso de um pai. Sou grande demais para as regras lá de casa". Não cheguei a ouvir o galo cantar, como Pedro. Não senti o golfar do peixe, como Jonas. Não ganhei um manto, um anel e sandálias, como o pródigo. Mas aprendi com meu pai terreno o que esses três aprenderam com o Pai celeste. Nosso Deus não é pai somente em situações agradáveis. Ele não é do tipo que "ama-e--deixa-se-virar". Só que tenho ele ao meu lado em todas as minhas dificuldades, não importa o quão encrencado esteja. Você também pode.

Deus está sempre do nosso lado. O que isto diz sobre o caráter de Deus?

PARA OS AMIGOS NO BRASIL

Os esportes nos mostram que nos momentos mais difíceis, os grandes jogadores crescem e decidem a partida. Deus é o craque das nossas vidas. Os momentos que a vida aperta são os momentos que Deus se mostra mais presente, tomando as rédeas e nos conduzindo para o caminho da vitória.

DEUS CAMINHA EM MEIO AO SOFRIMENTO

Ele tomou sobre si as nossas enfermidades
e levou as nossas doenças.
Mateus 8:17 (ARC)

Pense num campo de batalha coberto de feridos e você verá Betesda. Imagine uma enfermaria lotada de enfermos, sem ninguém para atendê-los, e você verá o tanque. Visualize os órfãos de Bangladesh ou os abandonados de Nova Délhi, e você terá a mesma visão que as pessoas tinham ao passar por Betesda. O que elas ouviam por lá? Gemidos que pareciam sem fim. O que elas testemunhavam? Um campo de necessitados sem rostos ou identidade. O que faziam? A maioria passava direto... Mas não Jesus. Ele vem sozinho, mas precisam dele... Então ele está lá. Consegue imaginar tal coisa? Jesus caminhando em meio ao sofrimento. Não demora muito e elas descobrem que Deus está passando por ali, sem pressa e pisando com toda atenção entre os mendigos e os cegos.

Você já se sentiu mal estando perto de pessoas com muitas necessidades? Como Cristo se sentiria nesta mesma situação?

PARA OS AMIGOS NO BRASIL

Todos nós temos momentos em que precisamos da ajuda dos outros. Se algum dia iremos precisar da ajuda dos outros, então não podemos virar nossas costas para aqueles que tem necessidade agora. Muitas vezes, a nossa presença é o suficiente para amenizar o sofrimento.

POR QUE NEGAR?

Se afirmarmos que estamos sem pecado, enganamos a nós mesmos, e a verdade não está em nós.

1 João 1:8 (NVI)

Trazemos muito prejuízo a nós mesmos ao justificar nossos erros e esconder nossos pecados. Certa vez, entrou uma farpa no dedo de minha filha Andrea. Levei-a ao banheiro e apanhei algumas pinças, um antisséptico, e um curativo. Ela não gostou do que viu. "Só quero o curativo, papai", protestou. Diversas vezes, fazemos como ela. Vamos a Cristo com os nossos pecados, mas tudo o que queremos é uma cobertura. Fugimos do tratamento. Queremos esconder nossos pecados. E alguns ainda questionam se Deus, em sua grande misericórdia, irá curar o que ocultamos. Como Deus pode operar se o negamos? Como ele pode curar aquilo que encobrimos?

Explique por que Deus não pode curar aquilo que escondemos ou cobrimos?

PARA OS AMIGOS NO BRASIL

Muitas vezes, esquecemos do poder maravilhoso de cura que Deus proporciona em nossas vidas. Esquecemos que ele nos salvou do maior das dores, a vida sem propósitos, e nos dá a chance de viver uma vida plena e satisfeita. Deus não pode agir em nossas vidas se não deixarmos.

Nossos olhos o verão

Agora, pois, vemos apenas um reflexo obscuro, como em espelho; mas, então, veremos face a face.

1 Coríntios 13:12 (NVI)

Já parou para pensar no que acontecerá quando Jesus voltar e você puder vê-lo? Será possível enxergá-lo com toda pureza, sem mácula e no auge de sua força. Você sentirá a sua presença eterna e conhecerá a sua proteção sem limites. E tudo o que ele é, você também será, porque você será transformado na sua imagem. Não foi esta a promessa de João? "Quando Cristo aparecer, ficaremos parecidos com ele, pois o veremos como ele realmente é" 1 Jo 3:2 (NTLH). Uma vez sendo alvo como a neve, você nunca mais pecará, Nunca mais tropeçará em erros. Nunca mais se sentirá sozinho. Nunca mais duvidará. Na volta de Jesus, você habitará na luz de Deus e o verá como ele realmente é.

Faça uma lista de outras coisas que acontecerão quando você encontrar Jesus. O que essas coisas vão significar para você?

Para os amigos no Brasil

Entender o que Deus tem para nós depois da morte é uma tarefa difícil. O céu promete ser o oposto da Terra – ser e ter tudo que esta vida não tem. A perfeição da vida eterna ao lado de Deus supera a nossa capacidade de imaginá-la.

Atraindo nossa atenção

Voltem-se para o Senhor, o seu Deus,
pois ele é misericordioso e compassivo,
muito paciente e cheio de amor
Joel 2:13 (NVI)

Até que ponto Deus iria para chamar sua atenção? Se o Senhor tivesse de escolher entre a sua segurança eterna e o seu conforto terreno, qual você acredita que ele escolheria? E se ele levar você para um lugar distante, outro país, como fez com Abraão? E se ele o chamar de suas férias ou de sua folga? Lembra o que houve com Moisés? Que tal ouvir a voz de um anjo, ou ir parar no estômago de um peixe, tal como Gideão e Jonas? E quanto a uma promoção como a de Daniel ou uma quase demissão como a de Sansão? Deus faz o que for necessário para obter nossa atenção. Não é esta a mensagem da Bíblia? A implacável perseguição de Deus, Deus na caçada, Deus à espreita. Espiando debaixo da cama, atrás de filhos escondidos. Ou mexendo nos arbustos, no encalço de ovelhas perdidas.

De que maneira Deus tem mostrado que ele toma qualquer medida para chamar sua atenção? Pense em alguma situação específica.

PARA OS AMIGOS NO BRASIL

Deus nos persegue. Podemos tentar fugir, mas ele não vai desistir de nós. Quando nos sentimos injustiçados, podemos tentar ignorá-lo, mas Deus nunca vai nos ignorar. Ele acredita em nós mesmo quando não acreditamos em nós mesmos.

SE APENAS...

Assim que já não és mais servo, mas filho; e, se és filho, és também herdeiro de Deus por Cristo.

Gálatas 4:7 (ARC)

Quem sabe, você não tenha muito do que se orgulhar de seu passado . Talvez tenha sido um grosso e miserável. E agora precisa fazer uma escolha. Você se levanta acima do passado e faz a diferença, ou permanece sendo controlado pelo que passou, apresentando desculpas por tudo o que acontece no presente? Muita gente prefere e escolhe a casa do coração, que ainda está enfermo. Corpos saudáveis. Mentes agudas. Porém, sonhos aposentados. Para frente e para trás, eles balançam na cadeira do pesar, repetindo os termos da rendição. Chegue perto, e você os ouvirá: "Se apenas..."

"Se apenas eu tivesse nascido outra pessoa..."

"Se apenas houvesse justiça para mim..."

Talvez você tenha usado essas palavras. Agora mesmo até. Se este é o caso, vá ao Evangelho de João, e leia as palavras de Jesus: "O que é nascido da carne é carne, e o que é nascido do Espírito é espírito" João 3:6 (ARA).

Você aposentou seus sonhos? Como as palavras de João 3:6 podem ajudar você a sair da cadeira do pesar?

PARA OS AMIGOS NO BRASIL

Quais são os seus objetivos, os seus sonhos? A mensagem de Deus é uma de superação do passado e anseio pelo futuro. Apenas traçando objetivos em sintonia com Deus podemos viver uma vida plena. Almeje. Sonhe. Deixe Deus te ajudar a conquistar.

PRESTE ATENÇÃO AOS SINAIS

Teme a Deus e guarda os seus mandamentos;
porque este é o dever de todo homem.
Eclesiastes 12:13 (ARA)

Aqui estão algumas verdades trazidas por Deus e testadas pelo tempo, que definem o modo como você deve conduzir a sua vida. Preste atenção nelas, e tenha uma passagem segura. Ignore-as, e se arrebente contra as escarpas rochosas da realidade:

- Ame a Deus mais do que tenha medo do inferno.
- Escolha um cemitério para tomar decisões importantes.
- Quando ninguém estiver olhando, viva como se alguém o vigiasse de perto.
- Tenha sucesso primeiro em casa.
- Não gaste hoje o dinheiro de amanhã.
- Ore o dobro da quantidade de seus lamentos.
- Deus perdoou você; seria sensato fazer o mesmo com os outros.

Escolha uma das leis descritas acima e escreva como ela afeta sua vida. Como esta lei tem te ajudado?

PARA OS AMIGOS NO BRASIL

O cemitério é um lugar bom para tomar decisões porque a realidade da morte reflete a importância da vida. Do mesmo jeito, os momentos difíceis nos fazem apreciar os momentos de felicidade. Nas contradições da vida, Deus nos mostra lições valiosas.

MÃOS E CORAÇÃO AO ALTO!

Ora, ao Rei dos séculos, imortal, invisível, ao único Deus seja honra e glória para todo o sempre.

1 Timóteo 1:17 (ARC)

Todo o motivo de estar diante do Rei é para poder louvá-lo, para viver em seu esplendor. Louvar — erguer o coração e as mãos, exultar com a voz, cantar seu louvor — é a ocupação daqueles que habitam o Reino. Louvar é o mais importante que qualquer um pode fazer. O que acontece quando louvamos ao Pai? Restauramos a própria cadeia de comando; reconhecendo que quem está no trono é o Rei e que ele salvou o seu povo.

Descreva o que acontece quando você louva ao Pai. Como isto te ajuda na sua caminhada espiritual?

PARA OS AMIGOS NO BRASIL

O simples fato que nós existimos já é uma prova do poder incomparável do nosso Deus. Ele não precisa de nós, mas, mesmo assim, nos chama para um relacionamento pessoal. Louvar a Deus não só mostra gratidão, mas nos aproxima do nosso criador de uma maneira única e especial.

QUAL É O TAMANHO DE DEUS?

Para Deus tudo é possível.

Mateus 19:20 (NTLH)

A natureza é a oficina de Deus. O céu faz parte de seu currículo. O universo é o seu cartão de visitas. Quer saber quem é Deus? Veja suas obras. Quer conhecer o seu poder? Dê uma olhada naquilo que ele criou. Tem curiosidade sobre qual é a sua força? Visite-o em seu endereço: Avenida Céu Estrelado, número 1 bilhão. Ele não é atingido pela atmosfera de pecado, não é controlado pela linha do tempo da História, nem afetado pelo cansaço do corpo. Aquilo que controla sua vida não o controla. O que preocupa você não o preocupa. O que cansa você não o cansa. Uma águia é incomodada pelo trânsito? Não, ela voa acima dele. A baleia é perturbada por uma ventania? Também não, pois ela mergulha e nada nas águas abaixo dela. O leão se assusta por causa de um rato que cruza seu caminho? Não, ele passa por cima do pequenino. Tanto mais é Deus capaz de elevar-se acima, mergulhar debaixo e passar por cima das dificuldades da Terra!

Como você descreveria o poder de Deus?

PARA OS AMIGOS NO BRASIL

Muitas vezes esquecemos que ter um relacionamento pessoal com um ser tão grande, complexo e perfeito é um privilégio incrível. Entender quão pequenos somos perante a imensidão de Deus é muito importante para mantermos os pés no chão e tratar o nosso relacionamento com ele com a seriedade e dedicação adequadas.

A RESPOSTA AOS ARGUMENTOS

Suportem-se uns aos outros e perdoem as queixas que tiverem uns contra os outros. Perdoem como o Senhor lhes perdoou.

Colossenses 3:13 (NVI)

Começamos a ser unidos não quando examinamos os outros, mas nos examinamos. A unidade começa não no exigir que os outros mudem, mas no admitir que não somos tão perfeitos. Que resposta daremos a tais argumentos? Aceitação. O primeiro passo para vivermos em união? Aceitar. Discordância? Aceitar. Algo que nem todos concordem? Aceitar a opinião de quem não concorda. Falta de acordo? Arbitrar uma decisão ou elaborar nova proposta. Mas isto só pode acontecer após darmos o primeiro passo, que é a aceitação.

Explique por que a aceitação é o primeiro passo da união.

PARA OS AMIGOS NO BRASIL

Aceitar não é sinônimo de perder. Aceitar não quer dizer abrir mão dos seus princípios, nem admitir que os outros abusem de você. Aceitar é, antes de mais nada, um processo interno para buscar a vontade de Deus.

O OBJETIVO SUPREMO DE CRISTO

Porque o Filho do Homem também não veio para ser servido, mas para servir e dar a sua vida em resgate de muitos.

Marcos 10:45 (ARC)

Jesus tinha muitas habilidades incríveis. Uma delas era de não errar seu alvo. Sua vida nunca saiu do rumo. Ele mantinha tudo no devido curso. Quando Jesus olhava além do horizonte, em direção ao futuro, visualizava esses alvos. Não faltavam opções para ele. As muitas bandeiras tremulavam ao vento e podiam ser buscadas. Jesus poderia ter sido um revolucionário político. Poderia se contentar em ser um grande mestre e educar mentes. Mas ele preferiu ser um Salvador, e livrar almas. Qualquer um perto de Cristo, ainda que por pouco tempo, teria ouvido dele: "Porque o Filho do Homem veio buscar e salvar o que está perdido" Lucas 19:10 (NTLH). O coração de Cristo estava decididamente concentrado em uma missão. No dia em que ele deixou a carpintaria de Nazaré, tinha um objetivo supremo: a cruz do Calvário.

Qual é o seu alvo na vida? O seu coração está focado nesta tarefa?

PARA OS AMIGOS NO BRASIL

O foco no alvo maior da vida, aquela que irá nos garantir um lugar no céu, não é uma tarefa só para domingo. O nosso dia a dia deveria refletir os nossos objetivos. Jesus viveu cada dia de sua vida buscando cumprir a sua tarefa aqui na Terra. Você pode dizer que está fazendo o mesmo?

NÃO TEMAS

Bendito é homem que confia no Senhor.

Jeremias 17:7 (NVI)

Faltava pouco para Jesus ser crucificado, quando reuniu os discípulos e lhes contou que seria tirado deles. "Você não pode ir agora para onde eu vou. Um dia você poderá me seguir!" João 13:36 (NTLH). Ao falar isso, ele deixou todos curiosos. Em nome dos demais, Pedro questionou: "Por que não posso te seguir agora?" (v. 37). A resposta de Cristo reflete a ternura de um pai por seu filho: "Não fiquem aflitos. Creiam em Deus e creiam também em mim. Na casa do meu Pai há muitos quartos, e eu vou preparar um lugar para vocês. Se não fosse assim, eu já lhes teria dito. E, depois que eu for e preparar um lugar para vocês, voltarei e os levarei comigo para que onde eu estiver vocês estejam também." (João 14:1-3). Resuma tudo isso a uma única frase e ela poderia ser: "Tratem de confiar, e eu trato de os levar comigo".

"Tratem de confiar, e eu trato de os levar comigo." O que esta frase significa para você?Por que confiar em que Jesus está guardando um lugar especial para nós é fundamental para quem nosso trabalho aqui na terra?

PARA OS AMIGOS NO BRASIL

Como todo relacionamento importante, a base da nossa relação com Deus é a confiança. Você confia em Jesus e suas promessas com todo coração? Como isto se reflete na sua atitude e nas suas ações?

NÃO FIQUE COM MEDO

Porque eu, o Senhor, teu Deus, te tomo pela tua mão direita e te digo: não temas, que eu te ajudo.

Isaías 41:13 (ARA)

Você não gostaria de ter um pouco mais de coragem? Tem desistido mais do que perseverado? Várias vezes, Jesus provocou frio na espinha de seus discípulos, deixando-os um tanto quanto "nervosos". Devemos nos lembrar que esses discípulos eram homens comuns, que receberam tarefas para realizar. Antes que se tornassem santos e chegassem aos vitrais das catedrais, eram os vizinhos de alguém, buscavam ganhar a vida e sustentar suas famílias. Eles não foram escolhidos dentre sacerdotes, nem foram criados com leite sobrenatural. Apesar disso, eram um tantinho mais devotados que amedrontados e, como resultado, fizeram coisas extraordinárias. De qualquer forma, temores terrenos não são temores. Faça a grande pergunta da eternidade e as pequenas questões da vida se reduzem em proporção a quase nada.

Você está em busca de coragem para superar seus medos terrestres? Escreva algumas promessas da Palavra de Deus que podem te encorajar.

PARA OS AMIGOS NO BRASIL

Se o nosso futuro está com Deus, o que temos para temer? Se Deus está do nosso lado, quem poderá nos prejudicar? O nosso maior aliado nos garante a vitória.

Deus é quem dá descanso

Porque o meu jugo é suave, e o meu fardo é leve.
Mateus 11:30 (ARA)

O apóstolo Paulo faz uma observação bem interessante sobre como tratamos as pessoas. Ele a fez a respeito do matrimônio, mas o princípio pode ser aplicado a qualquer relacionamento. "Quem ama a sua mulher ama-se a si mesmo" Efésios 5:28 (ARC). Há uma relação entre a forma como você se sente a respeito de si próprio e como se sente em relação aos outros. Se você está em paz consigo mesmo — gosta de si mesmo — viverá bem com os demais. A forma de se relacionar será baseada na verdade. Se você não gosta de si próprio, se você é envergonhado, embaraçado, ou cheio de ira, outras pessoas o saberão. Isto nos leva a indagar: "Como uma pessoa vence esses defeitos e consegue se aliviar de tal carga?". "Venham a mim, todos vocês que estão cansados de carregar as suas pesadas cargas, e eu lhes darei descanso" Mateus 11:28 (NTLH). O Senhor garante ser a solução para o cansaço da alma.

Como você se sente sobre si mesmo? Esse sentimento se reflete na maneira que você trata aos outros?

Para os amigos no Brasil

Nossos sentimentos são ferramentas potentes na mão do inimigo. Por esta razão, a vitória começa dentro de nós mesmos. Deus nos auxilia a cada momento nesta luta, mas parte de nós o impulso para transformar a nossa vida e, consequentemente, a vida das pessoas ao nosso redor.

ELE ESTÁ VOLTANDO

Pois da mesma forma como em Adão todos morrem, em Cristo todos serão vivificados. Mas cada um por sua vez: Cristo, o primeiro; depois, quando ele vier, os que lhe pertencem.

1 Coríntios 15:22-23 (NVI)

Jesus nos fez uma promessa: "Eu voltarei". Sim, as pedras rolarão. Sim, a Terra tremerá. Mas os filhos de Deus não precisam temer; o Senhor prometeu nos levar para estar com ele. Contudo, temos a ousadia de acreditar nisso? Atrevemo-nos a confiar em sua lealdade? Não existe algo em nós pedindo cautela, perguntando se podemos confiar em tais palavras? Como podemos saber que ele fará o que prometeu? Como podemos acreditar que ele removerá as pedras e nos deixará livres? Porque isso não é novidade, ele já fez uma vez.

Explique como nós podemos acreditar que Cristo voltará como ele prometeu.

PARA OS AMIGOS NO BRASIL

As promessas de Jesus se manifestam em nossas vidas diariamente. A nossa fé no seu retorno, no comprimento das suas promessas, é, antes de mais nada, fundamentada no amor e na constância que ele nos mostra dia após dia.

Agosto

Antes, crescei na graça e conhecimento de nosso Senhor e Salvador Jesus Cristo.

– 2 Pedro 3:18 (ARA)

NA TERRA, NADA PODE TE SATISFAZER

Pois nada trouxemos para este mundo e dele nada podemos levar; por isso, tendo o que comer e com que vestir-nos, estejamos com isso satisfeitos.
1 Timóteo 6:7-8 (NVI)

Viver contentes? É algo está definitivamente longe de nós. Nunca estamos satisfeitos. Podemos tirar as grandes férias de nossas vidas. Aproveitarmos todo o sol, diversão e boa comida. Mas já na estrada, voltando para casa, vem o peso pelo fim da viagem e surgem planos para a próxima. Realmente, não há satisfação. Quando ainda somos crianças, ficamos pensando: "Ah, se eu fosse um adolescente". Na adolescência, mudamos: "Puxa, eu queria tanto ser um adulto". Só que crescemos, viramos adultos e: "Se ao menos eu fosse casado". Já como maridos: "Bem que eu poderia ter filhos"... Quer dizer: não estamos satisfeitos. Viver contente é uma virtude difícil. Por quê?

Porque não há nada na Terra que possa satisfazer nosso anseio mais profundo. Desejamos ver a Deus. Tantas despedidas na vida sussurram que um dia iremos — e não estaremos satisfeitos enquanto não formos.

Explique por que contentamento é uma virtude difícil. Quais são os resultados disso?

PARA OS AMIGOS NO BRASIL

Nosso espírito busca união com Deus. Por mais posses que tenhamos, por mais amigos que tenhamos, há um vazio que só Deus pode preencher, porque a ele apenas pertence. Deixe que ele o preencha!

O Mestre Construtor

Refrigera a minha alma; guia-me pelas veredas da justiça por amor do seu nome.
Salmos 23:3 (ARC)

Dói muito ver que as coisas que tanto nos marcaram estão envelhecendo. A cidade onde eu cresci está se deteriorando. Algumas construções estão ruindo e dando lugar a outras, mais modernas. Casas estão sendo demolidas. Até o antigo cinema, onde tive alguns de meus encontros, está com um enorme "Vende-se" pendurado na sua fachada. Queria voltar no tempo, fazer tudo ser novo outra vez. Gostaria de soprar o pó que cobre as ruas... mas não posso. Eu não posso, mas o Senhor pode. Deus "refrigera a minha alma", disse o salmista. Não se trata de mera reforma, mas de completa restauração. Ele também não faz pequenos reparos, disfarçando o velho; ele renova tudo. O Mestre Construtor usará a planta original para uma grande restauração. Ele trará novo vigor. Recarregará a energia. Renovará a esperança. Refrigerará a alma.

Qual a diferença entre reformar algo ou restaurá-lo? Explique como isso é uma boa notícia para aqueles que creem.

Para os amigos no Brasil

Não é maravilhoso saber que aquele que construiu o Universo, que colocou as estrelas no céu, restaura a nossa alma? Veja Isaías 53:5...

Fogo consumidor

Portanto, irmãos, rogo-lhes pelas misericórdias de Deus que se ofereçam em sacrifício vivo, santo e agradável a Deus
Romanos 12:1 (NVI)

O ressentimento é como uma droga para as emoções. Ele aumenta a pulsação do sangue e eleva as energias momentaneamente. Porém, assim como outros entorpecentes, exige doses cada vez maiores e mais frequentes. Existe um momento de grande risco, no qual a ira deixa de ser uma emoção e torna-se um verdadeiro motor. Alguém que faz planos para se vingar acaba se distanciando mais e mais, e sem intenção, da capacidade de perdoar. Para esse tipo de pessoa, estar sem raiva é estar sem combustível. O ódio é o cachorro cheio de fúria que ataca o próprio dono. A vingança é a chama que só aumenta e acaba consumindo o incendiário. A amargura é a armadilha que apanha o caçador. Mas a misericórdia é a alternativa que tem poder para colocar todos eles em liberdade.

Escreva alguns resultados do ódio, da vingança e da amargura que você já observou. De que maneira a misericórdia liberta desses sentimentos?

PARA OS AMIGOS NO BRASIL

Se deixarmos que ele aja, podemos ser as mãos de Deus neste mundo – mãos de amor e misericórdia, trazendo amor onde há ódio, perdão onde há amargura. Por que não se deixar usar pelo Criador de todas as coisas?

Você atraiu o coração de Deus

Como o noivo se alegra com a noiva, assim
se alegrará contigo o teu Deus.

Isaías 62:5 (ARC)

Já prestou atenção em como o noivo olha para a noiva durante a cerimônia de casamento? Eu já. Talvez por estar no melhor lugar para observar isto. Como o ministro da cerimônia, fico bem próximo ao noivo. Se a luz é suficiente e o ângulo adequado, posso até notar um minúsculo reflexo nos olhos dele. O reflexo dela. E a visão dela o lembra do porquê de estar ali. Seu rosto mostra que a tensão ficou para trás e seu sorriso forçado se suaviza. Ele se esquece de que está vestindo um *smoking*. Não pensa na camisa empapada de suor... Quando ele a vê, todos aqueles pensamentos de fugir não passam mais de piadas. Na sua fronte dá para ler: "Quem pode suportar viver sem esta noiva?" E estas são exatamente as mesmas emoções de Jesus. Gaste tempo olhando nos olhos de nosso Salvador e, lá também, você vera uma noiva. Vestida de linho fino. Envolta em pura graça... Ela é a noiva e segue na direção dele... Mas quem é esta noiva por quem Cristo tanto espera? É você. Você atraiu e segurou o coração de Deus.

Deus não consegue viver sem você. Como você responde a esse pensamento?

Para os amigos no Brasil

Todos nós temos momentos em que nos sentimos desamados, abandonados. Quando isso acontecer, é preciso levantar os olhos para aquele que nos ama sobre todas as coisas, e deu Sua vida por nós. Veja Jeremias 31:3.

Os planos de Deus

Agrada-te do SENHOR, e ele satisfará os desejos do teu coração.

Salmos 37:4 (ARA)

Se nos submetemos aos planos de Deus podemos confiar em nossos desejos. Nosso chamado é achado quando se encontram o plano do Senhor e os nossos gostos. O que você mais quer realizar? O que lhe traz alegria? O que lhe proporciona satisfação? Uns se sentem bem quando se dedicam a socorrer os necessitados. Outros preferem tarefas de liderança nos serviços da igreja. Cada um foi criado para servir a Deus de uma forma única. Os desejos mais profundos de nossos corações não são meros acidentes; são recados específicos. Esses anseios do seu coração não devem ser ignorados; são para serem consultados. Assim como a brisa muda a direção do cata-vento, Deus usa as suas paixões para direcionar o rumo de sua vida. Deus é gentil demais para exigir que faça algo que você não gosta.

Pense nos anseios e desejos de seu coração. Será que você está nutrindo-os sob a direção do Senhor, ou está ignorando-os? Como você pode encontrar o cruzamento do plano de Deus e seus próprios desejos?

Para os amigos no Brasil

O Senhor não quer que sejamos infelizes, mas sim vitoriosos, e a única maneira em que isto pode acontecer é se entregamos nossos caminhos a ele. Isaías 55:8-9 diz que nossos caminhos não são os seus caminhos, nem nossos pensamentos são como os pensamentos de Deus. O caminho de Deus e seus pensamentos são mais altos — eles são perfeitos.

NOSSO MAIOR OBSTÁCULO É O PECADO

Mas transformai-vos pela renovação do vosso entendimento.

Romanos 12:2 (ARC)

Mudanças verdadeiras exigem trabalho interior. Você pode alterar as coisas por um dia ou dois, com dinheiro e métodos, mas o "X" da questão é, e sempre será, aquilo que está no seu íntimo. Permita-me ser específico. Nosso maior obstáculo é o pecado. Não as finanças. Não o orçamento. O grande problema é o pecado. Estamos em rebelião contra o nosso Criador. Estamos separados de nosso Pai. Estamos desplugados da fonte da vida. Ter novos governantes ou novas políticas econômicas não arrumará isto. Esse problema só pode ser solucionado por Deus. É justamente por causa disso que a Bíblia usa termos tão fortes e extremos como *conversão, arrependimento, perdido, achado.* A sociedade pode arrumar, mas somente o Senhor pode recriar.

Nossos grandes obstáculos são o pecado e a rebelião – problemas estes que só Deus pode resolver. Explique como isso acontece. Quais são os resultados disso?

PARA OS AMIGOS NO BRASIL

O mundo ao nosso redor é bem diferente dos padrões do Senhor, e é difícil viver uma vida cristã. Contudo, ele nos deu um novo coração, e nos dá a força de seguirmos em seu caminho a cada passo. Se você está tendo dificuldades seguindo-O, pare, baixe sua cabeça e deixe que ele renove seus pensamentos, suas forças, seu coração.

Verdade em amor

Justiça e direito são o fundamento do teu trono; graça e verdade te precedem.

Salmos 89:14 (ARA)

De tudo, a coisa mais difícil de se buscar é a verdade e o amor. Não há erro de português, a frase está gramaticalmente correia. Sei que todo professor de gramática gostaria de usar o plural e deixá-la assim: De tudo, as coisas mais difíceis de se buscar são a verdade e o amor. Mas não é isto que quero dizer. O amor é uma busca difícil. Tanto quanto a verdade. Ainda assim, ponha os dois juntos; corra atrás de amor e verdade ao mesmo tempo, e você estará no rumo certo de sua vida. Amor em verdade. Verdade em amor. Nunca um pelo preço do outro. Nunca o abraço do amor sem a tocha da verdade. Nunca o coração da verdade sem a chama do amor. Perseguir a ambos é a nossa grande tarefa.

Por que a busca por amor e verdade é tão difícil

Para os amigos no Brasil

Jesus disse: "Eu sou o caminho, a verdade e a vida." (João 14:6). Ele uniu os conceitos de amor, verdade e vida eterna, e isso é difícil de entender, mas ele já nos deu a resposta. João 6:47 diz: "Asseguro a vocês que aquele que crê, tem a vida eterna."

A segurança do acreditar

Pois, se fomos unidos com ele por uma morte igual à dele, assim também seremos unidos com ele por uma ressurreição igual à dele.

Romanos 6:5 (NTLH)

Essa sentença não é formidável? "Seremos unidos com ele por uma ressurreição". A ressurreição é a explosão de um fogo que anuncia a todos os discípulos sinceros que é seguro acreditar. É seguro acreditar na justiça suprema. É seguro acreditar em corpos que serão eternos. É seguro acreditar no céu como nosso patrimônio, e a Terra como sua extensão. É seguro acreditar num tempo em que as dúvidas não mais tirarão nosso sono, e a dor não nos deixará caídos. É seguro acreditar em túmulos abertos, em dias sem fim, em louvor verdadeiro. Porque podemos aceitar a história da ressurreição é seguro aceitar todo o demais que a história nos oferece.

A ressurreição é o anúncio, para os buscadores sinceros, de que é seguro crer em uma tumba aberta e em dias sem fim. Explique por quê. Como isso afeta sua fé?

Para os amigos no Brasil

Vivemos em uma sociedade de descrença e desamor, mas Deus preparou para nós um futuro de amor e total confiança. Nunca se esqueça disto.

O VERDADEIRO FILHO DE DEUS

Os discípulos chegaram perto dele
e o acordaram, dizendo:
"Socorro, Senhor! Nós vamos morrer!".
"Por que é que vocês são assim tão
medrosos?", respondeu Jesus.
Mateus 8:25-26 (NTLH)

Medite nesta passagem: "Então, aproximaram-se os que estavam no barco e adoraram-no, dizendo: És verdadeiramente o Filho de Deus" Mateus 14:33 (ARC). Passada a tempestade, os discípulos o adoraram. Eles nunca tinham feito aquilo antes, em conjunto. Nunca. Pegue a sua Bíblia e confirme. Procure só uma ocasião em que os discípulos, a uma só voz, o tenham adorado. Você não achará. Não os verá adorando a Jesus quando ele curou o leproso. Perdoou os adúlteros. Pregou às populações. Eles estavam dispostos a segui-lo. Dispostos a deixar a família. Dispostos a expulsar demônios. Dispostos a servir no exército. Porém, eles o adoraram somente depois daquela experiência no mar. Por quê? Simples. Nessa oportunidade, eram eles que estavam sendo salvos.

Escreva uma oração de louvor pelo que Cristo fez em sua vida.

PARA OS AMIGOS NO BRASIL

Pensamos tanto nos nossos problemas, que nos esquecemos do mais importante. Como Pedro, olhamos as ondas, ao invés de olharmos para Cristo, e afundamos... Seja o que for que você está passando agora, não olhe para os problemas: levante os olhos, e veja o rosto do Senhor.

O VALOR DA ORAÇÃO DOS PAIS

E todos os teus filhos serão discípulos do Senhor;
e a paz de teus filhos será abundante.
Isaías 54:13 (ARC)

Nem pense em não dar valor às palavras de um pai e de uma mãe cristãos. Nunca menospreze o poder produzido quando um pai ou uma mãe pleiteia com Deus a favor de um filho. Quem sabe quantas orações estão sendo respondidas agora, por causa da oração fiel de um pai ou uma mãe, feita há dez ou vinte anos? Deus ouve o clamor dos pais. Orar por nossos filhos é das mais elevadas tarefas. Se nossos compromissos com esta sociedade da pressa e da velocidade estão nos impedindo de orar por nossos filhos, estamos sobrecarregados além dos limites. Não há nada mais especial, mais precioso, que o tempo que um pai ou uma mãe gasta em esforço e busca de Deus por um filho.

Você toma tempo para orar por seus filhos ou outros membros de sua família? Por que é importante não negligenciar essas orações?

PARA OS AMIGOS NO BRASIL

O capítulo 17 de João é a oração de Jesus por nós. É assim que devemos orar pelos nossos filhos e amados, e, tendo feito tudo ao nosso alcance por eles, devemos entregá-los nas mãos do Criador.

VER O INVISÍVEL

Ele fortalece ao cansado e dá grande
vigor ao que está sem forças.
Isaías 40:29 (NVI)

Um exemplo de fé foi encontrado num campo de concentração. Numa parede, certo prisioneiro havia entalhado as seguintes palavras: "Acredito no sol, mesmo se ele não brilhar. Acredito no amor, mesmo quando ele não é demonstrado. Acredito em Deus, mesmo quando ele não fala". Esforço-me para imaginar a pessoa que gravou tais palavras. Tento imaginar sua mão esquálida segurando o caco de vidro ou de pedra que riscou a parede. Creio que seus olhos estavam cerrados, numa tentativa de enxergar em meio à escuridão, enquanto entalhava cada letra. Que mão poderia ter produzido tal convicção? Que olhos poderiam ter visto o bem em meio a um indizível horror? Só há uma resposta: olhos que tomaram a decisão de ver o invisível.

"Olho que escolhe ver o invisível." Explique o que esta frase significa. Em que sentido esta é a base da fé cristã?

PARA OS AMIGOS NO BRASIL

Leia Hebreus 11. Este é o fundamento de nossa fé.

PACIÊNCIA SEM FIM

E a paciência [produz] a experiência;
e a experiência, a esperança.
E a esperança não traz confusão.
Romanos 5:4-5 (ARC)

Normalmente, o Senhor é até mais paciente conosco do que nós mesmos o somos. Nós achamos que, cometemos qualquer erro, não somos nascidos de novo. Se tropeçamos, não somos verdadeiramente convertidos. Se temos os velhos desejos, não devemos ser uma nova criatura. Se você está com muita vontade sobre alguma coisa, por favor, lembre-se: "Pois eu estou certo de que Deus, que começou esse bom trabalho na vida de vocês, vai continuá-lo até que ele esteja completo no Dia de Cristo Jesus" Filipenses 1:6 (NTLH).

Quando você tropeça no seu caminho com Cristo, você questiona seu relacionamento com ele? Explique. Quais as promessas da Palavra de Deus podem lhe dar certeza de sua salvação?

PARA OS AMIGOS NO BRASIL

Todos nós tropeçamos em nossa caminhada com o Senhor. O importante é saber que ele está ao nosso lado em todas as coisas, e que nos ajudará a levantar. E quando o caminho ficar verdadeiramente difícil, ele nos carregará nos seus braços.

Coloque suas preocupações nas mãos de Deus

Enquanto escondi os meus pecados, o meu corpo definhava de tanto gemer.

Salmos 32:3 (NVI)

Faça para si duas perguntas: 1º) Cometi algum pecado e ainda não o confessei? Confessar é contar a Deus que você fez alguma coisa que ele viu você fazer. Ele não precisa ouvi-lo tanto quanto você precisa contar a ele. Se o seu pecado é pequeno demais para ser dito, ou grande demais para ser perdoado, não é você quem decide. A sua tarefa é ser honesto. 2º) Há alguma preocupação em meu coração? "Entreguem todas as suas preocupações a Deus, pois ele cuida de vocês" 1 Pedro 5:7 (NTLH). A palavra em alemão para preocupação quer dizer literalmente "estrangular". O vocábulo grego fala em "dividir a mente". Ambos são exatos. Preocupação é um laço no pescoço e uma distração da mente, e nenhum deles nos é motivo de alegria.

Por que é importante ser totalmente honesto com Deus a respeito de seus pecados e preocupações?

Para os amigos no Brasil

Amigos, nunca se esqueçam de I de João 3:21-23. É para ler, copiar e guardar no coração.

Quais são os seus pontos fortes?

Tendo diferentes dons, segundo a graça que nos foi dada.

Romanos 12:6 (ARA)

Tem certas coisas que gostaríamos de fazer, mas simplesmente não estamos preparados para elas. Eu, por exemplo, tenho o desejo de cantar. Cantar para os outros me daria grande satisfação. Só que eu não daria a mesma satisfação à minha audiência. Paulo oferece conselhos bem úteis em Romanos 12:3: "Tenha uma sã estimativa de suas habilidades" (Philips). Em outras palavras: saiba muito bem quais são suas capacidades. Quando você ensina, as pessoas ouvem? Quando você guia, as pessoas seguem? Quando você administra, as coisas melhoram? Em que área você é mais produtivo? Identifique suas habilidades e se torne especialista nelas. Errar na hora de descobrir nossas habilidades pode nos impedir de fazer as obras únicas para as quais Deus nos chamou.

Você conhece seus pontos fortes? Quais são eles?

Para os amigos no Brasil

Todos nós temos pontos fortes, e devemos usá-los para a glória de Deus. Não perca tempo pensando nos talentos que você não possui – concentre-se nos talentos que possui, e use-os para a glória de Deus.

O TEMPLO DO ESPÍRITO SANTO

Acaso não sabem que o corpo de vocês é santuário do Espírito Santo que habita em vocês, que lhes foi dado por Deus, e que vocês não são de si mesmos?

1 Coríntios 6:19 (NVI)

Você viverá para sempre em seu corpo. Mas ele será diferente, não esqueça. O que agora é torto será reto. O que agora tem defeitos será corrigido. Seu corpo será diferente, mas você não terá um outro corpo. Será este. Tudo o que eu disse muda a visão que você tem dele? Espero que sim. O Senhor tem imenso cuidado por seu corpo. Você também deveria ter. Respeite-o. Eu não disse para você adorá-lo. Eu disse para respeitá-lo. Afinal, ele é o templo de Deus. Cuidado com o modo como você o alimenta, usa e mantém. Você não gostaria que alguém enchesse a sua casa de tranqueiras; Deus também não quer que se faça isto com a dele. Afinal, é propriedade dele, certo?

Você cuida de seu corpo? Faça uma lista das maneiras pelas quais você trata bem seu corpo. Agora faça uma lista das maneiras como poderia tratar melhor o seu corpo.

PARA OS AMIGOS NO BRASIL

Nossa sociedade praticamente adora o corpo humano, então nós, cristãos, pensamos que devemos fazer o oposto. Mas a maneira de Deus não é bem assim. Como em tudo o mais, devemos usar de moderação, porque nosso corpo é sagrado ao Senhor. Nós somos o templo do Espírito Santo!

Deus enxerga o nosso valor

O Senhor não vê como vê o homem. Pois o homem vê o que está diante dos olhos, porém o Senhor olha para o coração.
1 Samuel 16:7 (ARC)

Deus nos enxerga com olhos de Pai. Não deixa de ver nossos defeitos, erros e manchas. Ainda assim, vê também o nosso valor. Jesus sabia algo e isto lhe deu condições de fazer tudo o que ele fez. O que era isso? Parte da resposta é que ele sabia o valor das pessoas. Sabia que cada ser humano é um tesouro. E por causa do seu exemplo, as pessoas não podem ser consideradas apenas motivo de estresse, mas uma fonte de alegria.

Jesus via todo ser humano como um tesouro. Por isso, cada um não era um motivo para estresse, mas sim alegria. Explique por quê. Como você vê a outros?

PARA OS AMIGOS NO BRASIL

Leia I João 3:2 – Jesus sabe que não somos tudo o que podemos ser. Ele acredita em nós...

Falência espiritual

E a sua misericórdia vai de geração em geração sobre os que o temem.

Lucas 1:50 (ARA)

Nossa salvação não nos é dada por causa de alguma coisa que tenhamos feito. Só um deus fraco poderia ser comprado com dízimos. Somente um deus egoísta seria impressionado por nosso sofrimento. Apenas um deus de forte temperamento poderia ser satisfeito com sacrifícios. Somente um deus sem coração venderia salvação como num leilão. E somente um grande Deus faz por seus filhos o que eles não podem fazer por si mesmos. A alegria de Deus é recebida após a rendição, não concedida após a conquista. O primeiro passo para esse deleite é um apelo por ajuda, um reconhecimento de fracasso moral, uma confissão sincera de que se tem muito pouco. Aqueles que experimentaram a presença de Deus declararam falência espiritual, e estão bem cientes dessa crise. De que seus bolsos estão vazios. Não há mais opções. O desejo deles é cada vez maior desde que pararam de exigir justiça; agora o que querem mesmo em suas súplicas é a misericórdia.

Por que devemos ir a Deus com "bolsos vazios"? Explique por que devemos parar de exigir justiça e começar a pedir por misericórdia.

Para os amigos no Brasil

Ninguém é justo o suficiente para Deus, ou bom o suficiente para ele. Ele nos escolheu apesar de nós mesmos, e não porque éramos bonzinhos o suficiente. Não é encorajador saber disto?

BUSQUE SUA SEMELHANÇA

Saibam, portanto, que o Senhor, o seu Deus, é Deus; ele é o Deus fiel, que mantém a aliança e a bondade por mil gerações daqueles que o amam e guardam os seus mandamentos.

Deuteronômio 7:9 (NVI)

Nós somos somente uma ideia saída da cabeça de Deus. Saímos diretamente dele. Sua face. Seus olhos. Suas mãos. Seu toque. Somos seus. Olhe detalhadamente no rosto de cada ser humano no planeta e você vera a semelhança de Deus. Ainda que, algumas vezes, certas pessoas se pareçam mais com parentes distantes, a verdade é que Deus não tem primos, apenas filhos. É impressionante dizer isso, mas somos o corpo de Cristo. Embora possamos não agir como o nosso Pai, não existe verdade maior que esta: somos dele. Não dá para mudar isso. Ele nos ama. Infinitamente. Nada nos pode separar do amor de Cristo (confira Romanos 8:38-39).

"Nada pode nos separar do amor de Cristo." O que essa promessa significa para você? Que diferença ela fez em sua vida?

PARA OS AMIGOS NO BRASIL

Todos nós fomos criados à semelhança de Deus. Isto deveria fazer com que fôssemos caridosos para com nossos semelhantes, e nos aproximássemos deles como Deus se aproxima de nós: com mãos de misericórdia.

UM LUGAR PARA FICAR

E o Senhor te guiará continuamente.
Isaías 58:11 (ARA)

Você esteve lá. Passou da fundação arenosa do vale, e subiu o seu belíssimo afloramento de granito. Você virou as costas aos ruídos, e buscou a sua voz. Afastou-se das pessoas e seguiu o Mestre, enquanto ele o guiava no sinuoso caminho para o topo. Com bondade, o seu Guia lhe pediu que se sentasse na rocha acima da linha das árvores, e olhasse com ele para os picos antigos, que nunca se desgastarão. "O que é necessário é ainda o que é correto", confidencia ele. "Somente não esqueça: você não irá a nenhum lugar onde eu já não tenha estado. A verdade ainda vencerá. A vitória é sua". O topo é terra santa. Um lugar de permanência num mundo de transição.

Você não pode ir a lugar algum amanhã, no qual Cristo já não tenha ido. O que isto significa para você? Como você responde a essa promessa?

PARA OS AMIGOS NO BRASIL

Nossa sociedade está em constante mutação, mas a Palavra nos diz que não há sombra de mudança no nosso Deus. Isto deveria ser um conforto para o cristão – Ele é o mesmo ontem, hoje, e será para sempre. Hebreus 3:18

QUATRO HÁBITOS QUE VALEM O ESFORÇO

Cresçam, porém, na graça e no conhecimento de nosso Senhor e Salvador Jesus Cristo.

2 Pedro 3:18 (NVI)

Crescer é o alvo do cristão. A maturidade é obrigatória. Se uma criança parasse de se desenvolver, os pais certamente ficariam preocupados. Quando um cristão não cresce mais, precisa de ajuda. Se você é o mesmo crente que era alguns meses atrás, cuidado. É melhor fazer um exame completo. Não em seu corpo, mas em seu coração. Não um *check-up* físico, mas espiritual. Posso dar uma dica? Por que você não checa os seus hábitos? Faça desses quatro hábitos uma prática cotidiana, e veja o que acontece. Primeiro, o hábito da oração. Segundo, o do estudo. Terceiro, o de contribuir. E por último, o do companheirismo.

Será que os quatro hábitos (oração, estudo, doação e companheirismo) parte de sua vida diária? Faça uma lista das maneiras como você pode melhorar cada um deles.

PARA OS AMIGOS NO BRASIL

Na nossa sociedade, trabalho, futebol, família e descanso parecem ser as quatro coisas mais importantes na vida. O Senhor não exige que você largue tudo, vá para uma montanha e fique orando e estudando. Não – Ele quer que você alimente seus hábitos de oração, estudo, doação e companheirismo enquanto segue seu dia a dia. Ele não quer santos auto-justos. Ele quer seres humanos melhores.

PRIORIDADES NA VIDA

Tudo o que fizerem, façam de todo o coração, como para o Senhor, e não para os homens.

Colossenses 3:23 (NVI)

Quando surgem os primeiros sinais de que Jesus sabia que era o Filho de Deus? No Templo de Jerusalém. Ele tinha doze anos. Seus pais já haviam ido embora fazia três dias, na viagem de volta a Nazaré, quando deram por sua falta. Ele tinha ficado dentro do Templo, estudando com os doutores. Menino ainda, Jesus já sente o chamado do Senhor. Mas o que ele faz a seguir? Convoca apóstolos, prega sermões e faz milagres? Não, vai para casa, para o seu povo, e aprende o ofício da família. Também é isto que você deve fazer. Quer ter prioridades na sua vida? Faça o que Jesus fez. Vá para casa, ame sua família e cuide do serviço. "Mas, Max, meu chamado é para ser um missionário". Seu primeiro campo missionário é sob o teto de sua casa. O que o faz pensar que acreditarão em você além-mar, se não levam em conta suas palavras debaixo de seu próprio teto?

"Seu primeiro campo missionário é sob seu teto." Explique o que isto significa. Você tem a perspectiva correta em sua vida?

PARA OS AMIGOS NO BRASIL

Jesus não exige que ninguém abandone suas obrigações, ou aqueles que dependem de você, para segui-lo. A menos que ele especificamente prove o oposto sem sombras de dúvidas, Jesus quer que você o siga onde está, e seja um exemplo Dele para os que o rodeiam.

DEUS JOGA NO NOSSO TIME

O Senhor protege os simples; quando eu já estava sem forças, ele me salvou.

Salmos 116:6 (NVI)

No tempo da minha meninice, lembro que as crianças de nossa vizinhança jogavam futebol de rua. No minuto em que chegávamos da escola, deixávamos de lado os livros e tomávamos conta da calçada. O menino que morava do outro lado da rua tinha um pai com um grande braço e uma forte inclinação para o futebol. Tão logo o carro dele apontava na rua, ao voltar do trabalho, pedíamos aos gritos para que viesse jogar conosco. Ele não resistia. Sem pensar duas vezes, ele logo perguntava: "Que time esta perdendo?". E então se juntava ao tal time, que sempre parecia ser o meu. Sua entrada mudava completamente o jogo. Ele era confiante, forte, e, acima de tudo, tinha um plano. Formávamos um círculo à sua volta, ele olhava para nós e dizia: "O.k., meninos, eis o que vamos fazer". O outro lado estava gemendo, antes que deixássemos a reuniãozinha. Repare: não tínhamos apenas um novo plano, mas um novo líder. Ele trazia vida nova à equipe. Deus realiza coisa igual. Não precisamos de um novo jogo; precisamos de um novo plano. Não precisamos trocar de posição; precisamos de um novo atleta. Este jogador é Jesus Cristo, o Primogênito de Deus.

O que Cristo traz ao seu time?

PARA OS AMIGOS NO BRASIL

Em um país onde o futebol é uma das coisas mais importantes para uma grande quantidade de pessoas, podemos entender perfeitamente o que significa ter "aquele" jogador no nosso time. Não é maravilhoso saber que Jesus está jogando no nosso?

APERFEIÇOADO

E jamais me lembrarei de seus pecados
e de suas iniquidades.

Hebreus 10:17 (ARC)

"Assim, com um sacrifício só, ele aperfeiçoou para sempre os que são purificados do pecado" Hebreus 10:14 (NTLH). Destaque o termo *aperfeiçoou*. Repare que a palavra não é *melhorou*. Não é *refinou*. Não é *elevou*. Deus não melhora; aperfeiçoa. Ele não aumenta; completa. Agora entendo que há um sentido no qual somos imperfeitos. Ainda erramos. Ainda tropeçamos. Ainda fazemos bem aquilo que não queremos fazer. E essa parte de nós está, de acordo com o versículo, sendo aperfeiçoada. Todavia, quando se trata de nossa posição diante de Deus, estamos perfeitos. Quando olha para cada um de nós, ele descobre alguém que foi aperfeiçoado por meio daquele que é perfeito – Jesus Cristo.

Quando Deus nos vê, ele nos vê perfeitos através de Cristo. Explique o que isto significa. Como isso afeta seu relacionamento com Deus?

PARA OS AMIGOS NO BRASIL

Imagine um espelho no qual todos os seus defeitos desaparecem. Imaginou? Pois é. Esse espelho é Cristo para nós. Deus não vê o que somos – Ele vê o que nos tornamos em Cristo.

Separado

Mas o fruto do Espírito é amor, alegria,
paz, paciência, amabilidade, bondade,
fidelidade, mansidão e domínio próprio.
Gálatas 5:22-23 (NVI)

No terceiro século, São Cipriano escreveu a um amigo chamado Donato: *Este parece um mundo alegre, Donato, quando o vejo deste belo jardim... No entanto, se eu subisse algumas montanhas altas, e olhasse delas... você sabe muito bem o que eu veria: bandoleiros nas estradas, piratas nos mares; nos anfiteatros, homens matando para deleitar as multidões que aplaudem... Em meio a todas essas coisas, encontrei um povo sossegado e santo... Esse pessoal é desprezado e perseguido, mas não se importa. Eles superaram, o mundo. Este povo, Donato, são os cristãos...* Puxa, que elogio! Um povo *sossegado e santo...* Sossegado. Não chato. Não orgulhoso. Não exigente. Simplesmente sossegado. Santo. Separado. Puro. Decente. Honesto. Que faz o bem.

Quieto. Santo. Puro. Decente. Honesto. Saudável. Que adjetivos você adicionaria a esta lista?

Para os amigos no Brasil

A história contada por São Cipriano nunca deixa de me trazer lágrimas aos olhos. Que sejamos um povo quieto e santo! Não é maravilhosa a maneira como podemos ser melhores do que nós mesmos?

RESGATADO PELO CÉU

Eu lhes asseguro: Quem ouve a minha palavra e crê naquele que me enviou, tem a vida eterna e não será condenado, mas já passou da morte para a vida.

João 5:24 (NVI)

Quando você aceitar que Deus é seu Criador, você o admirará. Quando reconhecer sua sabedoria, aprenderá dele. Quando descobrir a sua força, confiará nele. Mas somente quando Ele o salvar, você o adorará. Nessa história, há o antes e o depois. Antes da sua salvação, você pode deixar sem dificuldades Deus longe. Ele é importante, mas a sua carreira também o é. Assim como o seu *status*, o seu salário... Então chega a tempestade, a agitação desmedida, a luta, os portos seguros se desmontam... O desespero aparece como um nevoeiro; seus pontos de apoio se foram. Em seu coração você sabia que não havia saída. A sua carreira poderá ajudá-lo? Só se você quiser se esconder da tempestade, não escapar dela. Talvez escondendo-se em seu *status* ganhe força? Mas uma tempestade não se impressiona com títulos. A verdade é que, de um momento para o outro, você percebe que só uma alternativa: Deus.

Você se lembra quando finalmente se deu conta de que Deus era a única opção? Descreva como chegou a essa conclusão.

PARA OS AMIGOS NO BRASIL

Leia Salmo 27, e deixe o louvor de Davi encher seu coração.

QUE OS REDIMIDOS CONTEM A HISTÓRIA

E se revestiram do novo, o qual está sendo renovado em conhecimento, à imagem do seu Criador.
Colossenses 3:10 (NVI)

Fico imaginando se Jesus não dá um ligeiro sorriso quando vê sua ovelha perdida chegar vagando ao aprisco — a sua ovelha exausta, ferida, suja que para na porta e, levantando os olhos ao Pastor, pede: "Posso entrar? Eu não mereço, mas, há lugar em seu reino para mais uma?" O Pastor fixa os olhos na pequena e responde: "Entre, este lar é seu". Salvação é o processo terminado, seguro, que ninguém pode tirar de você. A santificação é um processo que dura a vida toda, indo de um degrau de glória ao outro, crescendo em Jesus, jogando para fora o velho e trazendo para dentro o novo. O salmista Davi nos avisa que aqueles que foram redimidos contariam como é isso. Se não estamos contando, é porque nos esquecemos o que é ser redimido. Deixe aqueles que foram redimidos contarem essa experiência!

Descreva como você deixou de lado o velho e tomou o novo.

PARA OS AMIGOS NO BRASIL

Não é gostoso tomar um bom banho ao chegar em casa, colocar uma roupa confortável e sentir-se em paz? Pois é assim que é ser salvo. Você chegou em casa. Deus lhe deu uma nova roupa, e você está em paz, não importa o que está acontecendo "lá fora". No seu coração, você já está no céu.

NOVO VIGOR PARA OS ESFORÇADOS

...A quem anunciamos, admoestando a todo homem e ensinando a todo homem em toda a sabedoria, para que apresentemos todo homem perfeito em Jesus Cristo, e para isto também trabalho, combatendo segundo a sua eficácia, que opera em mim poderosamente.

Colossenses 1:28-29 (ARC)

Vamos analisar o propósito do apóstolo Paulo, que procura *apresentar todo homem perfeito em Jesus Cristo.* Ele sonha com o dia em que cada pessoa será salva em Cristo. Qual era o seu método? Advertência constante e ensino. As ferramentas de Paulo? Verbos. Substantivos. Frases. Lições. Os recursos que também temos. Naquele tempo, era mais fácil que hoje? Duvido. Paulo chamava-o de trabalho. *Para este fim, eu laboro,* escreveu ele. Labor significa trabalho. Trabalho significa lares visitados, pessoas tocadas, aulas preparadas. Como ele realizava tais obras? Qual era a sua fonte para não perder as energias? Ele trabalhava *segundo a sua eficácia, que opera em mim poderosamente.* Enquanto Paulo fazia o seu melhor, Deus operava. E enquanto você trabalha, o Pai atua poderosamente.

Você tem oportunidades de trabalhar para Cristo? Explique como Deus vai fazer o trabalho através de Sua força, e não a sua.

PARA OS AMIGOS NO BRASIL

É muito fácil fazer algo para Cristo. O difícil é deixar que Cristo faça o trabalho através de nós. Isto quer dizer que é preciso estar sempre buscando a Sua vontade, e não a nossa, ao fazer o seu trabalho.

O Senhor sabe o que é melhor

Confia no Senhor de todo o teu coração e não te estribes no teu próprio entendimento.

Provérbios 3:5 (ARA)

O grande mal deste mundo é que ele não serve. Ah, sim, ele servirá por hora, mas não é feito sob medida. Fomos feitos para viver com Deus, mas aqui vivemos pela fé. Fomos feitos para viver para sempre, mas nesta Terra vivemos por um momento. Precisamos confiar em Deus. Confiar não somente que ele faz o que é melhor, mas também que ele sabe o que vem por aí. Medite no que disse o profeta Isaías: "O justo perece, e ninguém pondera sobre isso em seu coração; homens piedosos são tirados, e ninguém entende que os justos são tirados para serem poupados do mal. Aqueles que andam retamente entrarão na paz; acharão descanso na morte" Isaías 57:1-2 (NVI). Uau, que raciocínio! Deus os esta livrando dos dias maus que estão por vir. Poderia a morte ser graça de Deus? Poderia o funeral ser a segurança dada por ele? Tão terrível que é a sepultura, poderia ela ser a proteção de Deus para o futuro? "Confie em Deus", insiste Jesus, "e confie em mim".

Precisamos confiar não apenas que Deus sabe o que é melhor, mas também que ele sabe o que está à frente. Descreva o que isto significa para você.

PARA OS AMIGOS NO BRASIL

Leia Isaías 55:8-11. Como não se encorajar com um Deus assim?

TRANSFORMADO À IMAGEM DELE

Pelo poder que o capacita a colocar todas as coisas debaixo do seu domínio, ele transformará os nossos corpos humilhados, para serem semelhantes ao seu corpo glorioso.

Filipenses 3:21 (NVI)

Que sabemos sobre como serão nossos corpos após a ressurreição? Somente que eles serão diferentes de qualquer coisa que imaginamos. Ficaremos tão diferentes que não será fácil nos reconhecerem? Talvez. (Quem sabe não precisemos de etiquetas ou crachás com nomes.) Atravessaremos as paredes? A expectativa é de que faremos muito mais. As cicatrizes provocadas pelo sofrimentos da vida virão conosco? As marcas da guerra. As desfigurações causadas pelas enfermidades. As chagas da violência. Estas coisas permanecerão em nossos corpos? Aí está uma boa pergunta. Jesus, ao menos por quarenta dias, manteve as dele. Também ficaremos com as nossas? Sobre este assunto ternos apenas palpites, mas o meu é que não as conservaremos. Pedro nos diz que "por meio dos ferimentos dele, vocês foram curados" l Pedro 2:24 (NTLH). Nos registros do céu, um único ferimento merece ser lembrado. E este é o de Jesus. Os nossos não mais existirão.

Apenas uma ferida merece ser lembrada. E esta é a ferida de Jesus. O que isto significa?

PARA OS AMIGOS NO BRASIL

O capítulo 53 de Isaías é uma das promessas de Deus sobre nosso Salvador, e um dos textos mais belos da Bíblia. Leia, amigo. Vai lhe levar às lágrimas saber de tanto amor...

O TRIBUNAL DO MUNDO

Mas receberão poder quando o Espírito Santo descer sobre vocês, e serão minhas testemunhas em Jerusalém, em toda a Judeia e Samaria, e até os confins da Terra.

Atos 1:8 (NVI)

Somos testemunhas. E como testemunhas num tribunal, somos convocados a testemunhar, a contar o que vimos e ouvimos. E temos o dever de contar tudo de forma honesta. Não podemos encobrir ou enrolar a verdade. Nossa tarefa é contar a verdade. Fim. Apesar disso, existe uma diferença entre a testemunha no tribunal e a testemunha de Jesus. No tribunal, a testemunha eventualmente desce da cadeira das testemunhas, mas a testemunha de Cristo nunca o faz. Uma vez que a reivindicação de Cristo está sempre em juízo, o tribunal está sempre em sessão, e nós permanecemos sob juramento.

Descreva uma ocasião na qual você foi chamado a testificar por Cristo. O que isto significou para você? Como afetou sua vida? Como afetou a vida de outros?

PARA OS AMIGOS NO BRASIL

Nunca se esqueça de que somos chamados a testificar por Cristo, e não a julgar a outros. Só há um Juiz, e ele é Deus, em Cristo Jesus.

A ESCOLHA É NOSSA

Eu me casarei com você para sempre; eu me casarei com você com justiça e retidão, com amor e compaixão.

Oseias 2:19 (NVI)

Por todos os seus detalhes únicos e características bem próprias, a Bíblia tem uma história simples. Resumindo: Deus fez o homem. O homem rejeitou a Deus. Deus não desistirá até conquistá-lo de volta. Deus sussurrará. Deus gritará. Ele tocará e puxará. Tirará as nossas cargas, e mesmo tomará as nossas bênçãos. Se houver mil passos entre ele e nós, ele andará todos, menos um. Vai deixar o último para nós. Pois, a escolha é nossa. Não me entenda mal, por favor. O plano de Deus não é fazer você feliz. O seu alvo é fazer você dEle. Não é lhe dar o que você quer: é dar-lhe o que você carece.

A meta de Deus não é lhe dar o que você quer, mas o que você precisa. Como isto afeta a maneira como você responde às circunstâncias em sua vida?

PARA OS AMIGOS NO BRASIL

Nunca se esqueça: nós escolhemos o caminho de Deus porque ele nos amou primeiro. Não há uma só coisa da qual podemos nos gabar em nossa caminhada com ele. Nem mesmo a nossa escolha.

Setembro

Apeguemo-nos com firmeza à esperança que professamos, pois aquele que prometeu é fiel.

– Hebreus 10:23 (NVI)

Justos mais uma vez

Cria em mim, ó Deus, um coração puro e renova em mim um espírito reto.

Salmos 51:10 (ARC)

Muita sede. É assim que estamos. Não sedentos de fama, bens, paixões ou romances. Já bebemos dessas poças. Elas são água insalubre no meio do nada. Não saciam; matam. "Bem-aventurados os que têm fome e sede de justiça." Justiça. É isto. É disto que temos sede. Estamos sedentos de uma consciência limpa. Almejamos um banho de limpeza. Desejamos muito um novo começo. Clamamos por uma mão que entre na escura caverna de nossa existência, e faça por nós a única coisa que não podemos fazer por nós mesmos: tornar-nos justos outra vez.

Qual a definição de justiça? Por que temos fome e sede de justiça? Onde encontramos justiça?

Para os amigos no Brasil

Se você busca um novo começo, se você deseja ter um coração limpo, não se desespere. Deus nos deu a solução. Você pode purificar seu coração através do sangue de Jesus, e começar uma vida inteiramente nova.

Governado pelo amor

Nele temos a redenção por meio de seu sangue, o perdão dos pecados, de acordo com as riquezas da graça de Deus.

Efésios 1:7 (NVI)

Em sua pregação, a liberdade foi um assunto constante para Jesus, mas não qualquer liberdade. Uma liberdade diferente: do tipo que vem, não pelo poder, mas da submissão. Não por meio do controle, mas da rendição. Não por intermédio de posses, mas de mãos abertas. Deus quer emancipar o seu povo; quer colocá-lo em liberdade. Ele almeja que os seus sejam não escravos, mas filhos. Ele busca que sejam governados, não por uma lei, mas pelo amor. Fomos libertados de nossas culpas e de nosso legalismo. Temos a liberdade de orar e de amar o Deus que enche os nossos corações. E fomos perdoados pelo único que tem poder para condenar-nos. Realmente, estamos livres!

Descreva o que significa ser livre em Cristo. Explique como esta liberdade vem do amor, e não da lei.

Para os amigos no Brasil

Geralmente comparamos rendição e obediência com humilhação. Contudo, quando nos rendemos ao amor de Deus e obedecemos a ele, o que sentimos não é humilhação, mas liberdade. Isto porque as leis de Deus não são as leis do homem – a suprema lei de Deus é o amor.

Livres da confusão

Porque onde está o teu tesouro, aí
estará também o teu coração.
Mateus 6:21 (ARA)

A vida mais poderosa é aquela de maior simplicidade. A vida mais poderosa é a vida que sabe para onde vai; onde está a fonte de força. E a vida mais poderosa é a vida livre de confusão, de precipitações, da confiança na mera casualidade. Ser ocupado não é pecado. Jesus era ocupado. Paulo era ocupado. Pedro era ocupado. Nada de grande valor é conseguido sem esforço, trabalho duro e cansaço. Estar ocupado, por dentro e por fora, não é pecado. Contudo, estar ocupado numa busca sem fim de coisas que nos deixam vazios, ocos e arrebentados por dentro não pode deixar Deus contente. Uma das fontes de fadiga do homem é a procura de coisas que jamais o satisfarão. Entretanto, qual indivíduo nunca foi pego nesta procura em alguma oportunidade? Nossas paixões, bens e orgulho — tudo coisas *mortas*. Quando tentamos extrair vida de coisas mortas obtemos somente cansaço e insatisfação.

O que você pode fazer para buscar uma vida mais simples, para manter sua vida livre de confusão e pressa?

para os amigos no Brasil

Há coisas que precisamos fazer e ter que são inevitáveis, porque delas depende o bem-estar presente ou futuro de nossos amados. Trabalho, estudo, cuidar da casa e dos animais de estimação, ocupam muito de nosso tempo. O que fazer a respeito? Entregar nosso dia nas mãos do Senhor, e pedir que ele nos guie e nos ajude a fazer todas nossas tarefas essenciais com alegria e humildade, como para ele, e não para o mundo.

Deus, aquele que nos defende

Só ele é a minha rocha e a minha salvação;
é a minha defesa; não serei abalado.
Salmos 62:6 (ARC)

A seguir, apresento uma questão que gera debates: O que Deus está fazendo quando você se acha numa situação difícil? Quando o bote salva-vidas está afundando? Quando a corda desfiada se rompe? Quando o último centavo se vai antes da quitação da última dívida? Sei o que estamos fazendo. Roendo até as unhas, deixando só o sabugo. Gastando o assoalho de tanto ir e vir. Tomando remédios... Mas o que Deus faz? Ele luta por nós. Ele pisa no ringue, mostra o nosso canto e assume a luta. "Vocês não terão de fazer nada: o SENHOR lutará por vocês" Êxodo 14:14 (NTLH). A tarefa dele é a peleja. A nossa é a confiança. Apenas confie. Não dirija. Nossa missão... Nossa tarefa é orar e esperar.

O que Deus está fazendo, enquanto caminhamos de um lado a outro? Por que roemos as unhas, ao invés de confiar nele e esperar?

Para os amigos no Brasil

Há momentos em que precisamos defender alguém mais fraco, ou nos levantarmos pelo que sabemos que é certo. Que nossa luta, contudo, seja sempre feita com a serenidade e o amor que vêm de um coração humilde que sabe que, na verdade, quem ganha batalhas é o Senhor.

Não entre em pânico

Retenhamos firmes a confissão da nossa esperança, porque fiel é o que prometeu,
Hebreus 10:23 (ARC)

Suas frustrações estão pesando muito? Leia a história dos discípulos a caminho de Emaús. O Salvador, que eles pensavam estar morto, andava ao lado deles. Ele entrou em sua casa e sentou-se à sua mesa. E algo aconteceu em seus corações. "Não parecia que o nosso coração queimava dentro do peito quando ele nos falava na estrada e nos explicava as Escrituras Sagradas?" Lucas 24:32 (NTLH). Na próxima oportunidade em que for desapontado não entre em pânico. Não desista. Apenas seja paciente, e deixe Deus lembra-lo de que ele ainda está no controle. Nada chegará ao fim até que ele diga que de fato terminou.

A escolha é entre pânico ou paz. Há alguma situação em sua vida que lhe causa pânico? Como Cristo quer que você responda a essa situação?

Para os amigos no Brasil

Muitas vezes entramos em pânico, pensando em assaltos, tumultos e acidentes. Sim, eles podem nos preocupar, mas nunca devemos nos esquecer que temos a proteção do Senhor, e que ele jamais nos dará mais do que podemos suportar.

O SALÁRIO DO ENGANO

O que usa de engano não ficara dentro da minha casa; o que profere mentiras não estará firme perante os meus olhos.

Salmos 101:7 (ARC)

Não foi apenas uma vez que ouvi pessoas lembrarem da história de Ananias e Safira com uma risada nervosa, e dizer: "Que bom que Deus não mata mais as pessoas por contarem mentiras". Não tenho tanta certeza assim. Acredito que o salário para o engano ainda é a morte. Não a morte do corpo, talvez, mas a morte de:

Um casamento — A falsidade é um cupim no tronco da árvore genealógica.

Uma consciência — A tragédia da segunda mentira é que ela é sempre mais fácil de ser dita que a primeira.

Uma carreira — Pergunte ao aluno que foi expulso por colar, e ao empregado que foi demitido por fraude, se a mentira compensa.

Poderíamos fazer uma lista com a morte da intimidade, da verdade, da tranquilidade, da credibilidade e do respeito próprio. Mas, talvez a pior morte que provém do engano seja a do nosso testemunho de cristãos. A corte não ouvirá o depoimento de uma testemunha que pisou nas suas próprias crenças. Nem o mundo.

Explique a importância de viver sem engano perante o mundo.

PARA OS AMIGOS NO BRASIL

No mundo em que vivemos, parece que mentir e enganar são a norma nos negócios, na política, na sociedade. Contudo, Cristo nos chama a viver acima da norma, e Deus nos dá coragem para sermos diferentes, e vivermos contra os padrões de pecado do mundo.

Deus ama a verdade

O Senhor odeia os lábios mentirosos, mas se deleita com os que falam a verdade.

Provérbios 12:22 (NVI)

Nosso Mestre tem um código de honra estrito. De Gênesis a Apocalipse, o assunto é um só: Deus ama a verdade e odeia a falsidade. Em 1 Coríntios 6:9-10, Paulo faz uma lista com o tipo de pessoas que não entrarão no Reino dos Céus. O bando que ele apresenta é formado por um grupo maltrapilho daqueles que pecam sexualmente, idolatram, praticam adultério, prostituem-se, enchem a cara, praticam a violência contra as pessoas e — aqui está — mentem sobre os outros. Essa severidade pode surpreendê-lo. *Você quer dizer que a minha conversa fútil e alguns exageros despertam a mesma ira celeste que o adultério e o assalto violento?* Aparentemente, sim. Por que a linha dura? Por que tamanha rigidez? Por uma razão: a desonestidade é totalmente oposta ao caráter de Deus.

Por que a desonestidade é oposta ao caráter de Deus?

Para os amigos no Brasil

Ao ver o mentiroso rico e poderoso, não fique desconsolado. O caminho do Senhor não é o caminho do homem, e o caminho do homem, por mais colorido que pareça no momento, está destinado à destruição.

Bem-aventurados os focados

Servi uns aos outros, cada um conforme o dom que recebeu, como bons despenseiros da multiforme graça de Deus.

1 Pedro 4:10 (ARA)

Dentro de uma ampulheta cabe apenas um pequeno punhado de areia. Dá para compreender isto? Sabe do que estou falando, não? A direção da instituição educacional precisa de um novo tesoureiro. Com o seu conhecimento, experiência, talento, sabedoria, amor pelas crianças e formação em contabilidade, VOCÊ é a pessoa perfeita para o cargo! Nessa disputa de cabo de guerra, você é a corda. "Bem-aventurados os mansos", ensinou Cristo. O termo *manso* não significa fraco. Significa focado, que se domina. É uma palavra usada para descrever um garanhão domesticado. Poder sob controle. Bem-aventurados aqueles que reconhecem as responsabilidades que Deus lhes conferiu. Bem-aventurados aqueles que sabem que há um único Deus, e têm aberto mão de seus interesses. Bem-aventurados aqueles que sabem o que têm a fazer nesse mundo, e se dispõem para fazê-lo.

Você se encontra dividido entre o que os outros querem que você faça e aquilo que Deus quer que você faça? Como você determina o que são suas responsabilidades dadas por Deus?

Para os amigos no Brasil

Há responsabilidades que nos são dadas pelo Senhor: nossos filhos, nossos pais, as pessoas que dependem de nós… Tudo isto são tarefas de amor, e, por mais duras que sejam, precisamos encará-las com alegria. O Senhor nos dará forças para tudo o que requer de nós.

Medo e fé

Por volta da meia-noite, Paulo e Silas oravam e cantavam louvores a Deus, e os outros presos os escutavam.

Atos 16:25 (ARA)

Grandes atos de fé raramente começam com um cálculo bem-planejado. Não foi a lógica que levou Moisés a levantar seu cajado às margens do Mar Vermelho. Não foi uma descoberta da medicina que convenceu Naamã a mergulhar sete vezes no rio. Não foi o sabedoria institucionalizada que fez Paulo abandonar a Lei e abraçar a graça. E não foi um experiente grupo de negociadores que orou numa pequena sala, em Jerusalém, para que Pedro fosse liberto da cadeia. Foi um bando de crentes perplexos, desesperados, encolhidos num canto. Foi uma igreja que não tinha um plano B. Uma congregação que não tinha a quem mais apelar. E nunca eles foram mais fortes. Para plantar cada ato de fé, geralmente, usa-se uma semente de medo.

"Grandes atos de fé dificilmente nascem de um cálculo tranquilo." Explique o que isto significa. O que isto significa para você pessoalmente?

PARA OS AMIGOS NO BRASIL

Fé no meio da tempestade é algo que apenas o Senhor pode nos dar. Seja o que for que está em turbilhão em sua vida, não se esqueça: o Senhor lhe dará forças, se você crer.

ALGUÉM CONHECE A ETERNIDADE?

[Deus]pôs a eternidade no coração do homem.

Eclesiastes 3:11 (ARA)

Não precisamos fazer grandes descobertas para perceber que as pessoas anseiam mais que apenas este mundo. Quando nos deparamos com a dor, ansiamos. Quando encontramos fome, perguntamos por quê. Mortes sem motivo. Lágrimas sem fim. Perdas sem necessidade. Temos as nossas fases. O bebê em nosso peito, a noiva em nossos braços, os raios do sol nas costas. Contudo, até mesmo esses momentos são apenas fugazes brilhos da luz que atravessa a janela do céu. Deus flerta conosco. Provoca-nos. Romanceia. Esses momentos são aperitivos do banquete que está por vir. "O que ninguém nunca viu nem ouviu, e o que jamais alguém pensou que podia acontecer, foi isso o que Deus preparou para aqueles que o amam" 1 Coríntios 2:9 (NTLH). Que passagem estimulante! Notou de que ela trata? O céu está além da nossa imaginação... Em nosso momento mais criativo, em nosso pensamento mais profundo, com nossas faculdades mais elevadas, ainda não temos a menor noção sobre como será a eternidade.

Como você imagina o céu? Você está feliz em saber que o céu está além da sua imaginação? Como isto pode encorajar sua fé?

PARA OS AMIGOS NO BRASIL

Há momentos em que estamos envolvidos em coisas que não são bonitas – um ônibus lotado, uma fila enorme no supermercado, o trânsito... Nessas horas, é uma bênção deixar nosso pensamento vagar nas belezas que Deus nos preparou. Experimente!

De dentro para fora

E eu pedirei ao Pai, e ele lhes dará outro Conselheiro para estar com vocês para sempre, o Espírito da verdade. O mundo não pode recebê-lo, porque não o vê nem o conhece. Mas vocês o conhecem, pois ele vive com vocês e estará em vocês.

João 14:16-17 (NVI)

O cristianismo *faça-você-mesmo* não é muito encorajador para o exausto por dentro e gasto por fora. Autossantificação oferece pouca esperança ao viciado... Em determinada altura, precisamos mais que bons conselhos; carecemos de ajuda. Em certa altura dessa jornada rumo à glória, percebemos que o meio termo é muito pouco. Precisamos de mais. Necessitamos de real auxílio. Ajuda de dentro para fora... Não próximo a nós. Não acima de nós. Não à nossa volta. Mas em nós. Na parte de nós que nem mesmo conhecemos. No coração que ninguém mais viu. No mais íntimo de nosso ser habita, não um anjo, não uma filosofia, não um gênio, mas Deus.

Precisamos de ajuda de dentro para fora. Onde encontramos essa ajuda? Quais são os resultados?

Para os amigos no Brasil

Estamos cercados de filosofias de autoajuda, de ideias de como sermos mais bonitos, mais poderosos, mais isto e mais aquilo... e nada disso nos traz qualquer consolo e satisfação, porque tudo isso vem de fora para dentro. Apenas o amor de Deus pode nos preencher, e fazer de nós aquilo que deveríamos ser.

Vitória final

Digo-lhes verdadeiramente que, se o grão de trigo não cair na terra e não morrer, continuará ele só. Mas se morrer, dará muito fruto.

João 12:24 (NVI)

Fazemos de tudo para continuar vivendo e evitar a morte. Deus, no entanto, garante que, para vivermos, precisamos primeiro morrer. Ao plantar uma semente ela deve morrer antes de crescer. O que enxergamos como uma catástrofe definitiva, Deus vê como um triunfo derradeiro. E quando um cristão morre não é hora de desespero, mas de confiança. Assim como a semente é enterrada, e a camada que a envolve se decompõe, o nosso corpo carnal será enterrado e decomposto. Mas assim como da semente enterrada brota nova vida, o nosso ser ressurgirá em um novo corpo. A semente enterrada na terra florescerá no céu. A sua alma e o seu corpo voltarão a se encontrar, e você será igual ao Mestre.

A morte não é um tempo de desespero para os cristãos, mas um tempo de confiança. O que significa isso? Descreva como isto é verdadeiro em sua vida.

Para os amigos no Brasil

Se você está sofrendo com a perda de um ente querido, encoraje-se com um pensamento: Nós vamos nos reencontrar no Senhor!

Doce depois do descanso

Porque em seis dias fez o Senhor os céus e a terra, o mar e tudo que neles há, e ao sétimo dia descansou.
Êxodo 20:11 (ARA)

O tempo está cada vez mais caro. O valor de qualquer produto depende de sua escassez. E o tempo, que uma vez já foi abundante, agora está indo para quem paga mais... Quando eu tinha dez anos, minha mãe me matriculou na aula de piano. Passar trinta minutos, todas as tardes, preso diante de um piano, era comparado a uma tortura. Apesar desse sentimento, aprendi a apreciar um pouco de música. Eu martelava as teclas. Abusava dos crescendos... Mas tinha um ensino na música que nunca pude obedecer, para desespero de minha professora. O *descanso.* O comando de ziguezague — a semínima — para fazer nada. Faz algum sentido? Para que se sentar ao piano e parar, quando se pode martelá-lo? "Porque", explicou com muita paciência a professora, "a música é sempre mais doce após um descanso". Não fazia sentido para mim, aos dez anos. Mas agora, algumas décadas depois, as palavras soam com sabedoria — sabedoria divina.

Como você descansa? Por que isto é importante para seu bem-estar físico e espiritual?

Para os amigos no Brasil

Muitas vezes, ao chegar em casa depois de um dia de trabalho, você encontra ainda mais trabalho, com crianças, janta, esposo ou esposa... Contudo, às vezes, descansar significa mais do que sentar-se fazendo nada. Significa entregar nossos labores ao Senhor...

O PODER DAS SUAS MÃOS

Mas os justos se manterão firmes em seus caminhos, e os homens de mãos puras se tornarão cada vez mais fortes.

Jó 17:9 (NVI)

Já pensou se alguém produzisse um documentário sobre suas mãos? E se um cineasta resolvesse contar a sua história a partir de suas mãos? A que assistiríamos? Assim como aconteceria com qualquer um de nós, o filme começaria com um punho infantil, depois com um *close* de uma mão pequenina fechada em torno do dedo de uma mãe. E depois? Apoiando-se numa cadeira, enquanto você aprendia a dar seus primeiros passos?... Se fosse exibir esse filme aos amigos, provavelmente teria orgulho de certas cenas: suas mãos estendidas com um presente, colocando um anel no dedo de outra mão, cuidando de uma ferida, preparando uma refeição. E então, lá estaria outra cena: mãos tomando mais do que entregando, exigindo em vez de oferecer... Puxa, que poder têm nossas mãos! Deixe-as por sua própria conta, e elas se tomarão armas: debatendo-se por poder, estrangulando por sobrevivência, seduzindo por prazer. Mas controle-as e elas se tornarão instrumentos de graça — não apenas ferramentas nas mãos de Deus, mas as próprias mãos dele.

Descreva como Deus usa as suas mãos.

PARA OS AMIGOS NO BRASIL

Você sabia que você é as mãos de Deus, para administrar conforto ao mundo? Pense nisto...

Pra falar a verdade

Falai a verdade cada um com o seu próximo.

Efésios 4:25 (ARC)

Você está num dilema, pensando se deve dizer a verdade ou não? Antes de tomar uma decisão, medite: Deus abençoará o meu engano? Ele, que odeia a mentira, abençoará uma estratégia construída em cima delas? O Senhor, que ama a verdade, abençoará um negócio desonesto? Deus honrará o trabalho de um manipulador? Também acredito que não. Passe seu coração por um exame. Faça a si mesmo algumas perguntas difíceis. Estou sendo totalmente sincero com minha(meu) esposa(o) e com meus filhos? Meus relacionamentos são marcados por honestidade? E quanto ao meu ambiente de trabalho ou de estudo? Sou verdadeiro em minhas atitudes? Sou um aluno digno de confiança? Um contribuinte honesto? Você fala a verdade... em todos os momentos? Se não, comece agora mesmo. Não deixe para depois. A marolinha provocada pela mentira de hoje é o vagalhão de amanhã e o tsunami do ano que vem.

Você é completamente honesto em seus relacionamentos? Como isso pode afetar sua vida?

Para os amigos no Brasil

Nós nos acostumamos a "dar um jeitinho", a ter "jogo de cintura", e terminamos aceitando que é assim que se deve ser. Mas Deus não quer que se "dê um jeitinho". Deus quer que sejamos honestos mesmo quando todos ao nosso redor não estão, e mesmo que isto nos custe. Honestidade, para o cristão, não é uma escolha – é o único caminho.

Que Deus!

Ó Senhor, Deus dos Exércitos, quem é semelhante a ti?
És poderoso, Senhor, envolto em tua fidelidade.

Salmos 89:8 (NVI)

Medite no que Deus faz: ele não desculpa nossos pecados, nem compromete o seu padrão. Ele não ignora nossa rebelião, nem diminui as suas exigências. No lugar de desprezar nossos pecados, ele os assume e, inacreditavelmente, coloca a sentença sobre si. A santidade de Deus é honrada. Nossos pecados são punidos. E nós, redimidos. O Senhor faz o que não podemos fazer para que sejamos o que nem ousamos imaginar: perfeitos diante dele.

Em vez de repudiar nosso pecado, Cristo assume nosso pecado. Explique como isso ocorre. Qual é o resultado disso?

Para os amigos no Brasil

A maioria das pessoas "passa a culpa" quando o resultado de algo que fez é ruim. O cristão não deve ser assim. Ele deve se responsabilizar pelos resultados de seus atos, e humildemente reparar os possíveis danos.

Mais do que um nome sobre seu coração

O nome do Senhor é uma torre forte; os justos correm para ela e estão seguros.

Provérbios 18:10 (NVI)

Quando você estiver em dúvida sobre o futuro, procure o *Jeová-Raá*, seu cuidadoso pastor. Quando estiver ansioso quanto às necessidades, converse com *Jeová-Jiré*, o Senhor da providência. Os poderosos o provocam? Peça ajuda *a Jeová-Shalom*, o Senhor é paz. Está fisicamente doente? Com os nervos a flor da pele? *Jeová-Rafá*, o Senhor que cura, é quem olha para você nesse momento. Você se sente como um soldado encurralado atrás das linhas inimigas? Busque seu refúgio em *Jeová-Nissi*, e faça do Senhor a sua bandeira. Refletir sobre dos nomes de Deus trará à sua memória quem o Senhor de fato é. Pegue estes nomes e guarde-os em seu coração. Deus é o Senhor que guia, o Senhor que provê, a voz que na tempestade nos traz a paz, o médico que cura o enfermo, e a bandeira que encoraja o combatente.

Descreva o que significa para você cada um dos nomes de Deus.

Para os amigos no Brasil

Um dos nomes mais doces do Senhor é Jeová Jiré – O Senhor que provê. Quando vemos tanta miséria ao nosso redor, e nos sentimos impotente para fazer alguma coisa, é um consolo saber que podemos pedir a Deus que interceda pelos que sofrem e estão além de nosso alcance ajudar.

Um peso que não dá para aguentar

Livrem-se de toda amargura, indignação e ira, gritaria e calúnia, bem como de toda maldade.

Efésios 4:31 (NVI)

Oh, a opressão cada vez maior do ódio. Começa a trazer prejuízo como a rachadura no vidro do meu para-brisa. Por causa de um caminhão em alta velocidade numa estrada de cascalho, meu vidro ficou trincado. Com o tempo, o trincado tornou-se uma rachadura, e a rachadura, um pagamento deveras perigoso... Eu não podia conduzir meu veículo sem pensar no ignorante que dirigia rápido demais. Embora nunca o tivesse visto, podia descrevê-lo. Ele era algum malandro vagabundo, que enganava a esposa, dirigia com seis latas de cerveja no banco e deixava a televisão tão alta, que os vizinhos não podiam dormir... Você já deve ter ouvido que alguém ficou "cego de raiva". Vou ser direto: o ódio azedará os seus planos e quebrará as suas costas. O fardo da amargura é simplesmente pesado demais. Seus joelhos se dobrarão com tal carga, e seus músculos romperão embaixo do peso. A montanha à sua frente já é bastante íngreme sem a opressão do ódio sobre os seus lombos. A escolha mais sábia — e *única* — é abandonar a ira. Nunca lhe será pedido que dê a alguém mais graça do que Deus já concedeu a você.

Explique por que a graça de Deus nos ajuda a dar graças.

para os amigos no Brasil

É difícil não se sentir enraivecido com a injustiça, com a mentira, os enganos. Tudo isto pesa sobre o nosso coração, e queremos nos revoltar, dar o troco. Contudo, é quando não aguentamos mais que Deus intercede em nossa vida, e nos ajuda a levar o fardo. Não se desanime – e não se esqueça de que, seja o que for, "isso também passará".

Já pensou em ver Deus?

De Sião os abençoe o Senhor, que fez os céus e a terra!
Salmos 134:3 (NVI)

O autor da carta aos Hebreus nos presenteia com um trecho da *Geografia Universal do Céu*. Veja como ele descreve o monte Sião. Ele diz que quando nos aproximarmos do monte, teremos chegado "à cidade do Deus vivo... e aos muitos milhares de anjos, à universal assembleia e igreja dos primogênitos, que estão inscritos nos céus" Hebreus 12:22-23 (ARC). Que montanha! Não será maravilhoso ver os anjos? Saber finalmente como eles se parecem e quem são eles? Imagine a reunião dos primogênitos. O encontro de todos os filhos de Deus. Nada de inveja. Nada de disputa. Nenhuma divisão... Seremos perfeitos. Sem pecado. E pense em contemplar a Deus. Fitar o rosto de nosso Pai. Sentir seus olhos sobre você. Emoções que nunca mais terão fim.

Faça uma lista de algumas das coisas que você espera sobre o céu.

Para os amigos no Brasil

Em pé na parada de ônibus, num dia de chuva, com as multidões passando apressadas, eu me encontrei pensando na cidade de cristal descrita por João. De repente toda a confusão, todo o cansaço, pareceu-me suportável. Não há nada mais maravilhoso do que saber das maravilhas que Deus preparou para nós, os que o amam!

Concentre-se na majestade de Deus

Mesmo não o tendo visto, vocês o amam; e apesar de não o verem agora, creem nele e exultam com alegria indizível e gloriosa,
1 Pedro 1:8 (NVI)

Alguns anos atrás, um sociólogo foi com um grupo de montanhistas numa expedição. Dentre outras coisas, ele observou uma interessante relação entre a cobertura de nuvens e o contentamento das pessoas. Quando não havia nenhuma nuvem e o pico estava à vista, os alpinistas se apresentavam grande vigor e bastante cooperação. Quando as nuvens cinzentas tiravam a visão da montanha, porém, eles ficavam calados e se mostravam mais individualistas. O mesmo acontece conosco. Enquanto mantemos nossos olhos na majestade de Deus, há uma vivacidade em nosso caminhar. Mas deixe nossos olhos focalizarem a lama sob os pés, e rosnaremos a cada pedra e cada fenda que tivermos de transpor. Não sem motivo, Paulo insiste: "Vocês foram ressuscitados com Cristo. Portanto, ponham o seu interesse nas coisas que são do céu, onde Cristo está sentado ao lado direito de Deus. Pensem nas coisas lá do alto e não nas que são aqui da Terra" Colossenses 3:1-2 (NTLH).

Por que é melhor concentrar-se na majestade de Deus do que na sujeira da vida?

Para os amigos no Brasil

Muitas vezes, ficamos tão preocupados com as coisas desta vida, que nem percebemos as maravilhas de Deus à nossa volta. Contudo, a Bíblia nos diz que toda a natureza é testemunha da grandeza divina. Olhe à sua volta e dê graças ao Senhor por viver em um país tão belo como o Brasil!

Guarde a porta

Sejam sóbrios e vigiem. O diabo, o inimigo de vocês, anda ao redor como leão, rugindo e procurando a quem possa devorar. Resistam-lhe, permanecendo firmes na fé, sabendo que os irmãos que vocês têm em todo o mundo estão passando pelos mesmos sofrimentos.

1 Pedro 5:8-9 (NVI)

Você deve admitir, alguns de nós estão com o coração entupido de entulho. Basta qualquer refugo bater à porta, e corremos a abrir. A ira surge e a deixamos entrar. A vingança precisa de abrigo, e a mandamos puxar uma cadeira. A lamentação quer dar uma festa, e lhe mostramos a cozinha. A luxúria toca a campainha, e mudamos os lençóis da cama. Não sabemos dizer não? Muitos não sabem. Para a maioria, o conceito de administração é... bem, baseado mais na improvisação. Pensamos muito sobre administração do tempo, administração do peso, administração pessoal e até administração do couro cabeludo. Mas e quanto à administração do pensamento? Não deveríamos estar tão interessados em controlar nossos pensamentos quanto estamos interessados em controlar qualquer outra coisa? Jesus estava. Como um guarda treinado vigiando o portão de uma cidade, ele policiava sua mente. Ele guardava obstinadamente a entrada do coração... Se ele agia assim, não deveríamos fazê-lo também?

Por que "gerenciamento de pensamento" é uma boa ideia?

Para os amigos no Brasil

Quando há agitação ao nosso redor, torna-se ainda mais importante guardar a porta de entrada de nossos pensamentos, para que mantenhamos a calma e a fé. É impossível ajudar uma causa ou uma pessoa, se seus pensamentos estão em turbilhão ou rebeldia. Pense nisto.

Olhe para cima

Senhor, mostra-nos o Pai, o que nos basta.

João 14:8 (ARC)

As histórias da vida de discípulos corajosos começam com capítulos de imenso terror. Medo da morte. Medo do fracasso. Medo da solidão. Medo de jogar fora a vida. Medo de falhar em conhecer a Deus. A fé começa quando você enxerga Deus na montanha. Mas você está no vale e sabe que não tem forças para escalar até o cume. Você vê que recursos precisaria... vê o que tem... e descobre que não é suficiente para realizar coisa alguma. Moisés tinha um mar à frente e um inimigo atrás. Os israelitas podiam nadar ou lutar. Mas nenhuma opção prometia vitória. Paulo era profundo conhecedor da Lei. Era especializado no sistema judaico. Contudo, um vislumbre de Deus convenceu-o de que sacrifícios e símbolos já não bastavam. A fé que começa com temor o levará para mais perto do Altíssimo.

Descreva uma vez em que você estava no vale e "viu Deus na montanha". O que aconteceu? Como isto afetou você?

Para os amigos no Brasil

Para subir uma montanha, é preciso que você esteja no vale. Para que você veja uma luz, é preciso estar no escuro. Não é de se admirar que o ditado diz: "O caminho de Deus primeiro é para baixo". Leia o Salmo 24:7-10

CONFIE O FUTURO A DEUS

Não se perturbe o coração de vocês.
Creiam em Deus; creiam também em mim
João 14:1 (NVI)

Nossas mentes pequenas são incapazes de lidar com conceitos como a eternidade. Quando o assunto passar a ser um mundo sem fronteiras de espaço e de tempo, não o podemos compreender. Ciente disso, nosso Senhor assume seu lado paternal: *Confie em mim...* Não se inquiete quanto à volta de Cristo. Não fique nervoso por coisas que você não consegue entender. Para o cristão, a volta de Cristo não é um enigma a ser resolvido, ou um código a ser desvendado, mas um dia para ser esperado.

Você responde ao retorno de Cristo com ansiedade ou antecipação? Como ele quer que você responda? Por quê?

PARA OS AMIGOS NO BRASIL

Provérbios 3:5 nos diz: "Confie no Senhor de todo o seu coração e não te se apoie em seu próprio entendimento." Não precisamos nos preocupar com o retorno de Cristo, porque ele não vai nos desapontar, nem tampouco se atrasar. Confie nele!

Nos braços do Pai

Todo aquele que vive e crê em mim nunca morrerá.

João 11:26 (ARC)

Não gostamos de dizer adeus àqueles a quem amamos. Quer seja numa escola ou num cemitério, a separação é difícil. Podemos e até devemos chorar, mas jamais nos desesperar. Eles tiveram sofrimento aqui. Ali, não sofrerão. Eles lutaram aqui. Ali, não lutarão. Nós podemos nos perguntar por que Deus os levou para o céu. Mas eles não podem. Eles compreendem. Eles estão, neste mesmo momento, em paz na presença de Deus. Quando está frio por aqui, temos o conforto de entender que nossos entes queridos estão nos braços aquecidos de Deus. E quando Cristo voltar, novamente também os abraçaremos.

Sempre é uma luta dizer adeus aos nossos amados. De que maneira a certeza de que eles estão nos braços de Deus torna isto mais fácil?

Para os amigos no Brasil

Se você está passando por momentos de tristeza agora mesmo, porque precisou dar adeus a uma pessoa amada, lembre-se de que não há separação ou lágrimas no céu, e conforte-se no pensamento de que "isso também passará", e a eternidade é para sempre!

O melhor ainda está por vir

Também lhe darei uma pedra branca com um novo nome nela inscrito, conhecido apenas por aquele que o recebe.

Apocalipse 2:17 (NVI)

Faz todo o sentido. Os pais adoram chamar os seus filhos de maneira especial, algumas vezes, até diferente. Princesa. Tigre. Docinho de coco. Filhote. Anjo... Não é fascinante pensar que o Pai reservou um nome especial para você também? Um que você nunca ouviu? Achamos que o nome que recebemos é o que manteremos. Mas não. A estrada à frente é tão brilhante, que será necessário um novo nome. Sua eternidade é tão especial, que um nome comum não servirá. Por isso, o Senhor já escolheu um especialmente para você. Há mais para a sua vida do que você jamais pensou. Há mais para a sua história do que você jamais ficou sabendo... Apenas insisto e imploro a você: esteja lá quando Deus sussurrar seu nome.

Deus lhe dará um novo nome, para toda a eternidade. Como isto demonstra o seu amor por você?

Para os amigos no Brasil

Leia Efésios 4:21-23. Mesmo antes de entrar na glória do Senhor, devemos começar a nos preparar para a nova vida, despindo-nos da antiga, para não sermos envergonhados, ao chegarmos à sua presença.

Reconstrução radical

Alegrem-se e regozijem-se, porque grande é a recompensa de vocês nos céus.

Mateus 5:12 (NVI)

Em seu Sermão da Montanha, Cristo não promete expectativas chocantes, nem uma atitude mental arrojada. Mateus 5 fala de uma reconstrução radical de Deus no coração. Observe a sequência: Primeiro, percebemos que somos necessitados (somos pobres de espírito). Depois, vamos nos arrepender de nossa autossuficiência (lamentamos). Renunciamos a posição de chefe, e entregamos o controle a Deus (somos submissos). Estamos tão agradecidos por sua presença, que desejamos mais dele (temos fome e sede). Quanto mais perto nos aproximamos dele, parecemos mais com ele. Não esquecemos mais dos outros (somos misericordiosos). Mudamos nossa perspectiva (somos puros de coração). Amamos os outros (somos pacificadores). Até aceitamos as injustiças (somos perseguidos). Não é uma mudança casual e superficial de atitude. É uma demolição da velha casa e a criação da nova. Quanto mais radical a mudança, maior a alegria. Cada esforço nesse sentido é valioso, porque isto é a alegria de Deus.

Descreva como as reconstruções radicais de Deus afetaram você.

Para os amigos no Brasil

Não é fácil mudar radicalmente para o modelo divino, vivendo em uma sociedade permissiva, onde a mentira, o engano e a violência prevalecem. Contudo, o Senhor promete nos dar forças para continuar – a única coisa necessária é manter os olhos nele.

Deus sabe o que faz

Certo é que falei de coisas que eu não entendia,
coisas tão maravilhosas que eu não poderia saber.
Jó 42:3 (NVI)

É fácil agradecer a Deus quando ele realiza exatamente o que pedimos. Mas a realidade é que nem sempre ele faz o que queremos. Se duvida, pergunte a Jó. Todos os seus bens se perderam, seus filhos morreram, o que antes era um organismo cheio de saúde tornou-se desfigurado pelo monte de furúnculos. De onde vinha esta assolação? Como encontraria qualquer ajuda? Jó vai direto a Deus e argumenta em seu favor. Sua cabeça dói. Seu corpo dói. Seu coração dói. E Deus responde. Não com explicações, mas com outras indagações. Um oceano delas. Após várias dúzias de questões, Jó entendeu. Qual é a chave? Deus não deve nada a ninguém. Nenhum motivo. Nenhuma satisfação. Nada. Se ele as desse, não conseguiríamos entendê-las. Deus é Deus. Ele sabe o que está fazendo. Quando você não puder ver sua mão divina em ação, confie em seu coração.

O que você sabe sobre o caráter de Deus, que lhe permite confiar a ele o seu coração?

Para os amigos no Brasil

Quantos dentre nós confiam intrinsecamente em um amigo, um familiar? Pois a confiança que temos em Deus deve ser ainda maior. Afinal, ele é o único que nunca, mas nunca mesmo, nos falhará.

O CEO DO CÉU

Sobre tudo o que se deve guardar, guarda o teu coração, porque dele procedem as fontes da vida.
Provérbios 4:23 (ARA)

O Senhor deseja que você pense e tenha as atitudes de seu Filho (Filipenses 2:5). Com assim? Simples: podemos ser transformados se tomarmos uma decisão: *A partir de hoje, submeterei meus pensamentos a Jesus.* O Mestre reivindica ser o comandante, o chefe, nosso CEO, tanto no céu, quanto na terra. Ele tem a última palavra em todas as coisas, especialmente em nossos pensamentos. Ele tem mais autoridade, por exemplo, que os seus pais. Seus pais podem dizer que você é um filho ruim, mas Jesus afirma que você é valioso e ele tem autoridade sobre os pais. Cristo tem autoridade também sobre as suas ideias. Suponhamos que você tenha a ideia de querer roubar uma loja. A Palavra, no entanto, afirma que roubar é errado. Se você lhe deu autoridade sobre as suas ideias, a ideia de roubar não pode ficar mais na sua cabeça. Para termos um coração puro, devemos submeter todos os nossos pensamentos à autoridade do Messias. Se estivermos dispostos a isso, ele nos mudará e seremos iguais a ele.

Você já submeteu todos os seus pensamentos à autoridade de Cristo? Explique por que isto é necessário para que nos tornemos como ele.

PARA OS AMIGOS NO BRASIL

Submeter seus pensamentos ao Senhor não significa que você está submetendo sua liberdade a algum patrão celestial. Muito pelo contrário: ao submeter seus pensamentos ao Senhor, ele lhe dá a suprema liberdade. Você não é mais prisioneiro do pecado e da morte.

Vitória sobre a morte

A morte foi destruída pela vitória.
Onde está, ó morte, a sua vitória?
Onde está, ó morte, o seu aguilhão?
1 Coríntios 15:54-55 (NVI)

O fogo que ardia na Igreja do Novo Testamento era a inextinguível convicção de que se Jesus tivesse sido apenas um homem, ele ainda estaria no túmulo. Os primeiros cristãos não podiam silenciar sobre o fato de que a figura que eles viram pendurada na cruz, andava novamente na terra, e aparecera a quinhentas pessoas. Tenhamos humildade para pedir ao Senhor, confiantes no nome de Jesus, que nos traga à memória aquele túmulo vazio. Que nos deixe ver o Jesus vitorioso: o conquistador do sepulcro; que derrotou a morte. E que nos deixe cientes de que teremos, um dia, a mesma vitória.

Jesus desafiou a morte. Ele conquistou o túmulo. Por que isto deve encorajar você? O que isto significa para você pessoalmente?

Para os amigos no Brasil

Esta é a suprema liberdade dos filhos de Deus: através de Cristo, vencemos o estigma e o poder da morte. Como não agradecer a um Deus assim?

DEUS, NOSSO *ABA*

Lembra-te, Senhor, das tuas misericórdias e das tuas benignidades, porque são desde a eternidade.

Salmos 25:6 (ARC)

Há pouco tempo, minha filha Jenna e eu estivemos alguns dias em Jerusalém. Uma tarde, quando deixávamos o portão de Jafa, reparamos que estávamos atrás de uma família judia ortodoxa — um pai e três menininhas. Uma das garotas, talvez com seus quatro ou cinco anos, caiu poucos passos atrás, e não conseguiu mais ver o pai. "Aba!", chamou ela. Ele a notou, e imediatamente estendeu-lhe a mão. Quando o sinal abriu, ele a levou, ao lado das outras irmãs, através do cruzamento. No meio da rua, o pai curvou-se, pegou-a nos braços e continuou em frente. Não é disso que todos precisamos? Um *Aba* que nos ouça quando o chamarmos? Que tome a nossa mão, quando nos sentirmos fracos? Que nos conduza pelos acidentados percursos da vida? Todos nós não carecemos de um *Aba* que nos tome em fortes braços e nos carregue para casa? Todos necessitamos de um pai.

Por que Deus quer que o chamemos em nossa hora de necessidade? Como seu Aba, o que ele proveu para você?

PARA OS AMIGOS NO BRASIL

É um conforto muito grande saber que, se estendemos a mão para Deus, ele nos conduzirá e protegerá. Leia Salmo 27, e dê graças ao Senhor.

Outubro

Assim conhecemos o amor que Deus tem
por nós e confiamos nesse amor. Deus é amor.
Todo aquele que permanece no amor
permanece em Deus, e Deus nele.

— 1 João 4:16

Uma bênção por dia

Oro para que, com as suas gloriosas riquezas, ele os fortaleça no íntimo do seu ser com poder, por meio do seu Espírito.

Efésios 3:16 (NVI)

Todos os dias, a cena se repete incontáveis vezes em vários cantos do Brasil. Ainda é cedo, está escuro, mas está na hora de Marcos ir à escola. Ele pega seus livros, dirige-se até a porta, mas antes para junto a seu pai. "Bênção, pai", pede ele, olhando fixamente para seu rosto. O pai levanta a mão e responde: "Deus te abençoe, meu filho". Pai e filho seguem, cada um, seu próprio caminho do dia. Mas uma bênção foi pedida e uma bênção foi imediatamente concedida. Temos que fazer o mesmo. Como a criança ansiando o favor do pai, cada um de nós precisa de uma recordação diária do amor de nosso Pai celeste.

Faça uma lista de algumas das maneiras com as quais Deus abençoou sua vida. Escreva-lhe uma nota de louvor por sua bondade.

Para os amigos no Brasil

Na nossa vida moderna, abençoar os filhos e amados quando eles saem é uma coisa perdida no passado, então, talvez seja por isso que, muitas vezes, esquecemo-nos de pedir ao Senhor que lance sobre nós as suas bênçãos antes de começarmos o nosso dia. É preciso, então, trabalhar para transformar isso em um hábito.

Uma vida de serviço

Assim nós, que somos muitos, somos um só corpo em Cristo, mas individualmente somos membros uns dos outros.

Romanos 12:5 (ARC)

Fomos alistados na marinha de guerra do Senhor e recrutados para trabalhar em sua embarcação. O navio só tem uma finalidade — fazer-nos chegar em segurança à outra margem. Este não é um barco de cruzeiro; é um encouraçado de batalha. Não fomos chamados para uma vida de lazer; fomos convocados a uma vida de serviço. Cada um com uma missão única. Certas pessoas, tomando conta daqueles que estão se afogando, seguem salvando gente da água. Outras estão ocupadas com o duro embate contra o inimigo e manejam os canhões de oração e louvor. Outras ainda se dedicam à tripulação, alimentando e treinando seus membros. Embora diferentes, fazemos parte do mesmo time. Cada qual pode narrar seu encontro com o capitão, pois cada um recebeu uma convocação pessoal. Todos o seguimos pela prancha da sua graça, sobre o mesmo convés. Um só é o capitão e um só também o destino. Apesar da dureza da batalha, a embarcação está a salvo, porque o nosso capitão é Deus. O barco não afundará. Não precisamos nos preocupar.

Para os amigos no Brasil

Não é preciso sair por aí buscando como servir ao Senhor. Olhe ao seu redor: sua família, seus vizinhos, seus amigos — eles são sua primeira responsabilidade, seu mais sagrado serviço, e não importa o quanto você brilhe em outros campos, se você falhar a eles, o coração de Deus sofrerá.

Descreva seu lugar no serviço do Senhor.

O MAIOR SONHO DO PAI

Nisto consiste o amor: não em que nós tenhamos amado a Deus, mas em que ele nos amou e enviou o seu Filho propiciação pelos nossos pecados.

João 4:10 (ARA)

Estendemos as mãos para tentar tocar a lua, mas mal nos erguemos do chão. Tentamos cruzar o Atlântico a nado, só que não podemos ir além dos recifes. Tentamos escalar o Everest da salvação, mas mal deixamos a base e estamos longe de subir a encosta. A questão é simplesmente complexa demais. Não precisamos de mais suprimentos, ou músculos, ou técnicas; seria melhor, sim, um helicóptero. Você pode ouvir o seu barulho? Deus tem um modo de nos fazer justos para ele (Romanos 3:24). Como é vital abraçar essa verdade. O maior sonho do Pai não é nos enriquecer, nem nos dar sucesso, ou fazer populares, ou virar celebridades. O sonho de Deus é nos forjar retos na sua presença.

O maior sonho de Deus não é nos fazer ricos, mas nos tornar justos com ele. Será que isto faz sentido para a maioria das pessoas? Por quê, ou por que não? Faz sentido para você? Explique.

PARA OS AMIGOS NO BRASIL

Na verdade, Deus quer, sim, nos tornar ricos. Contudo, a maior riqueza do homem é a paz de espírito, e isto é exatamente o que alcançamos quando ele nos justifica.

A porta do seu coração

A mentalidade da carne é morte, mas a mentalidade do Espírito é vida e paz.
Romanos 8:6 (NVI)

Seu coração é uma estufa com terra fértil, preparada para produzir bons frutos. A sua mente é a porta de entrada para o seu coração — o lugar estratégico onde você determina que sementes serão plantadas e quais serão descartadas. O Espírito Santo está pronto a ajudá-lo a controlar e a filtrar os pensamentos que tentam entrar. Ele pode lhe auxiliar a guardar o seu coração. Ele permanece com você na fronteira. Um pensamento se aproxima, um pensamento duvidoso. Você escancara a porta e permite seu acesso? Não mesmo. Você "domina todo pensamento e faz com que obedeça a Cristo" 2 Coríntios 10:5 (NTLH). Você não deixa a entrada desprotegida. Permanece equipado com algemas, pronto a capturar qualquer pensamento que não esteja em condições de entrar.

Explique como sua mente é a porta de entrada do seu coração. Como você pode deixar que o Espírito Santo guarde seus pensamentos?

Para os amigos no Brasil

A Palavra de Deus é o Espírito falando aos nossos corações. Preencha sua mente todos os dias com Sua Palavra, medite sobre elas! Veja o que diz o Salmo 119:105: "A tua palavra é lâmpada que ilumina os meus passos e luz que clareia o meu caminho."

Um grande Salvador

Mas, quando reparou no vento, ficou com medo e, começando a afundar, gritou: "Senhor, salva-me!" Imediatamente Jesus estendeu a mão e o segurou. E disse: "Homem de pequena fé, porque você duvidou?"

Mateus 14:30 31(NVI)

Viemos a Jesus em um momento de muita necessidade. Abandonamos o barco das boas obras. Da mesma forma que Pedro, percebemos que não poderíamos vencer a distância que nos separa de Cristo. Então, clamamos por ajuda. Ouvimos a sua voz e pisamos cheios de medo, esperando que a nossa pequena fé seja suficiente... A fé é um mergulho desesperado do barco do esforço humano, e uma oração para que Deus esteja lá, que possa nos tirar da água. Paulo escreveu sobre este tipo de fé: "Pois pela graça de Deus vocês são salvos por meio da fé. Isso não vem de vocês, mas é um presente dado por Deus. A salvação não é o resultado dos esforços de vocês; portanto, ninguém pode se orgulhar de tê-la" Efésios 2:8 e 9 (NTLH).

Por que temos a tendência de preferir as boas obras à fé? Explique por que isto não é o plano de Deus.

Para os amigos no Brasil

Não há boas obras sem fé, porque é através da fé que ele nos guia a agir de acordo com Seus desígnios para nós. Leia nosso manual de fé: Hebreus 11

Entrar em sua presença

Porque para mim o viver é Cristo e o morrer é lucro.

Filipenses 1:21(NVI)

Da mesma forma que um pai ou uma mãe deve se tranquilizar sabendo que seu filho está na segurança da escola, nós desejamos muito saber que aqueles que amamos estão seguros na morte. Ansiamos ter a resposta positiva de que a alma vai imediatamente estar com Deus. Mas ousamos acreditar nisto? Podemos acreditar? Segundo as Escrituras, sim. A Bíblia surpreende pelo silêncio a respeito dessa fase de nossa existência. Quando menciona o tempo entre a morte do corpo e a sua ressurreição, a Palavra não grita; apenas sussurra. Ainda assim, em meio a esses sussurros, uma firme voz é ouvida. Com autoridade, ela nos garante que, na morte, os cristãos entram de imediato na presença de Deus, desfrutando a alegria da comunhão com o Pai e com aqueles que foram antes.

"Ao morrer, o cristão imediatamente entra na presença de Deus." O que essa promessa significa para você? Como ela o encoraja?

Para os amigos no Brasil

Merecer entrar na presença de Deus não requer uma lista de boas obras, chaves, rituais, palavras bonitas. Entrar na presença de Deus requer apenas a humildade de reconhecer que, sem ele, nada somos.

O tempo não para

Paz e misericórdia estejam sobre todos os que andam conforme essa regra, e também sobre o Israel de Deus.

Gálatas 6:16 (NVI)

Quanto mais velhos ficamos, mais nossa visão tende a se tornar melhor. Não o nosso olhar terreno, mas a nossa visão do céu. Quem passou a vida atrás do céu dá um pulo em sua caminhada, quando a cidade surge à vista. Após a morte de Michelangelo, alguém achou em seu ateliê um pedaço de papel, onde ele escrevera uma instrução ao seu aprendiz. Na caligrafia de sua velhice, o grande artista anotara: "Desenhe, Antônio, desenhe, e não perca tempo". Urgência com todo motivo, Michelangelo. O tempo não para. Os dias se vão. Os anos se esvaem. E o que temos de fazer deve ser feito enquanto há tempo.

Você sente urgência em viver sua vida para Deus? Como isto afeta suas decisões diárias?

Para os amigos no Brasil

Sim, o tempo voa, mas não precisamos nos apressar, ou tentar fazer nosso trabalho rápido para Deus, para fazer mais. Como diz Colossenses 3: 23, "Tudo que fizerem, façam de todo o coração". O Senhor não quer quantidade, mas sim qualidade.

LOUVOR A DEUS

Por meio de Jesus, portanto, ofereçamos continuamente a Deus um sacrifício de louvor, que é fruto de lábios que confessam o seu nome.

Hebreus 13:15 (NVI)

Tu és um grande Deus.
O teu caráter é santo.
A tua verdade é absoluta.
A tua força é sem fim.
A tua disciplina é justa...
Tuas provisões são abundantes para tudo que precisamos.
Tua luz é suficiente aos nossos passos.
Tua graça é na medida para os nossos pecados...
Tu nunca estás adiantado, nunca, atrasado...
Tu enviaste teu Filho na plenitude dos tempos,
e voltarás na sua consumação.
O teu plano é perfeito.
Desconcertante. Complexo. Preocupante.
Mas perfeito...

"He Reminded Us of You"
(Oração por um amigo)

O plano de Deus pode, muitas vezes, ser enigmático e perturbador, mas é sempre perfeito. Como isto afeta a maneira como você responde às circunstâncias da vida?

PARA OS AMIGOS NO BRASIL

Por que o plano de Deus é, muitas vezes, enigmático e perturbador? Isaías 55:8-9 nos explica: os pensamentos e caminhos de Deus são mais altos que os nossos...

Um lar para o coração

Aquele que habita no abrigo do Altíssimo e descansa à sombra do Todo-poderoso.

Salmos 91:1 (NVI)

Muito provavelmente, você dedica poucos pensamentos à morada de sua alma. Edificamos casas sofisticadas para nossos corpos, mas as nossas almas são esquecidas em qualquer barraco na ladeira, onde entram os ventos e nos arrepiam de noite e chove mais dentro do que fora. Desse jeito, você ainda se admira de que o mundo esteja repleto de corações gelados? Não precisa ser assim. Não temos de viver expostos, ao relento. Não é a vontade de Deus que o seu coração vague sem rumo, tal qual um beduíno. O Senhor quer que você saia das intempéries e viva com ele. Debaixo do seu teto há espaço sobrando. Em sua mesa, está servido um prato a mais. Em sua sala de estar, uma cadeira de balanço foi colocada especialmente para você. E ele deseja que você fixe residência em sua casa. Por que ele deseja tanto dividir sua casa? Simples: ele é seu Pai.

Será que você já "saiu do frio" e foi morar com Deus? Como isto mudou a sua vida?

Para os amigos no Brasil

Além do maravilhoso pensamento de que Deus nos recebe para morar com ele, e nos preparou um lugar no céu, é muito encorajador saber que em Suas moradas não somos visitas, mas sim filhos!

ESPERANDO PELO QUE VIRÁ

Mas o Dia do Senhor virá como o ladrão de noite, no qual os céus passarão com grande estrondo... Que pessoas vos convém ser...?

2 Pedro 3:10-11 (ARC)

Uma questão e tanto. Que tipo de pessoas devemos ser? Pedro nos aconselha: "vivendo de maneira santa e piedosa, esperando o dia de Deus e apressando a sua vinda" versos 11 e 12 (NVI). A esperança do futuro não é um pedido de licença para agirmos sem qualquer responsabilidade no presente. Aguardemos com ansiedade, mas aguardemos. Para a maioria de nós, esperar não é problema. Ou, talvez fosse mais correto eu dizer: esperar é problema. Somos tão bons em esperar, que não esperamos *ansiosamente.* Esquecemos de ficar de olho... Estamos satisfeitos demais. Dificilmente examinamos o céu. Raramente, ou melhor, nunca permitimos ao Espírito Santo interromper os nossos afazeres e projetos para nos levar à adoração e à presença de Cristo.

O que determina se estamos vivendo uma vida santa? Será que vivemos essa vida pelos nossos próprios esforços? Explique.

PARA OS AMIGOS NO BRASIL

É importante manter os olhos no que virá, no que Deus prometeu em Sua Palavra, porque isto faz com que viver aqui, agora mesmo, no meio de mundo de mentira e engano, muito mais fácil.

Encontrando o bom no ruim

Abençoai os que vos perseguem,
abençoai e não amaldiçoeis.
Romanos 12:14 (ARA)

Tente encontrar alguém pior que Judas. Difícil de encontrar, não? Alguns dizem que ele era um homem cheio de boas intenções, mas com um tiro que saiu pela culatra. Não compartilho desse pensamento. A Bíblia mesmo afirma que Judas era ladrão (João 12:6). O homem era um falsário. De qualquer forma, conseguiu viver na presença de Deus, experimentar os milagres de Cristo, e passar ileso. Finalmente, escolheu ter dinheiro a manter o amigo, e vendeu Jesus por trinta moedas de prata. Judas era um tratante, um enganador, um inútil. Como alguém o enxergaria de outra maneira? Não sei, mas Cristo enxergou. A centímetros do rosto de seu traidor, Jesus olhou para ele e disse: "Amigo, o que o traz?" Mateus 26:50 (NVI) O que Jesus viu em Judas que o fizesse merecedor de ser chamado de amigo, não consigo imaginar. Entretanto, Jesus não mente, e naquele instante, percebeu algo bom num homem realmente mau, uma pessoa ruim. Por isso, pode nos ajudar a fazer o mesmo com aqueles que nos prejudicam.

Há pessoas que feriram a Deus? Por que Deus quer que você os chame de amigos?

Para os amigos no Brasil

Jesus chamou Mateus ANTES que ele parasse com seu trabalho infame de ferir o povo coletando impostos. Quer dizer, Jesus viu além do que Mateus era – Ele viu o que Mateus ia se tornar. Pense em como isto pode ajudar você no seu relacionamento com aqueles que o ferem.

Um Pai fiel

Ele é a Rocha, as suas obras são perfeitas,
e todos os seus caminhos são justos.
É Deus fiel, que não comete erros; justo e reto ele é.
Deuteronômio 32:4 (NVI)

Fazer de Deus o Senhor é aceitar sua soberania e supremacia no universo. Aceitá-lo como Salvador é receber a sua dádiva de salvação oferecida sobre a cruz. Considerá-lo Pai é dar um passo a mais. Idealizando, um pai é aquele em sua vida que provê e protege. É exatamente isto o que Deus tem feito. Ele tem trazido provisões para as suas necessidades (Mateus 6:25 a 34). Ele o tem guardado do mal (Salmos 139:5). Ele adotou você (Efésios 1:5), e lhe deu o seu nome (1 João 3:1). Deus tem provado ser um Pai fiel. É a nossa vez de sermos filhos que confiem.

Escreva cada um dos versos acima mencionados. Descreva o que cada um deles diz que Deus fez por você. Como você quer responder às provisões de Deus?

Para os amigos no Brasil

Se você sente que o Senhor não proveu alguma de suas necessidades, olhe à sua volta, e veja aqueles que possuem ainda menos. Isto não muda a sua perspectiva?

A voz da aventura

O Senhor é a minha luz e a minha salvação; de quem terei temor? O Senhor é o meu forte refúgio; de quem terei medo?
Salmos 27:1 (NVI)

Para Jesus, as alternativas estão postas na mesa. De um lado, está a voz da segurança. Você pode ligar o aquecedor, acomodar-se em casa, e ficar quentinho. O que melhor do ficar acomodado? Sentar e esperar... Afinal, não há risco de cair se não tomar nenhuma decisão... Você não perderá o equilíbrio se nunca escalar, certo? Então não tente. Siga no caminho seguro. Por outro lado, você pode prestar atenção à voz da aventura — a aventura de Deus. Em vez de ligar o aquecedor, acenda o fogo em seu coração. Siga os impulsos de Deus. Adote uma criança. Mude-se para o exterior. Dê aulas naquela escola da periferia. Troque de carreira. Candidate-se a um cargo eletivo. Faça a diferença. Pode não ser nada seguro, mas, para ser sincero, o que é?

Por que temos a tendência de sempre escolher o lado seguro? Será que há um fogo no seu coração? O que você pode fazer para dar um passo em direção à aventura de Deus em sua vida?

Para os amigos no Brasil

Com a insegurança econômica, o turbilhão político e os perigos sociais, talvez você fique ansioso sobre seguir o chamado de Deus a uma nova aventura em sua vida. Se é assim, leia Êxodo 3 — como Deus chamou Moisés para fora de sua segurança, a fim de usá-lo na salvação do povo de Israel...

Pode chamar de graça

Para que, sendo justificados pela sua graça, sejamos feitos herdeiros, segundo a esperança da vida eterna.

Tito 3:7 (ARC)

Você pode ser uma pessoa de respeito. Você pode pagar impostos, dar carinho aos seus filhos e colocar a cabeça no travesseiro com a consciência limpa. Ainda que faça tudo isso, separado de Jesus, você não é santo. Se é assim, como ir para o céu? Creia somente. Aceite aquilo que já foi realizado, a obra de Cristo na cruz. Aceite a bondade de Jesus. Deixe a confiança em suas próprias obras, e aceite as dele. Vá à presença do Senhor no nome de Jesus, não no seu. Isso é fácil? Não, mas outras coisas também não foram nada fáceis. A cruz era pesada, o sangue era real e o preço, bem, não tinha preço. Ele nos teria levado à falência, e Jesus o pagou por nós. Chame-o de simples. Chame-o de dom. Mas não o chame de fácil. Melhor: chame-o daquilo que realmente é. Chame-o de graça.

Nossa decência, nossa bondade, nossas obras, nunca poderão preencher os requisitos de Deus. Só Cristo se qualifica. Explique por que nunca podemos merecer a salvação.

Para os amigos no Brasil

Não existe promoção no serviço do Senhor, simplesmente porque nosso serviço para ele não é nosso meio de receber quaisquer bênçãos. As bênçãos do Senhor são gratuitas – nosso serviço é apenas agradecimento.

DEUS, O SEU LAR

Deus é espírito; e importa que os seus adoradores o adorem em espírito e em verdade.

João 4:24 (ARA)

Não pense que você está distante de Deus, ele na extremidade de uma grande escadaria e você na outra. Não aceite qualquer insinuação de que o Senhor está em Vênus, enquanto você está na Terra. Como Espírito (João 4:24), Deus está próximo de você: o próprio Deus é o nosso teto. Ele mesmo é a nossa parede. E ele mesmo é o nosso alicerce. Moisés conhecia o assunto. "Senhor", escreveu ele, "tu és o nosso refúgio, sempre, de geração em geração" Salmos 90:1 (NVI). Que ideia tremenda: Deus é o seu lar. O seu lar é o lugar onde você pode deixar os calçados de lado, comer picles com biscoito salgado e não se preocupar com o que os outros pensarão se o virem de roupão. A sua casa lhe é bem conhecida. Ninguém precisa lhe indicar onde fica o seu quarto. Deus pode lhe ser familiar da mesma maneira. Com o passar do tempo, você pode aprender onde encontrar alimento, onde se esconder das tempestades e para onde se voltar em busca de direção. Assim como a sua casa daqui é um lugar de refúgio, a casa de Deus é um lugar de paz. A casa de Deus nunca é roubada; as suas paredes nunca são demolidas.

Que passos você pode dar para conhecer melhor a Deus?

PARA OS AMIGOS NO BRASIL

Não importa se você mora em um apartamento de cobertura ou em uma casinha no bairro mais pobre. Não importa se seus móveis são caros ou baratos. Nada disso importa, simplesmente porque seu lar aqui nesta terra na verdade não é seu – ele é apenas um lugar de passagem. Seu verdadeiro lar é o de Deus.

No princípio era aquele que é a Palavra

Ele estava com Deus, e era Deus.

João 1:1 (NVI)

Ao longo dos anos, a Bíblia já foi proibida, queimada, caluniada e ridicularizada. Estudiosos têm analisado ela como se fosse coisa de louco. Reis a têm decretado ilegal. Milhares de vezes já lhe foi aberta a sepultura, e o canto fúnebre ouvido. Contudo, a Bíblia não permanece destruída. Ela não somente tem sobrevivido, mas triunfado. Singular, é a obra de maior popularidade da História. Por muito tempo, tem sido o livro mais vendido em todo o mundo. Não há explicações materialistas para tal fenômeno. De que forma explicar essa trajetória vitoriosa? A resposta é que a longevidade da Bíblia não se encontra na Terra; acha-se no céu. Para milhões que têm colocado à prova aquilo que ela diz e solicitado o cumprimento de suas promessas, há uma única resposta: a Bíblia é o livro e a voz de Deus. O propósito das Escrituras é proclamar o plano e a paixão de Deus para salvar seus filhos. Esta é a razão por que este livro tem se mostrado verdadeiro no decorrer dos séculos. Ele é o mapa do tesouro, que nos guia ao tesouro mais elevado do Senhor, a vida eterna.

Descreva alguns dos tesouros que você encontrou na Palavra de Deus.

Para os amigos no Brasil

A Bíblia é onde podemos encontrar o nosso rumo, bem como quando buscamos por um endereço no GPS ou no mapa. A diferença é que, se seguimos a Palavra de Deus, jamais vamos perder nosso rumo!

COMEMORANDO A SALVAÇÃO

Contudo, alegrem-se, não porque os espíritos se submetem a vocês, mas porque seus nomes estão escritos nos céus".

Lucas 10:20 (NVI)

Segundo Jesus, nossas decisões têm um impacto termostático sobre o mundo invisível. Nossas ações no teclado do mundo acionam os martelos sobre as cordas do piano do céu. Nossa obediência puxa a corda e faz soar os sinos das torres celestiais. Permita que um filho chame, e veja os atentos ouvidos do Pai se inclinarem para ele. Melhor: permita que um pecador se arrependa para que todos os demais compromissos sejam interrompidos e o mundo espiritual entre em festa. Nem sempre partilhamos de tamanho entusiasmo, não é? Ao ouvir que fulano ou ciclano foi salvo, você deixa tudo e comemora? O que é um bom dia se torna um ótimo dia ou o mal dia é transformado pela boa-nova? Podemos ficar contentes, mas... exultantes? Quando uma pessoa é salva, o coração de Cristo vira um autêntico céu estrelado, radiante com fogos de alegria. O mesmo vale para nós?

Você se lembra do dia em que se arrependeu perante o trono do Pai? Descreva-o. Como você pode celebrar o arrependimento de outra pessoa?

PARA OS AMIGOS NO BRASIL

Você se lembra das celebrações de quando o Brasil ganhou a Copa do Mundo? Pois é. A celebração no céu é ainda maior, quando uma só alma se salva.

O sorriso de Deus

Inclina os teus ouvidos, ó Deus, e ouve; abre os teus olhos e vê a desolação da cidade que leva o teu nome. Não te fazemos pedidos por sermos justos, mas por causa da tua grande misericórdia.

Daniel 9:18 (NVI)

Seria tão bom se pudéssemos ver o sorriso de Deus, ouvir sua saudação dirigida a nós como salvos, e tão somente nos alegrássemos com ele, e o agradecêssemos, e vivêssemos como aqueles que receberam uma dádiva sem preço do grande Rei... Mas raramente isso acontece. Preferimos receber salvação de uma maneira ultrapassada: em troca de trabalho. Aceitar a graça é confessar a falta, aquele passo que hesitamos dar. Preferimos impressionar ao Senhor com o quanto somos bons, em vez de reconhecer quão grande ele é. Ficamos embaralhados com doutrinas. Sobrecarregados com regras. Achamos que Deus vai sorrir somente com nossos esforços. Mas ele não sorri. O sorriso divino não é para aquele que anda com saúde de ferro, que se orgulha de ter feito a jornada sozinho. Diferente disso, é para o leproso machucado, que implora a Deus por um lombo em que possa subir, repousar, cavalgar.

Por que escolhemos impressionar a Deus com o quanto somos bons, em vez de confessar o quanto ele é grandioso?

Para os amigos no Brasil

Você se lembra daquele poema no qual o homem vê as pegadas de apenas uma pessoa na areia, e pensa que estava caminhando sozinho? A resposta do Senhor sempre me comove: "Quando você viu as pegadas de apenas uma pessoa, amigo, é porque eu estava carregando você"...

CONFIANÇA NO PAI

Cantai, ó céus, alegra-te, ó terra, e vós, montes, rompei em cânticos, porque o SENHOR consolou o seu povo e dos seus aflitos se compadece.

Isaías 49:13 (ARA)

Se neste ano você tiver que passar sozinho um aniversário de casamento, Deus lhe fala. Se o seu filho deixou esta vida antes mesmo entrar para o jardim de infância, Deus lhe fala. Se os seus sonhos foram sepultados junto com o caixão baixado à cova, Deus lhe fala. Ele fala a todos que já estivemos ou ainda estaremos de cabeça baixa, na terra fofa, à beira de um túmulo. A esses e a nós ele dá a sua palavra de confiança: "Irmãos, não queremos que vocês sejam ignorantes quanto aos que dormem, para que não se entristeçam como os outros que não têm esperança. Se cremos que Jesus morreu e ressurgiu, cremos também que Deus trará, mediante Jesus e com ele, aqueles que nele dormiram" 1 Tessalonicenses 4:13-14 (NVI).

Você já parou ao lado de um túmulo aberto? Como você se sentiu? Quais são as promessas reconfortantes de Deus para você?

PARA OS AMIGOS NO BRASIL

Se você está sofrendo alguma perda, por favor, leia Isaías 49. Este é um dos textos de conforto mais belos que há. Leia-o, e deixe que o bálsamo do amor de Deus conforte seu coração.

O NOME É "ESCOLHA"

Escolhe pois a vida, para que vivas, tu e a tua descendência, amando ao Senhor teu Deus, dando ouvidos à sua voz, e achegando-te a ele.

Deuteronômio 30:19-20 (NVI)

Com uma pá, ele foi amontoando barro sobre barro, até que o chão inanimado aparecesse. Só havia silêncio no momento em que o Criador penetrava em si mesmo e retirava algo invisível. "O nome é 'escolha'. A semente da escolha." Dentro do homem, Deus plantou a semente divina. Uma semente dele próprio. O Criador havia feito, não uma criatura, mas outro criador. Ele, que escolheria futuramente amar, criou aquele que, em troca, poderia amar. E agora, qual é a sua escolha?

Deus não queria robôs respondendo ao seu amor. Ele queria humanos escolhendo o seu amor. Explique como isso indica a profundidade de seu amor por você. Será que ele escolhe amar mesmo aqueles que não o amam?

PARA OS AMIGOS NO BRASIL

O homem é o único animal capaz de fazer escolhas. Quer dizer, ele o único que pode escolher entre o bem e o mal. Esta é a parte do homem que Deus criou igual a si mesmo, porque em nós ele não criou mais um animal. Ele criou seus filhos.

Faça alguma coisa

Porque, assim como o corpo sem o espírito está morto, assim também a fé sem obras é morta.

Tiago 2:26 (NVI)

Fé não é acreditar que Deus fará aquilo que você deseja. Fé é a crença de que Deus fará o que é correto. Deus está sempre próximo e sempre à disposição. Só esperando você chamar. Deixe-o saber que você quer falar com ele. Demonstre a sua devoção. Escreva uma carta. Peça perdão. Seja batizado. Ajude os necessitados. Ore. Ensine. Vá. Tome uma atitude de fé. Porque fé sem fazer algo não é fé. *Deus responderá.* Ele nunca rejeitou um ato verdadeiro de fé. Jamais.

Faça uma lista do que você pode fazer para demonstrar sua fé. Como você quer que Deus responda?

Para os amigos no Brasil

Leia Hebreus 11 e veja o que os antigos fizeram provando sua fé. E se eles fizeram tudo aquilo, como não fazer o pouco que Deus nos pede?

UM DEUS NÍTIDO E CLARO

Ainda que eu passe por angústias,
tu me preservas a vida da ira dos meus inimigos;
estendes a tua mão direita e me livras.
Salmos 138:7 (NVI)

Em uma janela de seu coração, você pode ver a Deus. Houve um tempo em que esta janela estava clara. A sua visão do Senhor era nítida. Você podia ver a Deus tão vividamente como podia ver um vale ou uma suave colina. De repente, a janela ficou toda trincada. Uma pedrada a acertou. Uma pedra de dor. E o Senhor já não podia ser visto sem grande esforço. A visão que fora tão nítida havia ficado embaçada. Você ficou confuso. Deus não permitiria algo desse tipo? Quando não puder vê-lo, confie nele. Jesus está mais perto do que você pensa.

A janela de seu coração já foi quebrada por uma pedrinha de dor? Qual a melhor maneira de reagir nessas horas? Qual a maneira mais prejudicial?

PARA OS AMIGOS NO BRASIL

Mesmo quando você não consegue enxergar à frente, porque as lágrimas o cegam, o caminho ainda está lá, a paisagem, as pessoas. As coisas não deixam de existir porque você não as pode ver. Não se esqueça disto, quando sua dor for tão grande, que você não consegue ver Deus...

Uma só palavra

Ao vencedor, que guardar até ao fim as minhas obras, eu lhe darei autoridade sobre as nações.

Apocalipse 2:26 (ARA)

Já parou para meditar o que aconteceria se Deus não estivesse nesse planeta? Se você acha que as pessoas são cruéis, imagine sem a presença do Senhor. Você acha que somos brutos e violentos. Agora, imagine o mundo sem o Espírito Santo que transforma os homens. Você acha que há solidão, desespero e culpa. Pense na vida a mão de Cristo. Sem perdão. Sem esperança. Sem qualquer demonstração de bondade. Sem palavras de amor. Não tendo mais alimento dado em seu nome. Sem músicas entoadas em seu louvor. Sem proezas feitas em sua honra. Se Deus levasse embora os seus anjos, a sua graça, a sua promessa de eternidade e os seus servos, como seria o mundo? Resumindo com uma só palavra: inferno.

Faça sua própria lista das coisas que ficariam faltando sem o toque de Jesus. Como isto o encoraja?

Para os amigos no Brasil

Leia o Salmo 19. Este é o mundo com Jesus!

O QUE O CÉU CONTÉM

Eu lhes digo que, da mesma forma, há alegria na presença dos anjos de Deus por um pecador que se arrepende.
Lucas 15:10 (VNI)

Por que Jesus e seus anjos se alegram por causa de um pecador que se arrepende? Eles estão vendo algo que não conseguimos perceber? Algo que desconhecemos? De fato, eles conhecem as surpresas que o céu tem reservado. O céu é será habitado por aqueles que deixaram Deus transformá-los. As discussões terão fim, pois o ciúme não existirá. Suspeitas não serão levantadas, porque não haverá segredos. Todo pecado terá fim. Toda insegurança cairá no esquecimento. Cada medo, passado. Trigo genuíno. Sem ervas daninhas. Ouro puro. Nenhuma liga. Amor puro. Nenhuma luxúria. Esperança pura. Nenhum medo. Olhando tudo isso, não é de admirar que os anjos comemorem o arrependimento de um pecador. Eles sabem que logo uma nova obra de arte estará concluída para embelezar a galeria do Criador. Eles sabem o que os espera no céu.

Você conhece alguém que se arrependeu do pecado e veio a Deus? Descreva como a mão de Deus mudou aquela vida.

PARA OS AMIGOS NO BRASIL

Se você se sente mergulhado em mentira, engodo, perversidade, não se desanime! Este mundo não é seu lugar – você pertence ao reino de Deus. Agora estenda a mão, e ajude que outros entrem nesse reino...

SEM SEGREDOS

Portanto, se alguém está em Cristo, é nova criação. As coisas antigas já passaram; eis que surgiram coisas novas!
2 Coríntios 5:17 (NVI)

Você já esteve lá? Já sentiu o solo de convicção formando uma estrada debaixo dos seus pés? Mas, de repente, as bordas racham, seus olhos se arregalam e você vem abaixo. *Crááás!* E agora? Quando caímos, podemos até não aceitar. Podemos negar. Podemos torcer os fatos. Ou podemos lidar com eles. Não guardamos segredos do Senhor. Confessar não é contar a Deus o que fizemos. Ele já sabe. Confessar é simplesmente concordar com Deus que fizemos coisas erradas. Como Deus pode ouvir o que negamos? Como Deus nos perdoará, se não admitimos nossa culpa? Este é o termo central: *culpa*. Não queremos evitá-la? Culpa. Não é o que detestamos? Mas será que a culpa é tão ruim? O que significa a culpa, senão que aprendemos a separar o certo do errado, e que desejamos ser melhor do que somos? É isto o que a culpa é: um pesar saudável por ter dito a Deus algo e ter feito outra coisa.

Como o dicionário define culpa? Como você descreveria a culpa? Explique por que a culpa pode ser algo bom.

PARA OS AMIGOS NO BRASIL

Reconhecer quando estamos errados e pedir desculpas alivia as tensões entre amigos e familiares, e dá paz de espírito à pessoa. Se isto é verdade quanto aos nossos relacionamentos aqui na Terra, quanto mais em nosso relacionamento para com o Pai!

Cordeiro manso

No amor não há medo; pelo contrário o perfeito amor expulsa o medo.

1 João 4:18 (NVI)

Há muita gente vivendo com um medo secreto. Teme que Deus esteja zangado com elas. Em algum momento, numa aula de escola bíblica, num culto ou num programa de TV, aprendemos que Deus anda com um chicote nas mãos, talvez uma palmatória no bolso, e vai nos surrar se nos afastarmos demais daquilo que ele exige. Nenhum conceito pode ser mais equivocado! O Salvador nos ama e o que mais deseja é partilhar conosco de sua imensa bondade. Temos um Pai cheio de compaixão, um amigo compreensivo, que sofre quando sofremos. Mesmo quando estamos sob pressão e tudo parece estar errado, ele nos espera com carinho, quer tenhamos vitória quer fracassemos. Ele não chega gritando, brigando e impondo sua vontade aos corações. Ele chega aos nossos corações como um cordeiro manso e não um leão destruidor.

Por que é importante saber que, não importa se falharmos ou vencermos, Deus nos receberá?

Para os amigos no Brasil

É fácil compreender porque precisamos das correções de Deus. O difícil é compreender que ele não nos corrige de acordo com nossos pecados, mas sim de acordo com sua misericórdia.

Tu és fiel, Senhor

O meu Deus suprirá todas as necessidades de vocês, de acordo com as suas gloriosas riquezas em Cristo Jesus.

Filipenses 4:19 (NVI)

Para ser fiel, Deus nunca dependeu da fidelidade de seus filhos. Ele é fiel mesmo quando não o somos. Quando perdemos a coragem, ele não a perde. Ele fez uma história sem usar pessoas e apesar delas. Quer um exemplo? A comida multiplicada para as cinco mil pessoas. É o único milagre, além daquele do final da semana, que os quatro evangelistas fazem questão de recordar. Por que esses autores resolveram repeti-lo? Talvez quisessem mostrar como Deus não desiste, mesmo quando o seu povo desiste. Quando os discípulos não oraram, Jesus orou. Quando os discípulos não viram a Deus, Jesus viu. Quando os discípulos estavam fracos, Jesus estava forte. Quando os discípulos não tiveram fé, Jesus teve. Acredito que o Senhor é mais forte que as nossas fraquezas. De fato, penso que é a nossa fraqueza que revela quão forte é o Senhor. Deus é fiel mesmo quando os seus filhos se mostram infiéis.

Em que áreas de sua vida você necessita um grandioso Deus? Um Deus fiel?

PARA OS AMIGOS NO BRASIL

I João 3:19-20 nos diz: "Assim saberemos que somos da verdade; e tranquilizaremos o nosso coração diante dele quando o nosso coração nos condenar. Porque Deus é maior do que o nosso coração e sabe todas as coisas." Não há maior fidelidade do que esta!

CORAÇÃO COMO O DELE

De modo que, de agora em diante, a ninguém mais consideramos do ponto de vista humano.

2 Coríntios 5:16 (NVI)

Deveríamos pedir mais a Deus sua eterna visão a respeito desse mundo. A forma como ele enxerga o ser humano é bastante simples. Do ângulo divino, cada pessoa faz uma coisa ou outra: Ou entra pela porta estreita, ou avança pela larga. Em outras palavras, ou ouve o convite do Alto, ou pula de cabeça para o inferno (Mateus 7:13-14). Não conseguimos ver dessa maneira. Em nossa frente, várias colunas desnecessárias obstruem a visão. Preocupamo-nos se ele tem muito dinheiro. Se ela é bonita. Qual a sua profissão dele. Qual a cor de sua pele. Se é estudada ou não. Tudo isso não é tão importante para Deus. Para ter um coração como o do Senhor é necessário ter o mesmo sentimento dele, olhar no rosto dos redimidos e se alegrar! Eles estão apenas a uma sepultura de serem iguais a Jesus. Ter um coração como o do Mestre é olhar no rosto dos perdidos e orar. Porque, a menos que eles se arrependam e deem meia-volta, estão apenas a uma sepultura da desgraça eterna.

Quando você tiver um coração como Jesus, como você responderá aos salvos? Como você responderá aos perdidos?

PARA OS AMIGOS NO BRASIL

Já vimos como Deus não olha as aparências, mas sim o coração. Contudo, a visão divina vai muito além disto, porque os olhos do Senhor são olhos de misericórdia. Quando ele vê o pecador que jamais se arrependerá, ele não o despreza. O seu coração chora por ele.

UM PRATO DE EXPERIÊNCIAS

Porque sou eu que conheço os planos que tenho para vocês", diz o Senhor, "planos de fazê-los prosperar e não de lhes causar dano, planos de dar-lhes esperança e um futuro.

Jeremias 29:11 (NVI)

Uma noite dessas, no culto que realizamos em nossa casa, convidei minhas filhas a vir à mesa e coloquei um prato na frente de cada uma. No centro da mesa, pus uma porção de alimentos: algumas frutas, vegetais crus e vários biscoitos. "Diariamente", expliquei-lhes, "Deus nos prepara um prato de experiências. Que tipo de prato vocês mais gostam?" Minha filha Sara não titubeou na resposta e se serviu com três biscoitos, que colocou em seu prato. E é verdade, há dias que são assim. Eles são "dias de três biscoitos". Mas outros não o são. Em tantas oportunidades, nosso prato não tem nada, a não ser vegetais — 24 horas de agrião, cenoura e, talvez, uma frutinha. Pelo visto, o Senhor sabe que precisamos de alguma força e, embora a porção não seja das mais saborosas, precisando ser engolida na raça, a manda para o nosso próprio bem. Ainda bem que, na maioria dos dias, tenhamos em nosso pratos um pouco de tudo... Na próxima vez que vier mais brócolis que torta de maçã na sua refeição, lembre-se de quem preparou a comida. E se essa porção parecer difícil de engolir, converse com Deus a respeito. Nem Jesus deixou de falar com o Pai sobre a questão.

Qual a melhor maneira de lidar com dias chatos, difíceis ou mesmo sombrios?

PARA OS AMIGOS NO BRASIL

O Senhor está sempre nos ensinando sobre ele mesmo, sobre seu reino, e até sobre nós e o mundo que nos cerca. Ele pode esclarecer para você a razão pela qual você está passando por coisas desagradáveis. Ele pode trazer a Sua luz para seus dias sombrios.

TUDO SE RESUME NO AMOR

E nós conhecemos e cremos no amor que Deus tem por nós.

1 JOÃO 4:16 (ARA)

A água deve ser molhada. O fogo deve ser quente. Você não pode tirar a umidade da água e querer que ela seja esse líquido. Você não pode tirar o calor do fogo e cobrar que arda como fogo. Assim também é Deus. Você não pode tirar seu amor e ele ainda existir. Porque ele era e é amor. Faça uma análise profunda do Criador. Explore cada canto. Examine todos os ângulos. Tudo que você encontrará é amor. Busque o princípio de cada uma de suas decisões e você o descobrirá. Vá ao fim de cada história que ele tenha começado e ele estará no seu término. Amor, simplesmente amor. Sem ressentimento. Sem maldade. Sem violência. Somente amor. Amor sem defeito. Amor apaixonado. Vasto e puro amor. Deus é amor.

"Você não pode tirar o amor de Deus e ele continuar a existir." Explique o que isto significa. Como isto afeta a maneira pela qual você responde às pessoas e aos acontecimentos de sua vida?

PARA OS AMIGOS NO BRASIL

Veja 1 João 4:16. Este é seu verdadeiro eu em Cristo: "Assim conhecemos o amor que Deus tem por nós e confiamos nesse amor. Deus é amor. Todo aquele que permanece no amor permanece em Deus, e Deus nele."

TODOS O VERÃO

E se eu for e lhes preparar lugar, voltarei e os levarei para mim, para que vocês estejam onde eu estiver.
JOÃO 14:3 (NVI)

Jesus mesmo prometeu. Algum dia, ele retornará, ele nos livrará. Será tão rápido quanto um piscar de olhos, quanto reluzir do relâmpago, riscando o firmamento de leste para oeste, e ele estará aqui novamente. Quer saber mais? Todos o verão. Você o verá. Eu o verei. Corpos se levantarão do pó da terra e romperão pelas águas do mar. Haverá tremores, estrondos abalarão o céu, quem não o conhece estremecerá. Diferente de você, que não será sacudido dessa maneira. Afinal, você o conhece.

Cristo retornará em um piscar de olhos. Como isto afeta a sua maneira de viver? Explique por quê.

PARA OS AMIGOS NO BRASIL

Você já viu o sol nascendo sobre o oceano? Lindo, não é mesmo? Pois a vinda do Senhor será ainda mais grandiosa, ainda mais bela, ainda mais rápida ao chegar. E ele enxugará todas as nossas lágrimas. Pense nisso, quando seu coração estiver ferido!

Novembro

E conhecerei a verdade,
e a verdade vos libertará.
– João 8:32 (ARA)

Creia nas palavras de Jesus

Mas, em todas estas coisas somos mais que vencedores, por meio daquele que nos amou.

Romanos 8:37 (NVI)

Ao tratar da vida espiritual ou de cura e libertação, precisamos saber que não dispomos de opções. Não podemos pegar a vara, correr e saltar até a lua. Também não possuímos o que é necessário sermos libertos e curados. A nossa única esperança é que o Senhor agirá conosco como fez com o homem de Betesda: rapidamente deixará o templo e virá de encontro à nossa prisão de dor e abandono. É assim que Cristo age. Quando ele diz que estamos perdoados, livremo-nos da culpa. Quando ele diz que somos valiosos, aceitemos sua palavra. Quando ele diz que já recebemos, paremos de nos preocupar. Os esforços de Deus são mais eficazes, no momento em que nossos esforços se tornam inúteis.

Quando Jesus diz que você estava perdoado, você depõe o seu fardo? Como isto afeta a sua paz mental?

para os amigos no Brasil

Você já se sentiu desencorajado e sem valor? O mundo nos ensina que, para isto, é preciso apenas tomar algumas pílulas e pronto. Mas você sabe que não é verdade – não há pílula alguma que verdadeiramente preencha seu coração. E sabe por quê? Porque a única ajuda que temos para curar nosso espírito é Jesus...

Pecador, receba a liberdade

E conhecerão a verdade, e
a verdade os libertará.
João 8:32 (NVI)

O pecado tem o poder de levar a pessoa para trás das grades. Ele a tranca numa prisão de culpa vergonha, frustração e temor. Tudo o que o pecado faz é acorrentar o indivíduo à parede da miséria. Mas Cristo vem e paga a fiança. Ele cumpre a sua pena; satisfaz as exigências da lei e o coloca em liberdade. Jesus morreu, e se você coloca nele seu destino, seu velho homem acaba também. A única maneira de ser livre das cadeias do pecado é cumprir a sua pena. E a pena para tais crimes é a morte. Alguém tem de morrer; você ou alguém mandado do céu, que troque de lugar contigo. Você não pode sair da prisão enquanto não houver uma morte. A boa notícia é que ela já aconteceu no Calvário. E na morte de Cristo, ele levou sobre si a pena do seu pecado para que você recuperasse a vida. Você está livre.

Cristo pagou a penalidade por seus pecados. Você está livre da pretensão que o pecado tem na sua vida. Por que isto é uma notícia tão boa? Quais são os benefícios para você?

Para os amigos no Brasil

Você quer entender um pouquinho o que é a penalidade do pecado, ou seja, a morte do espírito? Pois bem – pense na sensação de peso, pavor e solidão que nos traz a depressão. Terrível, não é mesmo? Pois isto não chega nem perto da penalidade do pecado. Mas louvado seja o Senhor, que veio a nós, "com cura em suas asas"! (Malaquias 4:4)

Você consegue ouvir?

Pois todo o que pede, recebe; o que busca, encontra; e àquele que bate, a porta será aberta.

Mateus 7:8 (NVI)

Certa vez, um homem desafiou a Deus: "Coloque fogo no arbusto, tal como fizeste por Moisés, Deus. E eu seguirei. Coloque abaixo os muros, como realizaste em favor de Josué, Deus. E eu lutarei. Acalme o mar revoltoso, como fizeste na Galileia, Deus. E eu ouvirei". Sentando-se diante de um arbusto, junto a um muro, perto do mar, o homem esperou Deus falar. E o Senhor respondeu, sim. Mandou fogo, não sobre a vegetação, mas sobre uma igreja. Derrubou um muro, não de tijolos, mas de pecados. Acalmou uma tempestade, não no mar, mas no íntimo da alma. E Deus aguardou que o homem cumprisse com sua palavra. Esperou e esperou. Mas porque o homem estava olhando para os arbustos, não para os corações; para os tijolos, não para as vidas; para o mar, não para o interior da pessoa, achou que Deus não fizera nada. Finalmente, ele voltou os olhos ao Senhor e colocou: "Ué, onde está o teu poder?". Deus, por sua vez, retrucou: "Perdeste teus sentidos? Tua audição, tua visão, tua percepção?"

Algumas vezes, quando Deus está respondendo nossas orações, parece que ele não faz nada. Como devemos reagir a isso?

Para os amigos no Brasil

Uma das coisas mais importantes que devemos aprender na nossa vida cristã é ouvir o que o Senhor nos diz, e não o que esperamos ouvir. Sim, ele escreve certo por linhas tortas – ou o que vemos como linhas tortas. Não se esqueça que nossa visão e nosso ouvido está muito aquém das realidades celestiais!

Corra nessa corrida

Corramos com perseverança a corrida que nos é proposta,
Hebreus 12:1 (NVI)

Tanto o termo *corrida* quanto *carreira* tem origem na mesma palavra grega: *agon*. É dela que deriva também *agonia*. A carreira ou a corrida cristã não é um trotar lento, mas uma prova exigente, cansativa e, em muitas oportunidades, agonizante. É preciso um esforço enorme para chegar ao fim bem. Percebeu que tantos não o conseguem? Alguns parecem se arrastar ao lado da trilha. Eles costumavam correr. Houve um tempo em que mantinham o ritmo. Mas o cansaço bateu. Sem preparo para o desafio, não imaginavam que a carreira exigisse tanto... Chama a atenção porque o melhor trabalho de Jesus foi o seu último e os seus passos mais fortes foram os derradeiros. Nosso Mestre é o melhor exemplo de alguém que suporta. Ele poderia ter desistido da corrida, mas perseverou em sua marcha.

É necessário um enorme esforço para terminar forte na corrida espiritual. É importante para você aguentar até o fim? Que passos você pode dar para aumentar seu vigor espiritual?

Para os amigos no Brasil

Se continuar à frente em sua vida espiritual está difícil, lembre-se do caminho que Jesus seguiu. Lembre-se de como Jesus carregou sua própria cruz, aguentou a chacota do povo, as feridas de espada e chicote, os pregos nas mãos e nos pés! Você acha que está sofrendo? Ele sofreu o pior por você – encoraje-se!

Tudo idealizado

Quando contemplo os teus céus, obra dos teus dedos… que é o homem, para que dele te lembres?
Salmos 8:3-4 (ARA)

Descobrimos como se formam as tempestades. Mapeamos o espaço sideral e transplantamos corações. Calculamos a profundidade dos mares e enviamos sinais a galáxias distantes. Estudamos como funcionam as coisas e desvendamos seus mecanismos. Mas resolver tais mistérios, para certas pessoas, provoca o fim do deslumbramento e da majestade. À medida que conhecemos, desacreditamos. Coisa preocupante. Conhecer os mecanismos não deveria negar a maravilha. O conhecimento deveria suscitar ainda mais admiração. Alguém tem motivos melhores para adorar que o astrônomo que vigia as estrelas? Mas acontece o oposto: o saber afasta o homem da gratidão. Ficamos mais impressionados com o interruptor de luz que inventamos que com aquele que criou a eletricidade. Em vez de adorarmos ao Criador, adoramos a criação (medite em Romamos 1:25). Não admira que não haja mais surpresas. Temos tudo concebido, tudo idealizado como um modelo.

Em vez de adorar o Criador, nós adoramos a criação. Explique o que isto significa. Quais são os resultados?

Para os amigos no Brasil

Seja maravilhando-se com suas descobertas, seja maravilhando-se com a beleza ou poder físico do Universo, o homem se perdeu. Não deixe que isto aconteça com você. Não perca o maravilhamento infantil do desconhecido. Não perca de vista o Criador.

O caro preço da vingança

Amados, nunca procurem vingar-se, mas deixem com Deus a ira, pois está escrito: "Minha é a vingança; eu retribuirei", diz o Senhor.

Romanos 12:19 (NVI)

Já reparou que nos filmes de faroeste os justiceiros sempre andam sozinhos? Não é complicado saber o motivo. Quem gostaria de viajar com um sujeito que ganha a vida se vingando? Quem se arriscaria a despertar sua fúria escondida? Em diversas ocasiões vi pessoas despejarem sua ira aos montes. A pessoa achava que eu estava prestando atenção, mas tudo que passava por minha cabeça era: *Tomara que eu nunca faça parte de sua lista.* Gente com a qual não dá para conviver, esses justiceiros. Melhor deixá-los para lá. Ande com o revolto e você pode acabar com uma bala na testa. Cobrar dívidas é uma ocupação solitária. E é também coisa não faz bem à saúde... Quem busca a vingança, jamais tem repouso. Como pode? Talvez seu inimigo não pague nunca. Você acha que merece desculpas, mas o seu devedor não pensa da mesma forma. O racista pode nunca se arrepender. Quem não consegue enxergar a realidade pode permanecer sempre indiferente. Por mais motivos que você tenha em sua busca de vingança, poderá jamais obter um vintém de justiça. E se o conseguir, ele lhe bastará? Ou o satisfará?

Acertar as contas é uma ocupação solitária e doentia. Por quê? Você conhece alguém que se encaixa nessa descrição?

Para os amigos no Brasil

Há um seriado na TV chamado "Vingança", no qual uma garota procura acertar as mentiras dos poderosos que levaram seu pai à prisão e à morte. Ela vai eliminando um por um de seus adversários, e, com cada vitória, afunda-se mais e mais na solidão, e sua vida se complica mais e mais. Este é um quadro muito real na vida daquele que busca vingança. Por favor, não deixe que seja o seu! Deixe Cristo libertá-lo!

Paixão ilimitada

Nós amamos porque ele nos amou primeiro.
1 João 4:19 (NVI)

O tempo não o limita, ele enxerga a todos nós. Das florestas da Virgínia ao centro comercial de Londres; dos vikings aos cosmonautas, dos habitantes das cavernas aos nobres. Dos fazedores de cabanas, passando pelos cusadores e chegando aos empilhadores de pedras, ele vê a todos. Vagabundos e esfarrapados, ele nos conheceu antes de nascermos. Mas ele ama aquilo que vê. Inundado pela emoção, repleto de orgulho, o artífice das estrelas se vira para cada um, individualmente, para dizer: "Você é meu filho. Eu o amo de coração. Sei que um dia, irá embora para longe de mim. Mas quero que saiba que já preparei seu caminho de volta.

Deus ama você apaixonadamente. Como você reage a um amor assim? Que diferença isso faz em sua vida?

Para os amigos no Brasil

Deus não apenas nos ama, mas ele cuida de cada um de nós, não importa o que estejamos passando, não importa onde estejamos. Outra vez me vem ao coração a figura de apenas um grupo de pegadas na areia, porque o Senhor nos está carregando quando não suportamos mais.

Firme até o final

Pensem bem naquele que suportou tal oposição dos pecadores contra si mesmo, para que vocês não se cansem nem se desanimem.

Hebreus 12:3 (NVI)

O céu não era estranho para Jesus. Mesmo sendo o único a morar aqui na Terra *após* ter vivido no céu. Como crentes, vamos ao céu depois de nossos dias na Terra. Por sua vez, Cristo fez exatamente o contrário. Conheceu o céu antes de vir aqui. Ele sabia o que o esperava na volta. E saber o que o esperava no céu, ajudou-o a suportar a vergonha neste mundo. Cristo, "por causa da alegria que lhe foi prometida, ele não se importou com a humilhação de morrer na cruz e agora está sentado do lado direito do trono de Deus" Hebreus 12:2 (NTLH). Nos instantes derradeiros, Cristo se concentrou na alegria que Deus punha diante dele. Ele focou a recompensa do céu. De olho na recompensa, pode não apenas terminar a carreira, mas chegar ao fim com sucesso.

Jesus foi capaz de suportar passar vergonha na terra, sabendo o que o esperava no céu. Você sabe o que o espera no céu? Como isso o encoraja?

Para os amigos no Brasil

Deus vê todas as suas aflições, ele conhece todos os seus problemas. É por isto que ele escreveu seu Livro – para que você soubesse que não está só, e que, no fim de sua corrida, na linha de chegada, o prêmio dos vencedores em Cristo o aguarda. Fique firme!

Amor de pai

É ele que nos conforta em toda a nossa tribulação, para podermos consolar os que estiverem em qualquer angústia.

2 Coríntios 1:4 (ARA)

Alguém diz algo e fere os sentimentos da minha filha. Eu lhe digo que ela é especial. Falam mentiras a respeito dela. Faço o que for necessário para que ela se sinta melhor.

Minha filha sente medo. Não vou dormir até que ela se sinta segura. Não sou um herói. Sou apenas um pai. Quando seu filho pequeno está com problemas, é natural o pai se desdobrar para resolvê-los. Ele não fica parado, ajuda. Por que não permito a meu Pai fazer por mim o que estou mais que disposto a fazer por meus próprios pequenos? Estou aprendendo. Ser um pai está me ensinando que quando sou criticado, injuriado ou temeroso, há um Pai que está de braços estendidos para mim. Há um Pai que irá me abraçar até que eu me sinta melhor, me ajudar até que eu possa viver com a ferida, e que não irá dormir enquanto eu estiver com medo do escuro. Sempre.

Descreva como encoraja você saber que seu Pai celestial está pronto para confortá-lo e ajudá-lo.

Para os amigos no Brasil

O amor de uma mãe para seu filho é o amor humano mais completo e puro. Contudo, Isaías 49:15 nos diz que uma mãe pode se esquecer de seu filho, e não ter compaixão dele. E continua, dizendo que ainda que isso seja real, o amor de Deus é maior que o amor dos pais para com os filhos, porque ele jamais se esquecerá de nós, jamais nos abandonará. Nós estamos escritos nas palmas de Suas mãos.

A sentença

E disse-lhe Jesus: Nem eu também te condeno; vai-te e não peques mais.
João 8:11 (ARC)

Se você tem se questionado sobre como as reações divinas diante de seus erros, coloque o texto bíblico acima em um quadro e o pendure na parede. Leia-as. Devore-as e medite nelas. Ou melhor, leve-as consigo ao seu abismo de vergonha. Convide Cristo a ir com você, enquanto relembra os acontecimentos das noites mais escuras de sua alma. E então, preste atenção. Ouça com muito cuidado. Ele está falando: "Não o julgo como culpado". Mais uma vez, olhe muito bem. Ele está escrevendo. Está deixando uma mensagem. Não na areia, mas numa cruz. Não com sua mão, mas com seu sangue. Essa mensagem é curta, só tem uma sentença: Inocente.

Pense nas mãos de Cristo escrevendo essas palavras para você: Inocente. Como você se sente com isso? Como você reage a tal amor misericordioso?

Para os amigos no Brasil

Culpa corrói nosso espírito, escurece nossa visão. Não há nada mais libertador do que a certeza de que estamos perdoados, que, em Cristo, fomos justificados.

Cristo trocou suas roupas conosco

Estes são os que vieram da grande tribulação e lavaram as suas vestes e as branquearam no sangue do Cordeiro.

Apocalipse 7:14 (NVI)

Deus exige apenas uma coisa para entrarmos no céu: que estejamos vestidos de Cristo.

Ouça como Jesus descreve aqueles que viverão lá: "Andarão comigo vestidos de roupas brancas, pois merecem esta honra" Apocalipse 3:4 (NTLH). E o retrato dos anciãos: "Ao redor do trono... 24 anciãos vestidos de branco, em cujas cabeças estão coroas de ouro" Apocalipse 4:4 (ARA). Todos com vestes brancas. Os santos. Os anciãos. Como você imagina que Jesus esteja vestido? De branco? "Está vestido com um manto tingido de sangue, e o seu nome é Palavra de Deus" Apocalipse 19:13 (NVI). Por que o manto de Cristo não é branco? Por que a sua veste não é imaculada? Por que a sua roupa foi mergulhada em sangue? Em Gálatas 3:13, Paulo responde dizendo que ele simplesmente trocou de lugar conosco. Na cruz, ele usava a nossa roupa de pecado.

Cristo vestiu suas vestes de pecado na cruz. Como você descreveria um amor assim?

Para os amigos no Brasil

Quando uma partida de futebol termina, é costume que o time vencedor troque de camiseta com o time perdedor. Pois é assim que Cristo faz conosco: Ele toma sobre si nosso casaco de pecador, e nos veste com suas vestes de salvação.

Coloque tudo para fora

Quem esconde os seus pecados não prospera, mas quem os confessa e os abandona encontra misericórdia.

Provérbios 28:13 (NVI)

Na época em que cursava o ensino médio, nosso treinador de beisebol era radicalmente contra e proibia mascar fumo. Dois atletas de nosso time eram conhecidos justamente por mascar fumo. Faziam isso escondido e tentavam chamar nossa atenção. Por fim, eles conseguiram. Não demorou e todos tínhamos experimentado. Um teste seguro de que éramos mesmo homens consistia em pegar um pedaço de fumo quando o pacote era passado sob os bancos. Não fazia muito tempo que tinha entrado para a equipe e definitivamente não queria falhar justo nessa prova. Mas uma vez eu mal tinha colocado o fumo na boca, quando um de nossos companheiros soou o alerta: "O treinador está vindo!". Para não ser pego em flagrante, fiz o que podia: engoli. *Glup.* Com isso, dei um novo sentido aos textos sagrados: "Estou encurvado, estou muito abatido, ando lamentando todo o dia..." O preço por esconder minha desobediência foi alto. A realidade é que meu corpo não foi feito para ingerir tabaco. Assim como a sua alma não foi criada para levar sobre si o pecado. Posso ser bem direto? Você anda escondendo de Deus algum segredo? O conselho é de um jogador de beisebol da terceira base: Você se sentirá muito melhor caso bote tudo para fora.

Por que sempre é melhor ser totalmente honesto com Deus?

para os amigos no Brasil

Sim, aquilo que tentamos esconder de outras pessoas corrói nosso espírito e destrói nossa paz mental. Tentar esconder algo de Deus é ainda pior, porque é totalmente inútil... Ele vê nossas falhas e nossos pecados!

Para sempre, "obrigado"

Eu amo o Senhor, porque ele me ouviu
quando lhe fiz a minha súplica.
Salmos 106:1 (NVI)

Você adora quando percebe que aquilo que tem dado é bem maior do aquilo que podia dar. Adoração é a consciência de que se não fosse Deus ter lhe tocado, você ainda estaria tropeçando e sofrendo, amargurado e destruído. Adoração é aquela expressão meio vitrificada no rosto sofrido do viajante do deserto ao descobrir que o oásis não é uma miragem. Adoração é o "obrigado" quando recusamos ficar calados. Temos tentado fazer da adoração uma ciência. Não podemos. Não transformá-la numa aula mais do que podemos "vender amor" ou "negociar paz". Adoração é um ato voluntário de gratidão dado ao Salvador pela salvação, ao Médico dos médicos pela cura, e ao Libertador pela liberdade.

Como você descreveria sua adoração? Faça uma lista de alguns exemplos de adoração na Bíblia que são significativos para você.

Para os amigos no Brasil

Já ouvi algumas pessoas dizerem que dar adoração a Deus é um ato de humilhação, ao mesmo tempo em que é abrir mão de sua liberdade de escolha, aceitando uma direção superior. A única resposta que tenho para isto é: se Deus nos abençoasse e nos salvasse para ser poderoso sobre nós, o que dizem seria verdadeiro. Mas não é assim de modo algum. Deus nos abençoa e nos deu seu Filho simplesmente porque ele nos ama. É simples assim.

Um lugar para o cansado

Por isso, não abram mão da confiança que vocês têm; ela será ricamente recompensada.

Hebreus 10:35 (NVI)

Alguma coisa é mais frágil que um junco esmagado? Olhe para o caniço quebrado à beira da água. Aquilo que antes era uma haste delgada e firme de uma gramínea aquática se acha agora, curvada, dobrada. Seria você uma cana esmagada? Você que no passado andava de nariz empinado e era tão orgulhoso? Mas alguma coisa ocorreu. Você foi quebrado... por palavras ásperas; pela raiva de um amigo; pela traição do esposo ou da esposa... O caniço partido... A sociedade sabe o que fazer com você... O mundo terminará contigo; fará o que pensa que você é: nada. Muito diferente de Deus. Segundo os artistas das Escrituras, ele é diferente. Retratado em muitos painéis está o toque terno de um Criador que tem um lugar especial para os esmagados e cansados do mundo. Um Deus que é o amigo do coração ferido.

Você é um junto pisado? O que você gostaria que Deus fizesse a respeito?

Para os amigos no Brasil

Para mim, uma das mais tocantes passagens das Escrituras é quando Jesus diz às multidões cansadas: "Vinde a mim todos os que estais cansados e sobrecarregados, e eu vos aliviarei. Tomai sobre vós o meu jugo, e aprendei de mim, porque sou manso e humilde de coração; e achareis descanso para as vossas almas. Porque o meu jugo é suave e o meu fardo é leve." (Mateus 11:28-30).

Olhos fixos em Cristo

Para que os olhos do coração de vocês sejam iluminados, a fim de que vocês conheçam a esperança para a qual ele os chamou.

Efésios 1:18 (NVI)

O que quer dizer ser "simplesmente como Jesus"? O mundo nunca conheceu um coração tão puro, um caráter tão perfeito. A sua audição espiritual era tão aguçada, que ele nunca deixou passar um simples sussurro vindo do céu. Sua misericórdia, tão abundante, que ele nunca deixou passar uma oportunidade para perdoar. Nenhuma mentira saiu de seus lábios, nenhuma distração tirou sua visão do alvo. Ele tocava, quando outros se distanciavam. Ele permanecia, quando outros desistiam. Jesus é o modelo máximo para cada pessoa. Deus o leva também a fixar seus olhos no Redentor. O céu o convida a focar as lentes de seu coração no coração do Salvador e a fazer dele o propósito de seu viver.

"Fixe a lente de seu coração no coração do Senhor." Explique o que isso significa. Que passos você deve tomar para fazer isso?

Para os amigos no Brasil

Não podemos ser perfeitos como Jesus, mas podemos tentar. Não podemos ter um coração como o dele, mas podemos deixar que ele entre no nosso, e faça dele a sua morada.

Ele tem as respostas

Se, porém, algum de vós necessita de sabedoria, peça-a a Deus.

Tiago 1:5 (ARA)

Tomé veio carregado de dúvidas. Jesus não o aceitou? Moisés teve suas reservas. Deus lhe mandou de volta para casa? Jó teve suas lutas. Deus o evitava? Paulo teve os seus momentos de prova. Deus o desamparou? Não. O Senhor nunca rejeita o coração sincero. Perguntas difíceis não embaraçam a Deus. Você pode não encontrar todas as respostas, mas achando Deus, você conhecerá aquele que as conhece.

Você tem perguntas que você teme perguntar a Deus? Como você pode vencer esse medo?

Para os amigos no Brasil

Qual a reação de um pai quando o filho lhe faz perguntas? Ele responde. Ele ensina. Ele mostra o caminho. Ora, se um pai terrenal faz isto, quanto mais o nosso Pai celestial, que conhece nossos corações! final.

A vida espiritual é coisa do Espírito

A fim de que as justas exigências da lei fossem plenamente satisfeitas em nós, que não vivemos segundo a carne, mas segundo o Espírito.

Romanos 8:4 (NVI)

Algumas vezes, as recordações de infância provocam mais dor que regozijo. As vozes de seu passado atrapalham você, tiram seu valor, consideram-no ninguém. Naquele tempo, você achava que esse tratamento era natural. Mas agora percebe que não. E agora você se encontra buscando explicações para tudo isso. Você se levantou acima do passado e mudou alguma coisa? Ou continua dominado pelo passado, apenas se justificando e pedindo desculpas? Pare e pense. A vida espiritual é coisa do Espírito! Você pode ter herdado as características genéticas de seus pais, mas Deus lhe deu graça. Pai e mãe podem ser responsáveis por seu corpo, mas Deus tem tomado conta de sua alma. Você pode ter herdado os olhos de sua mãe, mas obteve a eternidade de seu Pai — Aquele que está no céu. Só que Deus quer te dar muito mais, tudo aquilo que a sua família não deu.

O que você pode fazer a fim de deixar que Deus lhe dê o que sua família não lhe deu?

Para os amigos no Brasil

"Mas Sião diz: O Senhor me desamparou, o meu Senhor se esqueceu de mim. Pode uma mulher esquecer-se de seu filho de peito, de maneira que não se compadeça do filho do seu ventre? Mas ainda que esta se esquecesse, eu, todavia, não me esquecerei de ti." (Isaías 49:14-15)

QUEM ESCOLHE É VOCÊ

Se alguém quiser acompanhar-me, negue-se a si mesmo, tome a sua cruz e siga-me.

Marcos 8:34 (NVI)

De um lado está a multidão. Zombando. Perturbando. Fazendo exigências. Do outro, um camponês. Lábios inchados. Olhar cansado. Palavra imponente. Um promete aceitação, o outro, a cruz. Um oferece prazeres e muito charme. O outro oferece fé. A multidão provoca: "Siga-me e aceite tudo". Jesus propõe: "Siga-me e resista". Eles dizem que vão agradar. Deus diz que vai salvar. O Senhor olha para você e é bem claro: "Quem escolhe é você".

A multidão convida você a se adaptar. Jesus promete que você vai se destacar. Qual é a escolha mais fácil? Qual você escolhe? Por quê?

PARA OS AMIGOS NO BRASIL

À primeira vista, pode parecer que Deus esteja nos chamando para nos levantarmos em meio à multidão e sermos líderes de grandes palavras e presença. Muitos homens promissores no serviço de Deus se perderam no caminho ao pensarem assim. Na verdade, o destaque que Jesus nos dá é o de sermos humildes quando outros se gabam; sermos amorosos quando outros se voltam à violência; usarmos palavras de misericórdia quando outros falam palavras de condenação. Jesus não nos oferece um lugar na terra. Ele nos preparou um lugar no céu.

O que faz Deus ser Deus?

Se somos infiéis, ele permanece fiel, pois de maneira nenhuma pode negar-se a si mesmo.

2 Timóteo 2:13 (ARA)

O Senhor dá suas bênçãos de acordo com as suas riquezas, não conforme o tamanho de nossa fé. Por que é importante saber disso? Para não se tornar incrédulo. Repare no mundo em que vivemos. Não há mais bocas que pães? Não existem mais machucados que médicos? Não há mais carentes de ouvir a verdade que pessoas dispostas a contá-la? Então, o que fazemos? Damos de ombros e vamos embora? Dizemos ao mundo que não podemos ajudá-lo? Não, não desistimos. Olhamos para o alto. Confiamos. Acreditamos. E o nosso otimismo não é vazio. Os méritos de Jesus são provados e aprovados. Ele já demonstrou que nunca falha. É isto o que faz Deus ser Deus.

Você já sentiu vontade de jogar tudo para o alto e desistir? Qual é a única solução possível?

para os amigos no Brasil

Não podemos julgar nosso serviço a Deus pelos resultados. Ele não nos chamou para sermos grandes líderes com milhares de seguidores. Ele nos chamou para sermos uma luz na escuridão, uma voz no deserto. Qualquer resultado é obra dele, e Dele somente.

Corra para Cristo

Se vivemos, vivemos para o Senhor; e, se morremos, morremos para o Senhor.

Romanos 14:8 (NVI)

O que fazer para encontrar coragem? Onde procurar ânimo para perseverar? Volte àquele momento em que, pela primeira vez, você sentiu o amor de Jesus Cristo. Por outro lado, lembra-se como era sua vida antes, quando estava separado do Senhor? Você conhecia apenas culpa e confusão. Mas, de repente, uma luz. Alguém abriu a porta, e a luz invadiu as trevas em que você se encontrava. E você declarou em seu íntimo: "Estou salvo!". Corra para Jesus. O Senhor deseja que você vá a ele. Quer se tornar a pessoa mais importante de sua vida, o maior amor que você poderia encontrar. Ele quer que você o ame tanto que não haja mais lugar em seu coração e em sua vida para o pecado. Convide-o a fixar residência em seu coração.

"Deus quer que você o ame tanto, que não sobre lugar no seu coração para o pecado." Explique o que isso significa.

Para os amigos no Brasil

Você sabe como acabar com a escuridão? Acendendo a luz. Onde há luz, não há lugar para a escuridão. Assim é Jesus, ao entrar em seu coração. Ele o enche de luz, e não há mais espaço para as trevas do pecado.

Busca diligente

Sem fé é impossível agradar a Deus, pois quem dele se aproxima precisa crer que ele existe e que recompensa aqueles que o buscam.

Hebreus 11:6 (NVI)

Certa versão da Bíblia apresenta a passagem de Hebreus 11:6 da seguinte forma: "[Deus] recompensará aqueles que sinceramente o procuram" (Bíblia Viva). Eu prefiro a tradução trazida pela inglesa King James, que diz: "Ele é galardoador daqueles que *diligentemente* o buscam" (a ênfase é minha). Diligentemente — que palavra cheia de significado! Ser diligente em sua busca. Ser faminto e determinado em seu pedido, constante em sua jornada. Que este livro não seja meramente um entre tantos que você já leu sobre Jesus... Deixe de lado buscas vãs por bens ou posições, e busque o seu Rei. Não se contente com anjos ou com estrelas no céu. Busque-o como os pastores. Anseie por ele como Simeão. Louve-o como aqueles sábios. Faça como João e André: pergunte onde ele mora. Tal qual Mateus, convide Jesus a entrar em sua casa. Imite Zaqueu. Arrisque o que for necessário para ver Cristo.

Você está diligentemente buscando viver para Cristo? Como você pode ser mais diligente?

Para os amigos no Brasil

Muitos pensam que sua busca termina na salvação, e, depois disto, basta sentar-se na igreja uma ou duas vezes por semana, ler algumas passagens das Escrituras de vez em quando, e pronto. Ora, a busca por salvação termina com seu encontro com Jesus, sim — mas seu crescimento espiritual e seu entendimento de Deus não! É preciso estudar, ler, pesquisar, orar.

QUANDO DEUS DIZ "NÃO"

Declarou-lhes, pois, Jesus: Eu sou o pão da vida; o que vem a mim jamais terá fome; e o que crê em mim jamais terá sede.

João 6:35 (ARA)

Há momentos em que a única coisa que se deseja é também a única que não se consegue. Você ora e aguarda. Nenhuma resposta. Você continua orando e aguardando.

Posso interromper e perguntar algo realmente oportuno? E se o Senhor responder com um "não"? E se o pedido for adiado ou mesmo negado? Quando Deus lhe disser "não", qual será sua reação? Se Deus disser: "Eu tenho lhe dado a minha graça e isto lhe é suficiente", você descansará e ficará contente? *Contente.* Esta é a palavra. Uma declaração do coração de estar em paz mesmo que o Senhor não conceda nada mais além do já lhe tem entregue.

Quando você ora por algo, você decide naquela hora qual vai ser a resposta? E o que acontece se Deus lhe der uma resposta diferente? Você vai se satisfazer, caso ele lhe diga não?

PARA OS AMIGOS NO BRASIL

Estar satisfeito com a resposta de Deus não quer dizer desistir de pedir, mas sim saber esperar a hora em que ele ou lhe dá os desejos ou necessidades de seu coração, ou lhe envia um bálsamo de consolo. Muitos fatores entram nas respostas de Deus – a vontade de outras pessoas, por exemplo. Não desanime – apenas confie.

Paixão por excelência

Porque somos criação de Deus realizada em Cristo Jesus para fazermos boas obras, as quais Deus preparou de antemão para que nós as praticássemos.

Efésios 2:10 (NVI)

O empurrão pelo poder pode até atropelar. A maioria de nós está ou empurrando ou sendo empurrada. Eu poderia apontar a diferença entre uma paixão por excelência e uma paixão por poder. O desejo de excelência é um dom de Deus, fundamental no mundo. É marcado pelo respeito à qualidade e por um anseio de usar os dons divinos, de maneira que agrade o Senhor. Mas existe um abismo de diferença entre dar o seu melhor para glória de Deus e fazer o que for preciso para enaltecer a si mesmo. A busca da excelência é sinal de maturidade. A busca do poder é prova infantilidade.

Descreva a diferença entre glorificar a Deus e glorificar a si mesmo.

Para os amigos no Brasil

Não se deixe enganar por excelência humana. O melhor do homem ainda é pouco, muito pouco, para o Senhor, e não há nada que o homem possa fazer para ser melhor. A única maneira de atingir qualquer espécie de excelência em Jesus é viver em amor e humildade. "Que ele cresça, e eu diminua". (João 3:30)

Família de verdade

Quem faz a vontade de Deus, este é meu irmão, minha irmã e minha mãe.

Marcos 3:35 (NVI)

Será que Jesus pode oferecer algum conselho sobre como lidar com familiares complicados? Há algum exemplo em que ele trouxe paz a um lar onde o convívio era difícil? Sim, há. Na sua própria casa... Antes de mais nada, descobrir que Cristo tinha uma família pode ser uma grande surpresa. Talvez você não saiba que o Senhor tinha irmãos e irmãs. Mas ele tinha. Mencionando aqueles que o criticavam em sua cidade natal, Marcos escreveu: "Por acaso ele não é o carpinteiro, filho de Maria? Não é irmão de Tiago, José, Judas e Simão? As suas irmãs não moram aqui?" Marcos 6:3 (NTLH). E pode ser chocante descobrir que a família do Messias era tudo, menos perfeita. Se os seus familiares não gostam muito de você, creia, a de Cristo também não era muito a favor dele. Apesar disso, Jesus tentava controlar o comportamento de seus parentes nem se deixava controlar por eles. Ele não exigia que sua família concordasse consigo. Não baixava a cabeça quando eles o insultavam. Nem procurou agradá-los, transformando isso em sua missão.

Qual seria a reação de Cristo à sua família?

Para os amigos no Brasil

Já vi pessoas citando Marcos 3:35 para justificar seus atos de abandonar filhos, esposa, mãe e pai para, em sua opinião, servir ao Senhor. Ora, o Senhor jamais nos pede que abandonemos aqueles que dependem de nós para viver. O Senhor jamais rompe famílias. O que acontece é que, ao salvar nossa alma, ele nos dá outra família, a família daqueles que creem. E ao servir a ele cuidando daqueles que dependem de nós, podemos confiar em sua promessa: "Mas para vós que temeis o Meu Nome, nascerá o sol da justiça, e trará cura em suas asas." (Malaquias 4:3)

RECOMPENSAS DO CÉU

Feliz o servo a quem seu senhor encontrar fazendo assim quando voltar.
Mateus 24:46 (NVI)

O estádio está cheio hoje. Desde sexta-feira, Mark McGwire conseguiu fazer não apenas um, nem dois, mas três *home runs.** Durante 37 anos, ninguém conseguiu fazer mais que 61 *homes* numa temporada; agora, o St. Louis alcançou a marca de 68. E ainda não terminou... Os torcedores vão à loucura. É quase impossível se tornar um Mark McGwire. De cada um milhão de aspirantes, talvez um consiga sucesso semelhante. Quase todos dificilmente acertam a bola, não sentem a fita registradora, não recebem a medalha de ouro, não fazem discurso de despedida. E mesmo assim a vida continua. Entendemos que, na economia do mundo, as coroas são limitadas. A economia do céu, por sua vez, é inspiradoramente diferente. As recompensas celestes não se limitam a poucos escolhidos, mas "a todos os que, com amor, esperam a sua vinda" 2 Timóteo 4:8 (NTLH).

*No beisebol, significa realizar uma corrida por todo o circuito, sem parar.

Todos nós vamos ganhar um prêmio no céu. Como você se sente sabendo disso?

PARA OS AMIGOS NO BRASIL

Uma das razões pelas quais todos recebem um prêmio no céu é que, na corrida de Deus, não estamos competindo uns contra os outros. Estamos competindo contra o pecado. E somos todos vitoriosos em Cristo Jesus!

Uma ponte chamada confissão

Eu disse: "Confessarei as minhas transgressões ao Senhor", e tu perdoaste a culpa do meu pecado.

Salmos 32:5 (NVI)

Havia dois fazendeiros que não se davam de jeito nenhum. Um grotão bem largo separava as duas propriedades, mas, para demarcar bem seu território e seu desprezo mútuo, cada um construiu uma cerca em seu lado da vala, para manter longe o vizinho. Só não podiam imaginar que, um dia, a filha de um dos fazendeiros conheceria o filho do outro, e aquele encontro resultaria numa grande paixão. Determinados a não continuar separados pela idiotice dos pais, eles derrubaram as cercas e, com a madeira, ergueram uma ponte sobre o grotão. Esse é o trabalho da confissão. Pecados confessados são mudados em ponte e rota que traz novamente à presença de Deus.

Por que a "ponte" da confissão é tão importante para a vitalidade de uma vida cristã? Como um pecado não confessado afeta nosso relacionamento com Deus?

Para os amigos no Brasil

Sabemos que Deus conhece nossos pensamentos e ações mesmo antes de que nós os confessemos, então para quê confessá-los? Porque a ponte da confissão não é para o benefício de Deus, mas para o nosso! Confessar faz parte da nossa liberdade de escolha. Ele não nos tira o direito de negar-lhe a ponte. Cabe a nós construí-la e convidá-lo a cruzar!

Deus nos conhece por nome

O SENHOR é o meu pastor; nada me faltará.
Salmos 23:1 (ARA)

A ovelha é o tipo de animal pouco inteligente. Elas andar pela margem de rios em busca de água. Muitas vezes, acabam se molhando e, com a lã pesada demais, são tragadas pelas águas e morrem afogadas. Elas precisam de um pastor que as conduza a "águas tranquilas" Salmos 23:2 (NTLH). Elas não possuem defesa natural – garras, chifres ou presas. Estão desamparadas. Ovelhas precisam de um pastor que traga "vara e cajado" (23:4) para guardá-las. Não têm senso de direção apurado. Carecem de alguém que as leve "pelas veredas da justiça" (23:3). Não somos diferentes. Quando menos esperamos, somos arrastados por águas das deveríamos nos manter longe. Não temos defesa contra o leão que espreita a presa para devorá-la. Da mesma maneira, perdemo-nos. Onde encontrar um pastor? Precisamos de um pastor que cuide de nós e nos guie. Só que temos um. Um Pastor que nos conhece por nome.

Nós temos um pastor que cuida de nós e nos guia. Será que isto significa que não somos responsáveis pelos nossos atos? Qual é a nossa responsabilidade?

Para os amigos no Brasil

Deus não possui ovelhas sem cérebro e sem livre arbítrio. Quando ele nos compara a ovelhas, ele está falando na mansidão e na capacidade de seguir ao Bom Pastor e aceitar seus cuidados, não em escravos sem escolha. Nunca se esqueça disso!

Nada menos que Jesus

Se vocês obedecerem aos meus mandamentos, permanecerão no meu amor, assim como tenho obedecido aos mandamentos de meu Pai e em seu amor permaneço.

João 15:10 (NVI)

O Senhor abençoa quem o busca. Não quem vai atrás simplesmente de doutrinas, ou religião, ou filosofias, ou credos. Há quem esteja atrás dessas paixões menores, mas alcança a vitória quem busca nada menos que o próprio Senhor. E qual é essa vitória? Que bênção aguarda aqueles que querem a Cristo? Nada menos que o coração de Jesus. "Portanto (...) refletimos a glória que vem do Senhor. Essa glória vai ficando cada vez mais brilhante e vai nos tornando cada vez mais parecidos com o Senhor (...)" 2 Coríntios 3:18 (NTLH). E existe algo melhor do que ser igual ao Mestre? Cristo não sentiu culpa; Deus quer tirar a sua. Jesus não teve medo da morte; Deus quer lhe transformar em uma pessoa corajosa. Jesus demonstrava bondade para com os enfermos, misericórdia para com os revoltados e ousadia diante dos desafios. Deus quer que você seja do mesmo jeito. Ele quer que você seja simplesmente como Jesus.

Deus quer que você seja como Jesus. Como ele está fazendo isto em sua vida?

Para os amigos no Brasil

Deus não quer tirar seu direito de escolha, ou qualquer outro aspecto de sua liberdade. Deus não quer que você seja uma cópia carbono de Cristo. O que ele quer é que você deixe Cristo viver em você, que sua vida seja de Cristo, e que você a molde de acordo com a Sua Verdade.

Entregue os seus cuidados

Bendito seja o Senhor, Deus, nosso Salvador,
que cada dia suporta as nossas cargas.

Salmos 68:19 (NVI)

Uma das cargas mais pesada que tentamos levar é dos erros e fracassos. O que você faz com os seus? Ainda que você tenha falhado, caído, todos o tenham rejeitado, Cristo não deu as costas a você. Os primeiros que recebem sua visita são aqueles que não têm esperança. Ele vai àqueles a quem ninguém mais iria, e promete: "Eu lhe darei a eternidade". Apenas você pode entregar suas apreensões ao Pai. Ninguém mais pode tomar a todos e levá-las a Deus. Apenas você pode lançar toda a sua ansiedade sobre quem realmente tem cuidado de sua vida. Que melhor maneira de começar o dia, senão entregando seus cuidados aos pés dele?

Você colocou seus cuidados aos pés de Jesus? Ou você está tentando carregar o fardo de erros e fracassos? Por que é melhor lançar suas ansiedades nele? Explique.

Para os amigos no Brasil

A maioria das pessoas que não quer carregar seus pesos escolhe tomar remédios para minimizar suas ansiedades, causadas por seus próprios erros e fracassos, ou os de alguém mais. Isto não é uma solução. É uma fuga. Quando o efeito dos remédios passa, tudo volta sobre a pessoa. A única maneira de vencer seus cuidados é entregar seus fardos a Jesus, e confiar que ele vai ajudar você.

Um amor para recordar

... poderdes perfeitamente compreender, com todos os santos, qual seja a largura, e o comprimento, e a altura, e a profundidade e conhecer o amor de Cristo.

Efésios 3:18-19 (ARC)

Com tantas limitações, nossa mente não pode conhecer o amor de Deus. Mas isto não o impede de se achegar a ele. Desde o berço em Belém à cruz em Jerusalém, temos recordado o amor de nosso Pai. O que você pode dizer diante desse tipo de emoção? Sabendo que Deus preferiu morrer a deixá-lo a sua própria sorte, qual será a sua reação? Como explicar tamanho amor?

Como você reage ao amor de Deus? O que você diz sobre sua graça apaixonada? Escreva uma nota de agradecimento à bondade dele para com você.

Para os amigos no Brasil

Você já se maravilhou ao saber que seu amor por alguém era correspondido? Pois pense o quanto Deus ama você, e abençoa você, e deixe o maravilhamento encher seu coração!

Dezembro

O caminho de Deus é perfeito.

– Salmos 18:30 (ARA)

Coroa da vitória

Porque vocês sabem que o Senhor recompensará a cada um pelo bem que praticar, seja escravo, seja livre.

Efésios 6:8 (NVI)

Ainda que não saibamos muito sobre a vida eterna, podemos ter certeza que o dia do retorno de Jesus será também um dia de recompensas. Aqueles que não foram reconhecidos na Terra serão conhecidos no céu. Aqueles que nunca receberam a aclamação das multidões serão aclamados pelos anjos. Aqueles que nunca receberam a bênção de um pai ouvirão a bênção de seu Pai divino. O pequeno será grande. O esquecido será lembrado. O desprezado será coroado, e o fiel, honrado. Essa coroa da vitória não está reservada a um punhado dos melhores, mas será concedida a um céu repleto de filhos de Deus. Eles "[receberão] a coroa da vida, a qual o Senhor prometeu aos que o amam" Tiago 1:12 (ARA).

O que Deus prometeu àqueles que o amam? Como você se sente com isto?

Para os amigos no Brasil

Não importa o que acontecer à sua volta, nunca se esqueça de uma coisa: o Senhor não faz distinção de pessoas, porque ele não vê as aparências, mas sim os corações. Deus conhece o seu coração.

Deus é contigo

O SENHOR, teu Deus... se deleitará em ti com alegria; renovar-te-á no seu amor, regozijar-se-á em ti com júbilo.

Sofonias 3:17(ARA)

Deus é contigo. Olhe para o lado; lá está ele o animando na corrida. Olhe à frente, na linha de chegada; lá está Deus aplaudindo a cada passo. Ouça-o na arquibancada, gritando o seu nome. Está exausto e não pode continuar? Ele o carregará nos braços. Sem coragem para retomar a luta? Ele o fortalecerá. Deus é contigo. Ele *é por você.* Se o Senhor tivesse um calendário de parede, seu aniversário estaria marcado lá. Se ele dirigisse um veículo, o seu nome estaria no pára-choque. Se houvesse uma árvore no céu, o seu nome estaria nela gravado. "Será que uma mãe pode esquecer o seu bebê? Será que pode deixar de amar o seu próprio filho?", questiona o Senhor em Isaías 49:15 (NTLH). Mas que pergunta esquisita. Já pensou: a mãe amamenta seu filho durante longo tempo e depois vem com esta: "Qual é o nome deste bebê?". Parece surreal. Observo com tantas mães cuidam de seus pequenos, passam as mãos em seus cabelos, acariciam seus rostos, declamam seu nome, não se cansam de fazer tais coisas. Plena de saúde e em sã consciência, ela esqueceria a criança? Jamais. "Mesmo que isso acontecesse, eu nunca me esquecerei de você". Essa é a promessa do Senhor.

Leia Isaías 49:15. Explique o que isto significa para você.

Para os amigos no Brasil

O pensamento mais reconfortante que existe, é o de que Deus nos ama apesar de nós mesmos. Deus é maior que nossos corações.

A cura para as decepções

Este é o Deus cujo caminho é perfeito.

Salmos 18:30 (NVI)

Muitas vezes, pedimos algo a Deus e não recebemos aquilo que desejamos. Essas ocasiões não são fáceis. Aliás, nunca foram. Nunca serão. Mas fé é a convicção de que ele sabe mais do que nós sobre a vida e nos levará pelos melhores caminhos dela. Não se esqueça: a decepção é curada por uma nova visão da situação. Para deixar o assunto mais claro, vale contar a história do sujeito que entrou numa loja de animais, à procura de um periquito. Solteiro, o rapaz parecia incomodado com o silêncio de sua casa. O proprietário da loja indicou uma certa ave para ele e fizeram negócio. No outro dia, ao voltar do trabalho, o homem encontrou seu lar cheio de música. Foi à gaiola para alimentar o pássaro, mas notou, pela primeira vez, que ele só tinha uma perna. Frustrado e se sentindo enganado por ter comprado um animal defeituoso, voltou à loja para protestar. "O que senhor quer?", contestou o dono do estabelecimento, "um pássaro que canta ou um que dança?". Um questionamento que deveríamos nos fazer, especialmente quando nos sentirmos decepcionados por algo que não saiu como queríamos.

Qual é a maneira sábia de lidar com desapontamento?

Para os amigos no Brasil

Quando confiamos no Senhor, Deus não nos dá simplesmente o que queremos, mas ele nos guia a querermos aquilo que será o melhor para nós, e nos ensina a transformar o que temos em algo melhor. Deus é o arquiteto de nossas vidas.

Assassino da alma

Pois o salário do pecado é a morte.

Romanos 6:23 (NVI)

O pecado faz a uma vida o que a poda faz a uma flor. Um corte no caule separa a flor da fonte de vida. Inicialmente, a flor é viçosa, chama a atenção pela consistência e pelas cores. Porém, após algum tempo, as folhas murcham e as pétalas caem. Faça o que fizer, não recobrará a beleza nem voltará à vida. Coloque-a na água. Ponha seu talo na terra. Cubra o solo à volta com adubo. Prenda-a novamente ao caule... Não adianta. A flor já está morta... A alma morta também perde sua vida. Cortada de Deus, a alma definha e morre. A consequência do pecado não é se restringe a um dia ruim, nem a momentos de tensão, mas leva à morte da alma. Os sinais de que uma pessoa aparentemente viva está, na realidade espiritual, morta são fáceis de identificar: lábios envenenados e boca blasfema, pés que andam em direção à violência e olhos que já não enxergam a Deus. A obra derradeira do pecado é assassinar a alma.

"Separada de Deus, a alma murcha e morre." Explique o por quê.

Para os amigos no Brasil

Na verdade, o que mata a alma não é o pecado. O pecado é simplesmente o resultado da escolha de pecar. É a escolha que mata a alma — o pecado é a consequência.

Os pensamentos de Deus

Como são grandes as tuas obras, Senhor,
como são profundos os teus propósitos!
Salmos 92:5 (NVI)

Os pensamentos de Deus não são os nossos pensamentos, aliás, estão muito longe de serem parecidos com os nossos. Nós pensamos: *Preserve o corpo.* Ele pensa: *Salve a alma.* Nós sonhamos com um aumento de salário. Ele sonha em erguer o morto. Nós evitamos a dor e buscamos a paz. Deus utiliza a dor para trazer a paz. "Vou viver antes de morrer", planejamos. "Morra para que possa viver", ensina ele. Nós valorizamos o que enferruja. Ele valoriza o que não estraga nunca. Ficamos satisfeitos com nossos sucessos. Ele se satisfaz quando confessamos nossas falhas. Apresentamos aos nossos filhos o astro da *Nike*, com um sorriso que vale milhões de dólares, e incentivamos: "Seja um fenômeno como o Ronaldo". Deus aponta para o filho do carpinteiro pregado na cruz, com o rosto coberto de sangue e o lado do corpo perfurado, e exorta: "Seja igual a Jesus".

Como seus pensamentos se comparam tipicamente com os pensamentos de Deus? Faça comparações entre os dois. Daí faça uma lista dos pensamentos de Deus que você quer colocar no lugar dos seus.

Para os amigos no Brasil

Não podemos ser perfeitos, mas podemos ser humildes, reconhecendo nossas imperfeições e pedindo ao Senhor que nos ajude a sermos mais como ele. Você pode fazer disto um exercício diário, examinando seu coração e buscando o coração de Deus em oração.

A GRANDE FAMÍLIA

Serei vosso Pai, e vós sereis para mim filhos e filhas, diz o Senhor Todo-Poderoso.

2 Coríntios 6:18 (ARA)

Todos nós sonhamos com o dia em que as nossas famílias serão como a família Walton*; uma expectativa de que nosso melhor amigo será também o parente próximo. Jesus não tinha este tipo de fantasia. Tanto que, ao falar de sua família, deixou um recado claro: "Pois quem faz a vontade de Deus é meu irmão, minha irmã e minha mãe" Marcos 3:35 (NTLH). Muitas vezes, os próprios irmãos do Senhor não mostravam concordar com suas convicções, mas ele não os forçava. Ele reconhecia que a sua família espiritual podia prover o que a sua família de sangue não tinha condições. Não podemos controlar o modo como a nossa família reage a nós. Ficamos de mãos presas, quando o assunto é o comportamento dos outros para conosco. Precisamos sair da ilusão de que, se formos legais, os outros nos tratarão bem. Eles podem agir assim ou não. Não temos domínio sobre suas reações. Permita que Deus lhe conceda o que sua família não pode lhe dar. Se o seu pai daqui o ignora, deixe o Senhor mostrar porque é seu Pai celeste. Apenas não perca o carinho e o cuidado que tem por seus parentes. Afinal, o Senhor ainda transforma famílias.

* Seriado estadunidense produzido entre 1972 e 1981, e que mostrava as aventuras de uma família que vivia da extração de madeira na Virgínia durante a época da Grande Depressão.

O que Deus pode lhe dar, que sua família não pode?

PARA OS AMIGOS NO BRASIL

Ainda que não se possa mudar as pessoas, podemos mudar a nós mesmos. Isto vai influenciar os que nos cercam, e é bem possível que nosso exemplo venha a mudá-los. Experimente! Procure viver de acordo com o plano divino, e você verá como sua parte do mundo pode ser mudada!

O fim das preocupações

Ele enxugará dos seus olhos toda lágrima. Não haverá mais morte, nem tristeza, nem choro, nem dor, pois a antiga ordem já passou".

Apocalipse 21:4 (NVI)

O que você já fez hoje para fugir da morte? Possivelmente, muitas coisas. Você tornou vitaminas, planejou a alimentação, colocou de lado os doces e valorizou comida rica apenas em gordura poli-insaturada, como as ômega 3 e 6. Por quê? Para que tamanho cuidado? Porque você está preocupado em continuar vivo. No céu, isto não será necessário. Para falar a verdade, não haverá nenhum tipo de preocupação. Algumas mães se preocupam com seus filhos, para que não se machuquem. No céu você não se preocupará. Lá não haverá mais dor. Outros ficam aflitos porque estão envelhecendo. No céu isto não acontecerá. Teremos forças e vigor constante. Não somos feitos de aço. O pó é o que nos forma. E a coroa desta existência não é a da vida, mas a da morte. A outra vida é bem diferente desta. Tanto que Cristo insistiu com os crentes de Esmirna: "Sejam fiéis, mesmo que tenham de morrer; e, como prêmio da vitória, eu lhes darei a vida" Apocalipse 2:10 (NTLH).

Faça uma lista das coisas com as quais você não vai precisar se preocupar no céu.

Para os amigos no Brasil

Apocalipse 21:4 diz que Deus limpará nossos olhos de toda lágrima. Não diz que não haverá lágrimas... Será isto porque, ao vermos a perfeição divina, teremos lágrimas de felicidade?

Lembranças da oração

A oração de um justo é poderosa e eficaz.
Tiago 5:16 (NVI)

Orar é reconhecer que o Senhor se comprometeu com os nossos problemas e que, se não fosse dessa maneira, ainda estaríamos confundidos e em trevas. Por sua misericórdia, somos levantados. A oração é este processo completo, que nos lembra quem é Deus e quem somos nós. Acredito no imenso poder da oração. Acredito que Deus cura o ferido e pode ressuscitar o morto. Mas não acredito que devemos dizer a Deus o que e quando fazer. Ele sabe que nós, com todas as limitações, não conseguimos ver longe nem saber exatamente pelo que pedir. Quando lhe confiamos as nossos clamores, confiamos que ele honrará nossas orações com julgamento santo.

A oração nos faz lembrar de quem é Deus, e quem somos nós. Explique o que isto significa. Por que podemos confiar no julgamento dele ao responder nossas orações?

Para os amigos no Brasil

Não há poder maior, dado ao homem, do que a fé. É através dela que nos comunicamos com Deus, e é através dela que ele nos responde. Quando tudo parecer difícil, não se esqueça disto: pela fé, você tem acesso a Deus.

Graça sobre graça

Pois aprendi a adaptar-me a toda
e qualquer circunstância.
Filipenses 4:11 (NVI)

Pense um pouco a respeito : E se a única bênção que Deus quisesse lhe dar fosse a sua graça para a salvação? Você estaria contente? Você clama para que ele salve a vida de seu filho. Você apela para ele prosperar seus negócios. Você suplica para que tire o câncer do seu corpo. Caso a única resposta que escute seja: "A minha graça lhe basta", você ficará contente? Para compreender melhor a questão, mude seu ângulo. Da perspectiva do céu, graça é tudo que precisamos. Se Deus fizesse nada mais que nos livrar do inferno, poderíamos reclamar? Havendo ganhado a vida eterna, ousaríamos murmurar pelas dores no corpo? Com tantas riquezas celestiais, nós nos atreveríamos a lamentar a pobreza terrena? Se sua visão é suficiente para ler essas palavras, suas mãos podem pegar este livro, possui condições para adquirir esta obra, ele já lhe deu graça sobre graça.

Faça uma lista de algumas das maneiras pelas quais Deus lhe deu "graça sobre graça".

Para os amigos no Brasil

O Senhor disse que nós o acharíamos quando o buscássemos de todo nosso coração. Será talvez por isso que ele permite que muitas coisas aconteçam – para que nosso coração se desespere por ele, e verdadeiramente o busquemos?

Vestida como uma noiva

A noiva pertence ao noivo.
João 3:29 (NVI)

João fala do futuro, lá no Apocalipse, de uma maneira que deixa qualquer um sem fôlego. A batalha contra o mal é viva e cheia de cores. O choque de forças contra o mal. O sagrado combate contra o pecado. Os escudeiros bramam com o guinchar de dragões e queimam com brasas do abismo ardente. Mas, no meio de toda essa destruição e da guerra, surge uma rosa. João fala sobre ela no capítulo 21. "E vi a Cidade Santa, a nova Jerusalém, que descia do céu. Ela vinha de Deus, enfeitada e preparada, vestida como uma noiva que vai se encontrar com o noivo" Apocalipse 21:2 (NTLH). Na última e decisiva batalha, do alto da montanha, Deus puxa a cortina e permite ao guerreiro vislumbrar o interior da pátria. Quando recebeu a missão de escrever o que viu, João escolheu a melhor comparação que o mundo tinha a oferecer. A Santa Cidade, conta João, é "como uma esposa vestida para o seu marido".

Faça uma lista de algumas comparações entre uma linda noiva e a Cidade Santa. Como isto encoraja você?

Para os amigos no Brasil

Por mais confusos que os dias sejam para nós, sempre podemos ter a certeza de que há uma linda Cidade esperando por nós, com justiça, beleza e conforto para todos. Pense nisto, quando seu coração se desencorajar.

Apenas ore

Está alguém entre vós aflito? Ore. Está alguém contente? Cante louvores.

Tiago 5:13 (ARC)

De que maneira é possível ter uma vida de oração mais intensa e profunda? Ore, simples assim. Não fique se preparando muito para orar. Apenas ore. Não leia ou estude sobre técnicas de oração. Simplesmente ore. Não assista a uma conferência, nem entre numa discussão sobre oração. Tão somente ore. Postura, tom e lugar são assuntos pessoais. Escolha a forma que funciona para você. Mas não gaste muito tempo pensando nisso. Não fique tão preocupado com o embrulho do presente, a ponto de nunca o dar. É melhor orar, ainda que sem muito jeito, que nunca o fazer. E se você acha que só deve orar quando estiver inspirado, não tem problema. Mas cuide para que essa inspiração seja diária.

Você já se encontrou tão preocupado com a forma de sua oração, que não a ofertou? Por que é melhor orar sem jeito do que não orar?

Para os amigos no Brasil

Orar é falar com Deus, e ele não é complicado. Nós é que somos. Não há fórmulas para falar com ele. Simplesmente abra seu coração! Deus não julga você pela maneira como se aproxima dele, mas pelo seu coração.

Perseguição divina

Bondade e misericórdia certamente me seguirão todos os dias da minha vida; e habitarei na Casa do SENHOR para todo o sempre.

Salmos 23:6 (ARA)

Alguns retratos de Deus causam surpresa. Um deles é este: um Deus que nos persegue. Somos capazes de pensar num Deus que vai a todo lugar, está sempre ativo, que nos caça, segue nosso rastro, acompanhando-nos com bondade e misericórdia todos os dias de nossas existências? É fácil encontrá-lo. Ele está tá nas Escrituras, procurando Adão e Eva. Eles estão escondidos na vegetação, em parte para cobrir seus corpos, em parte para cobrir seu pecado. Deus espera que se cheguem até ele? Não. As palavras soam no jardim: "Onde estão vocês?", pergunta o Senhor, começando sua busca para trazer redenção ao ser humano (Gênesis 3:9). Uma verdadeira perseguição a seus filhos até que seus filhos o sigam.

Deus nos persegue. Como isto demonstra seu grande amor para conosco? Você já sentiu que ele estava perseguindo você? Explique.

Para os amigos no Brasil

Não importa onde você está agora mesmo, o que está fazendo, em que época de sua vida está – Deus sabe quando você está pronto para segui-lo, e vai perseguir você até que você se volte a ele. Ele nunca desistirá de você.

Não tem preço

Contudo, aos que o receberam, aos que creram em seu nome, deu-lhes o direito de se tornarem filhos de Deus.

João 1:12 (NVI)

Na época em morávamos no Rio de Janeiro, conhecemos várias famílias norte-americanas que vinham ao Brasil para adotar crianças. Eles passavam dias, às vezes semanas, imersos numa língua diferente e numa cultura estranha. Enfrentavam a burocracia e pagavam elevados valores, tudo na esperança de levar uma criança para os Estados Unidos. De um modo parecido, Deus não fez a mesma coisa por nós? Ele entrou em nossa cultura, combateu contra quem resistia e deu valor incalculável para nos adotar. Legalmente, somos dele. Ele nos possui. Temos todos os privilégios legais de filhos. A única coisa que esperamos é sua volta, para nos levar. Como disse Paulo, "esperamos ansiosamente nossa adoção como filhos, a redenção do nosso corpo" Romanos 8:23 (NVI).

O que significa ser adotado por Deus? Faça uma lista de alguns privilégios que você tem por ser seu filho.

Para os amigos no Brasil

Ser escolhido para ser filho de Deus não significa que somos melhores que outros. Significa que devemos nos tornar melhores do que éramos, para que outros vejam, e aceitem ser, eles também, escolhidos. Ser escolhido por Deus não deve ser um privilégio exclusivo, mas inclusivo – ao ser escolhido, você mostra a outros o caminho.

Cada filho é chamado pelo nome

"Eu sou o bom pastor; conheço as minhas ovelhas; e elas me conhecem;

João 10:14 (NVI)

O pastor conhece suas ovelhas. Tanto que as chama pelo nome. Mas o mesmo não acontece quando olhamos para uma multidão. O que identificamos? Apenas um amontoado de gente. Não pessoas, mas um povo. Um grupo de seres humanos. Um rebanho de rostos, mas sem face. Somente. Com o Grande Pastor isso não acontece. Tal qual a personagem humana que lhe serve de comparação, ele conhece cada rosto. Sabe que um é diferente do outro e sabe quais são essas diferenças. Assim, como chama cada um de filho e cada filho tem seu próprio nome. O Pastor conhece suas ovelhas. Conhece cada uma pelo nome. O Pastor conhece você. Ele sabe o seu nome. E nunca o esquecerá.

Deus conhece seu nome. Você é especial para ele. Como você se sente sabendo disto? Como você responde a isto?

Para os amigos no Brasil

Quando se fala em "seguir como uma ovelha", a imagem que nos vem é de alguém seguindo a um líder sem pensar, sem raciocinar. Não é isto o que o Senhor requer de seu rebanho. Ele não quer submissão abjeta – ele quer que aqueles que o sigam façam uma escolha consciente e voluntária.

Fogo estranho

O Senhor detesta o caminho dos ímpios,
mas ama quem busca a justiça.
Provérbios 15:9 (NVI)

Quem sabe o machucado seja antigo. Um pai que abusou de você. Um professor que o humilhou. Uma esposa ou um esposa que traiu... E você está mergulhado em confusão e ira. Mas a ferida pode ser mais recente. Um amigo que lhe deve uma grana aparece de carro novo. O patrão que, quando o contratou, fez mil promessas de aumento de salário e promoção na empresa, mas desde então parece ter contraído uma amnésia e nem lembra do seu nome. De qualquer modo, você está magoado. Uma parte de você está machucada e a outra, amargurada. Um lado de você quer chorar e o outro, dar o troco. Há um fogo queimando em seu coração. É o fogo da ira. Precisa tomar com urgência uma decisão: "Apago o fogo ou jogo mais lenha na fogueira? Abafo tudo ou ajusto as contas? Resfrio o lugar ou o aqueço com mais e mais rancor? Curo as minhas feridas ou as deixo abertas, para que infeccionem e produzam o ódio?" Deslealdade é um grande equívoco. Assim como a vingança é um tremendo erro. Mas o pior mesmo é que, sem perdão, uma vida amargurada e sem sentido é tudo o que sobra.

Você tem um fogo queimando em seu coração? O que você escolhe fazer com isto?

Para os amigos no Brasil

Não importa quão profunda é a ferida, ou quão antiga. O Senhor pode lhe dar um bálsamo para tratá-la, se você entregar seu fardo a ele, e não esquecer que isso também passará.

Promessas

Porque um menino nos nasceu, um filho nos foi dado... E ele será chamado Maravilhoso Conselheiro, Deus Poderoso, Pai Eterno, Príncipe da Paz.

Isaías 9:6 (NVI)

Toda vez que chega o Natal, eu medito nesta mensagem que veio pelo correio há alguns anos: "Se a nossa maior necessidade fosse informação, Deus nos teria enviado um educador. Se a nossa maior necessidade fosse tecnologia, Deus nos teria enviado um cientista. Se a nossa maior necessidade fosse dinheiro, Deus nos teria enviado um economista. Mas uma vez que a nossa maior necessidade era o perdão, Deus enviou-nos um Salvador. Ah, esses cartões. Cheios de promessas. Frases repletas da razão de que, de qualquer maneira, tanto carecemos.

Ele se tornou como nós, então podemos nos tornar como ele.

Os anjos ainda cantam, e as estrelas ainda acenam.

Ele ama a cada um de nós como se existisse somente um de nós para amar.

"Ele se tornou como nós, para que nós pudéssemos nos tornar como ele." Explique o que essa afirmação significa. Descreva como ela é verdadeira em sua vida.

para os amigos no Brasil

O homem é o único animal capaz de escolher entre o bem e o mal, mas também o único que escolhe voluntariamente o mal, muitas vezes por puro prazer. Pense em como os ensinamentos de Cristo guiam o homem para que ele se torne como ele, e no amor que Deus tem por nós, dando-nos seu Filho.

Não é pelo que temos

Pois Deus enviou o seu Filho ao mundo,
não para condenar o mundo, mas para
que este fosse salvo por meio dele.
João 3:17 (NVI)

Pare por um momento e tente imaginar a cena. Possíveis pais tentam adotar uma criança: "Gostamos do João, mas antes de adotá-lo queremos saber algumas coisas. Ele tem uma casa para morar? Ele tem dinheiro para pagar seus estudos? Ele tem transporte para a escola todas as manhãs e roupas para vestir todos os dias? Ele sabe fazer sua refeição e arruma sozinho suas roupas?". Nenhuma Vara de Infância aceitaria essa conversa. O juiz interromperia na hora: "Calma, cidadãos. Vocês não compreenderam. Não vão adotar o João por causa do que ele tem; vocês o adotarão pelo que ele necessita. E ele precisa de um lar". Coisa semelhante ocorre com o Senhor. Deus não nos adota pelo que temos. Recebemos o seu nome não por causa de nossa capacidade, ou nossos bens ou nosso bom comportamento. Adoção é recebida, não conquistada.

Deus não nos adota devido ao que temos, mas devido ao que precisamos. Por que isto é uma boa notícia para nós?

Para os amigos no Brasil

Não importa quantas são as necessidades que você pode enumerar em sua vida, Deus é grande o suficiente para suprir todas elas. Se você percebe que alguma não está sendo suprida, pergunte a si mesmo o que você pode fazer a respeito. Depois de ter feito tudo, confie no Senhor de todo o seu coração, e ele lhe dará as resposta de que você precisa.

Sem espaço para Deus?

Eis que estou à porta e bato.
Apocalipse 3:20 (NVI)

Uma das coisas mais tristes pelo que pode passar nesta vida é ouvir esta sentença: "Não temos lugar para você". Jesus conhecia bem o som dessas palavras. Ele ainda estava no ventre de Maria, quando o dono da hospedaria disse: "Não temos lugar para você". E quando ele estava crucificado, a mensagem de total rejeição foi repetida: "Não temos lugar para você neste mundo". Até hoje, ele continua a ter o mesmo tratamento. De coração em coração, ele bate à porta, pede licença para entrar, mas... De vez em quando ele é bem-recebido. Alguns abrem a porta do coração e pedem para que fique. A esses indivíduos Jesus surpreende com uma grandiosa promessa: "Na casa de meu Pai existem muitas moradas". Ele nos faz um convite tremendo! Às vezes, negamos um momento em nossos corações, mas ele nos oferece o melhor espaço de sua casa.

Você fez espaço em seu coração para Cristo? Descreva como isto mudou sua vida. Como sua vida seria diferente sem ele?

Para os amigos no Brasil

Antes que você fizesse um espaço para Cristo em seu coração, Deus já havia feito um espaço para você na Cidade Santa. Antes de você o escolher, ele já conhecia a sua escolha.

Somente de joelhos

Deus se opõe aos orgulhosos, mas concede graça aos humildes.

Tiago 4:6 (NVI)

Uma pequena igreja já saindo da cidade de Belém marca o suposto lugar do nascimento de Jesus. Atrás do elevado altar do templo existe uma gruta. Uma caverna iluminada por lâmpadas de prata. Dá para entrar no edifício principal e admirar a histórica igreja. Também entrar na caverna, onde impera uma atmosfera solene e uma estrela está engastada no chão, indicando o possível local de nascimento do Rei. Para entrar ali, no entanto, há uma exigência. Você precisa se inclinar. A porta é tão baixa, que não permite à pessoa passar de pé. Com Jesus é a mesma coisa. Você pode ver o mundo de pé, mas para encontrar o Senhor, deve buscá-lo com humildade, joelhos dobrados.

Para ver o Senhor, você precisa cair de joelhos. Explique o que isto significa. Como podemos aplicar isto às nossas atitudes e atos?

Para os amigos no Brasil

Deus não deseja nossa humilhação, mas nossa humildade. Ele não deseja a aniquilação do nosso eu, mas sua sublimação. Ao cair de joelhos perante a glória do Senhor, nós não nos tornamos escravos de uma vontade alheia, mas nós nos tornamos participantes da glória do Salvador.

Presente divino

Toda boa dádiva e todo dom perfeito vêm do alto, descendo do Pai das luzes, que não muda como sombras inconstantes.

Tiago 1:17 (NVI)

Não adianta, ninguém pode salvar a si mesmo. Definitivamente, autossalvação é o tipo de modalidade que não existe. Se para o ser humano é impossível, por mais que se esforce, o apóstolo Paulo informa que Deus encontrou um jeito. Onde o homem falha, o Senhor acerta. A salvação vem do céu para cá, não da Terra para o Alto. "Toda boa dádiva e todo dom perfeito vêm do alto, descendo do Pai das luzes" Tiago 1:17 (ARC). Repare que a salvação é oferecida por Deus, direcionada por Deus, autorizada por Deus e tem começo em Deus. O presente não é do homem para Deus. É de Deus para o homem.

Será que Deus nos deu a dádiva da salvação porque nós merecíamos? Será que isto é possível? Explique.

Para os amigos no Brasil

I de Samuel 16:7 diz que Deus não vê a aparência, mas o coração. Isto não quer dizer que ele nos dá a salvação porque nosso coração é bom e merece, mas sim que ele vê nosso coração, e nos ama apesar disto.

UMA NOITE EXTRAORDINÁRIA

Pois, na cidade de Davi, vos nasceu hoje
o Salvador, que é Cristo, o Senhor.
Lucas 2:11 (ARC)

Como em qualquer outra noite, naquela tudo parecia ordinário: o tempo, as ovelhas e os pastores. E se não fosse por um Deus que ama colocar um "extra" na frente do ordinário, a noite teria ficado de fora da História. As ovelhas teriam sido esquecidas e os pastores, caído no sono. Mas é assim que o Senhor gosta de trabalhar, dançando no meio do que é comum. E naquela noite ele embalou uma bela valsa. O céu escuro se acendeu, cheio de luz. As árvores, mergulhadas nas sombras, surgiram em meio à claridade. As ovelhas, que estavam quietas, berravam de curiosidade. De um momento para o outro, a monotonia do trabalho pastoral foi substituída pela quase inacreditável face do anjo, cuja aparição os forçou a esfregarem os olhos e se perguntarem se não estavam sonhando. Definitivamente, a noite não seria mais ordinária. Os anjos vieram à noite porque é o tempo em que as luzes são mais visíveis e mais se necessita delas. Deus veio para o comum pelo mesmo motivo: seus meios mais poderosos são também os mais simples.

Por que Deus "dança no meio do que é comum"?

PARA OS AMIGOS NO BRASIL

Se sua vida parece comum, ordinária, experimente deixar o amor do Senhor fluir através de você, ajudando a alguém que precise. E ao ajudar a outrem, você verá como sua vida vai se transformar em algo extraordinário!

MAIS DO QUE UM BOM NEGÓCIO

Porque o que me acha acha a vida e alcança favor do SENHOR.
Provérbios 8:35 (ARA)

A graça vem do Senhor e é entregue ao homem. Somente por isso, o cristianismo é único, diferente de qualquer outra religião do planeta. Todas as outras crenças propõem às pessoas que se aproximem de Deus de forma comercial. Quer dizer, se eu fizer tal coisa, Deus fará outra. Sou salvo tanto pelo que realizo (as coisas que faço), como pelas emoções (aquilo que experimento) e pelo que conheço (tudo o que sei). Muito diferente disso, o cristianismo não tem esse odor mercantil. O homem não é um negociante; na verdade, ele sequer possui bens para tentar barganhar.

Descreva algumas das bênçãos que desfrutamos porque a maneira pela qual abordamos Deus não é um sistema de trocas. Explique o benefício de não ter motivos para negociar.

PARA OS AMIGOS NO BRASIL

A suprema dádiva de Deus, a salvação, nos foi dada sem data festiva específica, sem merecimento, sem absolutamente nada a não ser a realidade da absoluta miséria humana que, sem ela, estaria para sempre condenada. Esta é a graça de Deus.

Feito por encomenda

Graças a Deus por seu dom indescritível!

2 Coríntios 9:15 (NVI)

Por que ele faz todas essas coisas? Uma cabana teria sido o suficiente, mas ele nos edificou uma mansão. Ele tinha que compor uma canção só para os pássaros e erigir um pico às montanhas? Alguém pediu para pintar com listras as zebras e adicionar corcovas aos camelos? Por que revestir a criação de tal esplendor? Por que se preocupar com os mínimos detalhes e as mais fantásticas dádivas? E por que você o faz? A mesma coisa. Tenho reparado quando procura um presente. Vai de uma loja à outra, não se cansa de ver as vitrines dos shoppings. Não estou falando de qualquer presente, de uma obrigação ou de uma lembrancinha. Estou falando de alguém extraespecial e daquele presente extradiferenciado. Por que você o faz? Você o faz porque o coração vai parar. Porque vai deixar a boca aberta. Você o faz para ouvir aquelas palavras de incredulidade: "Você comprou isto para *mim?*". Você faz por causa disso e também é pelos mesmos motivos que Deus o fez. Na próxima oportunidade em que o contemplar do nascer do sol tirar seu fôlego e a florada do campo o deixar atônito, fique assim mesmo. Não tente dizer nada, apenas escute o sussurro do céu: "Você gostou? Fiz isto para você".

Descreva como Deus se aproximou de você. Como isto fez toda a diferença em sua vida?

Para os amigos no Brasil

Perdemos muito tempo olhando as coisas negativas ao nosso redor, quando poderíamos estar observando todas as incríveis dádivas de Deus, e alegrando a outros ao nosso redor com nossos corações agradecidos! Que tal experimentar uma vida de louvor?

Mistérios anunciados

E Jacó gerou José, marido de Maria, da qual nasceu Jesus, que é chamado Cristo.

Mateus 1:16 (ARC)

Os avós de Jesus não são tão badalados, mas possuem algo em comum. Apesar de trajetórias bem diferentes, tinham a mesma promessa. Uma promessa do céu que os unia, de que seriam o meio pelo qual o Todo-Poderoso enviaria seu Filho. Mas para que usar essas pessoas? Ele não tinha de fazê-lo. Poderia tão somente ter repousado o Salvador nos degraus da porta de uma casa. Muito mais simples. Mas ele fez e decidiu contar toda a história. Por quê? Elementar. Ele queria que soubéssemos que quando o mundo se agita, ele permanece calmo. Duvida? Medite no último nome que aparece na genealogia de Cristo. Apesar de passar por tantas auréolas amassadas e por piruetas desajeitadas de seus escolhidos, o derradeiro nome da lista é o aquele primeiro que fora prometido: o próprio Jesus. Nenhum outro nome é listado. Nem um a mais é preciso. Afinal, Deus estava declarando a um mundo duvidoso: "Preste atenção, eu o fiz. Do mesmo jeito que eu disse que faria".

Deus é santo. Nós somos pecadores. Será que isto significa que é impossível que nos aproximemos dele? Ou isto enfatiza nossa necessidade de nos aproximarmos dele? Explique.

Para os amigos no Brasil

Há um ditado que diz: "Deus não tem netos." E por que seria isto? Porque não chegamos a ele devido ao mérito de nossos pais ou avós, tampouco devido aos nossos próprios méritos, mas sim devido à suprema graça de Deus, que dá Sua salvação a todos que o buscam.

Deus se tornou homem

Antes, a si mesmo se esvaziou, assumindo a forma de servo, tornando-se em semelhança de homens.

Filipenses 2:7 (ARA)

Aquele momento foi formidável. Tudo se deu nele. Um instante como nenhum outro... Deus se fez homem. Chegou quem era divino. O céu se abriu e colocou o seu ser mais precioso num ventre humano. O Todo-Poderoso, o único, em um momento, veio a ser carne e sangue. O que que era maior que o universo passou a ser um embrião microscópico. Aquele que mantém tudo dizendo apenas uma palavra, preferiu depender dos cuidados de uma jovem. Era Deus chegando.

Explique como o nascimento de Jesus fala do amor de Deus.

Para os amigos no Brasil

Deus vestiu a fantasia ridícula de homem por amor a você. Se ele não se envergonhou de vesti-la, por favor nunca se envergonhe de seu nome.

Amor sem limites

Mas Deus demonstra seu amor por nós: Cristo morreu em nosso favor quando ainda éramos pecadores.

Romanos 5:8 (NVI)

"Existe algo que me impeça de o amar?", pergunta o Senhor. "Repare em mim falando em sua língua, dormindo na mesma terra que você e experimentando as suas dores". Observe quem criou a visão e a audição, enquanto ele espirra, tosse e assoa o nariz. Você ainda acha que não sei como se sente? Olhe dentro dos olhos daquele menino em Nazaré; é Deus seguindo para mais um dia na escola. Pense na criança à mesa de Maria; é Deus derramando o leite. "Você questiona até onde vai meu amor? Encontre a resposta na cruz carregada e depositada sobre um rochedo de difícil acesso. É a mim que você vê ali, o seu Criador, o seu Deus, ataviado com pregos e sangrando. Coberto de cuspe e encharcado pelo pecado. "É o seu pecado que estou levando. É a sua morte que estou morrendo. É a sua ressurreição que estou vivendo. É apenas uma demonstração do quanto amo você."

Escreva para Deus uma nota de agradecimento por seu incrível amor.

Para os amigos no Brasil

Se você está dolorido, se seu coração está partido, pare um pouco e pense no quanto o Senhor padeceu por amor a você, e em como ele prometeu estar com você em todos os seus caminhos. Você não está sozinho – Ele está aí com você.

Quando o fracasso vira motivo de alegria

Mudaste o meu pranto em dança, a minha veste de lamento em veste de alegria,

Salmos 30:11 (NVI)

Na jornada para recuperar a alegria, o primeiro passo é um pedido de socorro, o reconhecimento de que moralmente estamos derrotados, a confissão no coração de insuficiência. Àqueles que experimentaram a presença de Deus declararam falência espiritual e mergulharam em crise espiritual. Seu depósito está desprotegido. Seus bolsos, vazios. Suas opções terminaram. Faz tempo que não mais justiça; agora, suplicam misericórdia. Eles pedem que Deus faça por eles o que não podem fazer sozinhos. Eles viram o quanto Deus é santo e o quanto eles são pecadores, e concordaram com aquilo que Jesus falou certa vez: "É impossível. Quem pode se salvar?". Que ironia na qual Deus se deleita — nascer na terra árida da perda, em vez do solo fértil de grandes feitos. É uma rota bem alternativa. Um caminho que você não está acostumado a tomar. Não é todo dia que declaramos ser impotentes. Admitir o fracasso não é o tipo de coisa para se fazer com um sorriso no rosto. Confissão total de erro não costuma ser seguida por um perdão que faz todo o mal ser completamente esquecido. Porém, mais uma vez, Deus não guia pela mesma estrada do homem.

O que você pediu que Deus fizesse, que você não podia fazer sem ele?

Para os amigos no Brasil

Diz-se que a hora mais escura é antes do amanhecer. Quantas vezes você se viu em depressão, em tristeza, sem ver uma saída? São nesses momentos escuros, quando parece que não há saída, não há solução, que precisamos nos abraçar às promessas de Deus. Ele nunca, mas nunca, falha.

A profundidade da graça

Ora, o Deus de toda a graça, que em Cristo vos chamou à sua eterna glória.

1Pedro 5:10 (ARA)

Dá para acreditar? Estamos totalmente, eternamente livres de dívidas. Parece tão bom que achamos que não pode ser real. Ainda que, diante do trono, tenhamos ouvido da própria boca do Rei. As dúvidas permanecem. A consequência é que a muitos é perdoado bem pouco, não porque a graça do Rei seja limitada, mas porque a fé do pecador é pequena. Saiba que o Senhor está disposto a perdoar tudo. Disposto a apagar totalmente o quadro negro. Ele nos guia a um tanque de misericórdia e nos convida a entrar. Alguns mergulham. Outros, porém, apenas encostam na superfície da água. Estes vão embora, mas não se sentem perdoados... Quando a graça de Deus é deixada de lado, a amargura aparece. Mas no momento em que a graça do Senhor é abraçada, o perdão desabrocha. Quanto mais imersos, em grandes profundidades, estamos na graça, certamente, mais damos graça.

Por que é mais provável darmos graças se estivermos imersos na graça de Deus?

Para os amigos no Brasil

Graça é exatamente isto: algo que não tem preço. Você nunca vai bonzinho o suficiente e ser merecedor das graças de Deus simplesmente porque elas são... gratuitas!

Famílias nas mãos de Deus

Todos eles se reuniam sempre em oração,
com as mulheres, inclusive Maria, a mãe
de Jesus, e com os irmãos de Jesus.

Atos 1:14 (NVI)

O Senhor é um Pai fiel. E tem provado isso a nós. Mas precisamos ser filhos verdadeiros, que descansem em seus braços com toda a confiança. Permita a Deus lhe conceder o que sua família não lhe dá. Deixe-o preencher o vazio deixado pelas pessoas. Faça dele seu apoio para conseguir afirmação e encorajamento. Reflita no que escreve Paulo: "Assim vocês não são mais escravos; vocês são filhos. E, já que são filhos, *Deus lhes dará as bênçãos que prometeu*" Gálatas 4:7 (NTLH com trecho em itálico parafraseado pelo autor). Todos querem ter a aprovação da família, porém isso não é fundamental para ser feliz e, muitas vezes, não é nem possível. Jesus não deixava que as críticas que recebia de seus parentes o impedissem de ver a sua chamada divina. Por isso, o capítulo final de sua família ganhou um termo feliz. Ele lhes deu espaço, tempo e graça. Dessa forma, eles mudaram. Um irmão virou apóstolo (Gálatas 1:19), e outros vieram a ser pregadores do Evangelho (1 Coríntios 9:5).

Você se apoia em Deus para receber afirmação e encorajamento, ou você se apoia em outras pessoas? Explique por que é muito melhor se apoiar na aprovação de Deus.

para os amigos no Brasil

Nem sempre é fácil quando não temos o encorajamento de nossos amados, mas ajuda saber que o Senhor também passou por tudo isso. Pense nas vezes em que ele precisou escolher entre seguir ao Pai, ao invés de seguir aos homens.

Nosso trabalho e o dele

Tudo o que tenho é teu, e tudo o que tens é meu.
E eu tenho sido glorificado por meio deles.
João 17:10 (NVI)

Deus está no negócio de transformar este mundo. Vou ser mais claro. Tal mudança é dever dele, não nosso. A nosso alvo não é fazer com que nossos rostos brilhem. Assim como não foi o de Cristo. Mateus explica que "a aparência de Jesus foi mudada". Não que "Jesus mudou sua aparência". Moisés só descobriu o brilho de sua face quando desceu da montanha (Êxodo 34:29). O nosso alvo não é pedir por uma mera expressão congelada, artificial. O nosso alvo é tão somente ficar na presença de Deus, com um coração pronto e disposto, e permitir ao Senhor realizar a sua parte. E ele não deixa trabalho incompleto. Ele enxuga as lágrimas. Tira o suor. Suaviza nossas testas enrugadas pelo tempo. Toca nosso rosto. Transforma as nossas faces enquanto adoramos.

Quando estamos na presença de Deus com corações dispostos, ele faz seu trabalho. Ele enxuga nossas lágrimas, suaviza nossas testas enrugadas. Faça uma lista de algumas formas pelas quais Deus tocou sua vida.

Para os amigos no Brasil

Estamos cercados de problemas sociais, econômicos, políticos, e isso muitas vezes pode nos desencorajar. Uma maneira de lutar contra esse desencorajamento é lembrar de tudo o que Deus já fez em nossas vidas e na vida de quem amamos. Fica mais fácil encarar o presente, quando sabemos que ele nunca nos abandonou, e nunca nos abandonará.

Palavras de confiança

Deixo-lhes a paz; a minha paz lhes dou. Não a dou como o mundo a dá. Não se perturbem os seus corações, nem tenham medo.

João 14:27 (NVI)

Se tão-somente vocês descobrissem que vim para socorrer, não para condenar. Se tão-somente vocês soubessem que amanhã será melhor que hoje. Se tão-somente vocês conhecessem a bênção que vim trazer: a vida eterna. Se tão-somente vocês entendessem que eu os quero em segurança no lar. *Se tão-somente vocês soubessem.* Que desejos intensos e fortes brotam dos lábios de Deus. Quão grande é a sua bondade em nos permitir ouvi-las. Como é decisivo pararmos para escuta-las. Se tão-somente soubéssemos confiar. Confiar que o Senhor anda ao nosso lado. Confiar que Deus tem o melhor para nós... Se tão-somente entendermos o que significa confiar nele.

Por que é importante aprender a confiar em Deus? Como isso pode fazer uma diferença na nossa vida diária? Por que Deus quer que confiemos mais e mais?

Para os amigos no Brasil

Seja o que for que esteja lhe causando ansiedade neste momento, entregue tudo agora mesmo nas mãos de Deus. Simplesmente baixe sua cabeça e diga: "Senhor, eu confio em ti. Fortaleça a minha fé." E ele fará exatamente isto, porque prometeu.